Cisco专业技术丛书

Cisco路由器OSPF 设计与实现

（美） William R. Parkhurst 著

潇湘工作室 译

机械工业出版社

本书介绍互连网络协议的专门知识。通过本书的学习，可以在理论及实践的基础上理解网络路由，配置和设计OSPF版本2的网络，处理IP寻址、子网、VLSM和IP路由问题，避免常见的设计错误，将网络从RIP迁移到OSPF，使OSPF与其他协议一起使用，在帧中继上实现OSPF，以及监视和调试OSPF网络。

本书适用于网络设计人员、大学生以及要取得各种互连网络资格认证的人员，而且可以做为利用Cisco路由器去配置IP路由的使用指南。

William R.Parkhurst:Cisco Router OSPF Design & Implementation Guide.

Authorized translation from the English language edition published by the McGraw-Hill Companies.

Copyright © 1998 by McGraw-Hill.

All rights reserved.

本书版权登记号：图字：01-98-2514

图书在版编目(CIP)数据

Cisco 路由器OSPF设计与实现/(美) 帕克贺斯特(Parkhurst,W.R.) 著；潇湘工作室译。
－北京: 机械工业出版社，1999

(Cisco 专业技术丛书)

书名原文：Cisco Router OSPF Design & Implementation Guide

ISBN 7-111-07010-0

Ⅰ.C… Ⅱ.① 帕… ②潇… Ⅲ.因特网－路由选择－基本知识 Ⅳ.TP391.4

中国版本图书馆CIP 数据核字 (98) 第40553号

出 版 人：马九荣 (北京市百万庄大街22号 邮政编码100037)

责任编辑：温莉芳 吴 怡

北京昌平第二印刷厂印刷·新华书店北京发行所发行

1999 年3月第1版·1999年6月第2次印刷

787mm × 1092mm 1/16·15.5印张

印数：5 001-10 000册

定价：33.00元

凡购本书，如有倒页、脱页、缺页，由本社发行部调换

引　言

在本书中，Parkhurst博士融入了他杰出的教学技巧，他以概念和基本原理作为基础，介绍互连网络协议的专门知识。

在内部网关协议中，路由信息协议(Routing Information Protocol,RIP)和内部网关路由协议(Interior Gateway Routing Protocol, IGRP)对中小规模的网络易于实现。然而，在大规模的网格设计及实现中，我们推荐使用OSPF。

OSPF使用驻留于每个路由器中的相同的拓扑数据库，对拓扑形式的改变提供快速的聚合。一组路由器组成一个区域，而区域边界路由器(ABR)在区域之间交换信息。其他概念如Stub(存根)区域和路由概要提供了增强的规模可变能力。有时，OSPF结构化的概念使协议难于实现，且难于排除故障。本书谈到了这些困难的问题，并用实例做了解释。

除了OSPF以外，理解RIP、IGRP和EIGRP的特点和工作特性是相当重要的。在从一个协议到另一个协议重新分布路由方面，这尤其有用。

使用IP管理技术控制通信量，在任何网络环境中都是绝对必要的。在提供或拒绝对各种机器的访问方面没有限制，但控制使用TCP端口的应用程序流受到了限制。用于配置这个特性的扩展访问列表，也在优先级和客户排队中使用，因此提供了带宽管理功能。

网络设计者、大学生及要取得各种互连网络资格认证的申请者，都可以将本书作为参考资料。

Imram Qureshi

CCIE程序经理

CCIE #1030

目　录

第1章 网络技术

本书的根本目的是讨论使用Cisco路由器来设计和配置开放式最短路径优先（Open Shortest Path First,OSPF）网络。要理解OSPF网络问题，需要多种网络技术。在硬件方面，我们需要了解网桥、交换机和路由器如何操作，以及它们在整个网络设计中的作用是什么。我们不仅需要理解OSPF，还要理解它与其他Internet协议(Internet Protocol,IP)路由协议，如路由信息协议 (Routing Information Protocol,RIP)，内部网关路由协议 (Interior Gateway Routing Protocol,IGRP)，以及增强内部网关路由协议 (Enhanced Interior Gateway Routing Protocol,EIGRP)等之间的相互作用。为了在网络配置和设计上更好地理解这些技术，还需要仔细研究局域网(Local area network,LAN)协议(Ethernet和令牌环)和广域网(Wide area network,WAN)协议(帧中继，X.25及ISDN)。

1.1 OSI和TCP/IP分层网络模型

现在的各种网络协议都可以顺利地进行互操作，这是因为引入了分层协议模型。最初的开放系统互连（Open System Interconnection,OSI）模型(图1-1)的创建是为了分离网络的各种功能。在这个模型中，不同开发商的软件模块只要符合已公布的标准，就可以共存，并正常运行。物理层处理某种传输介质及相关接口的电气和机械规范。物理层的例子有10-和100-Mbit Ethernet、同步和异步串行链路以及异步传送模式(Asynchronous Transfer Mode,ATM)。物理层负责从点A到点B，以电的或光的形式获得信号比特(bit)。数据链路层负责创建包含源地址和目标地址的帧，加上错误检测，可能还有错误校正，以及帧的域，当然，还负责把用户数据合并到帧中。数据链路层的协议是不可决定路由的。Ethernet是数据链路层协议的例子。

TCP/IP模型

应用层
UDP   TCP
IP
数据链路层
物理层

OSI模型

应用层
表示层
会话层
传输层
网络层
数据链路层
物理层

图1-1 TCP/IP和OSI分层网络模型

网络层处理Internet中的路由选择，就OSPF网络而言，它是最重要的层。要使协议是可决定路由的，寻址方案必须包括一个网络和主机地址。可选路由的协议有IP、IPX、AppleTalk和DECNet。传输层用于多路复用和分离上层应用过程之间的数据流，如图1-2所示。上三层的情况比较模糊。似乎是涉及用户应用的都在第7层，但是，它们与网络没有关系，因此，我们将忽略它们。事实上，我们将只考虑与本书有关的OSI模型的下4层。

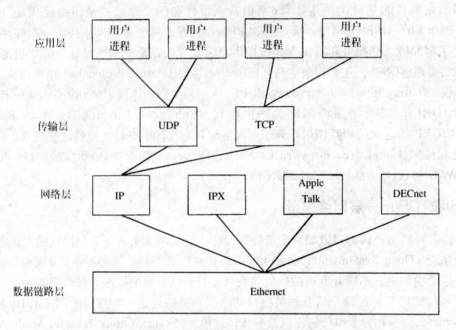

图1-2   OSI模型中的多路复用和分离

当诸如telnet等应用程序想要发送数据时，数据被发送到传输层的传输控制协议(Transmission Control Protocol, TCP)模块。TCP模块为本地和远程telnet会话分配一个号码，让TCP去确定向哪个会话发数据。IP模块或者从UDP(用户数据报协议,User Datagram Protocol)或TCP模块接收数据，或者向它们发数据，这取决于应用程序的类型。最后，Ethernet 帧包含一个标识符，标识它从哪个网络层协议接收数据，或它要向哪个网络层协议发数据。为了说明OSI模型中不同网络层之间的交互作用，我们将顺着从一个主机到另一个主机的数据流(图1-3)来说明。假设我们在两个主机之间运行telnet会话，在应用层生成用户数据，并向下传送到传输层的TCP模块的协议栈。TCP层将用该会话的标识符，该标识符是包含在TCP首部中的，把TCP段到网络层的IP模块。IP只需要把包标记为TCP或UDP包。当包在数据链路层收到时，便构造带有Ethernet首部和尾部的Ethernet 帧。其中，首部包含一个域，这个域标记帧传送着IP数据。最后，帧被传送到物理层，以便在网络介质上传输。本例所提到的协议细节，将在以后各章中更详细地说明。目前，我们只需要理解分层模型的概念，以及数据在协议栈上下传送时的数据封装和解封。

当远程主机接收到Ethernet 帧时，数据链路模块将确定该帧传送IP数据后，将去掉Ethernet 首部和尾部，并把数据传送给网络层的IP模块。IP将决定包是TCP还是UDP包，并把它给传输层中相应的模块。最后，TCP抽取用户数据，并把它们发送给适当的用户进程。

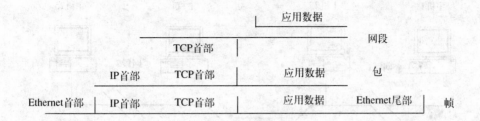

图1-3 数据封装

1.2 网桥

Ethernet是共享介质技术。这意味着，Ethernet网段上的每个节点都将接收由任何主机传送的每个帧。物理层接收帧，并检测包含在帧中的目标地址。如果这个地址与主机的地址相匹配，或者帧是Ethernet广播，物理层将把帧传给数据链路层，以便进一步处理。当Ethernet网段上的主机数增加时，每个主机需要处理的通信量也增加，即使该通信量不是打算给该节点的。共享介质还意味着，在某一时刻，只有一个主机可以发送通信。具有许多主机的Ethernet网段开始导致通信明显延迟，而最终将达到网络不可使用的地步。网桥是一种设备，它运转于OSI模型的第2层，即数据链路层，其目的是减少某个网段上Ethernet主机必须处理的通信量。把大的Ethernet网段分成较小的网段，可以取得减少通信量的效果。图1-4是一个未分段的Ethernet网络，有100台主机，而图1-5是带有网桥的Ethernet网络，有4个网段，每个网段有25台主机。只要通信目标定位在另一个网段的主机，网桥就转发网段之间的Ethernet帧。网桥怎样知道何时该转发帧呢？最初，网桥不知道哪个主机在哪个网段上，因此，所有的帧都被转发到所有网段。当网桥接收到一个主机传送的第一个帧时，它就得知该主机的地址，这个地址是包含在帧中的，以及接收该帧的网段。网桥不知道预期的接收者的位置，所以，它把帧转发所有网段，但接收帧的网段除外(图1-6)。假设地址为75的主机发送一个帧到地址为51的主机。当网桥接收到这个帧时，它将得知地址75在网段3上。网桥知道目标是地址51，但不知道在哪个网段上找这个地址，因此帧被转发到其余的三个网段。网桥通过使用类似于表1-1的网桥表，来得知主机地址。现在，主机26向主机75发送帧。网桥查看网桥表，看到主机75在网段3上，因此把帧转发到网段3，而不是网段1和网段4。网桥还得知主机26在网段2上，并把该条目增加到网桥表中(表1-2)。最终，网桥将知道每个主机的位置，并得到完整的网桥表(表1-3)。

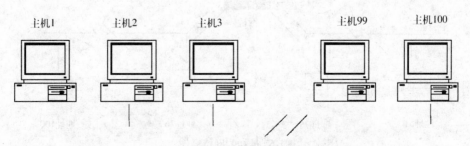

图1-4 单网段未桥接的Ethernet网络

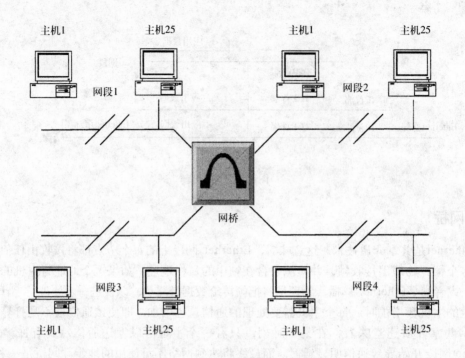

图1-5　四网段的桥接Ethernet网络

　　我们把一台主机从一个网段物理移动到另一个网段，又会怎样呢？当被移动的主机传送帧时，网桥就会知道它在那个网段上。网桥表将被检查，以便查看是否有该主机的条目。网桥找到该条目，并注意到，该条目与接收帧的网段不一致。然后，网桥将除去原来的条，并用新条目替换。在被移动的主机传送之前，任何发送给该主机的帧将不能到达它，因为网桥表中的条目仍是原有数据。

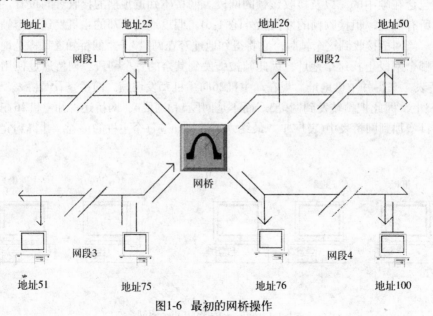

图1-6　最初的网桥操作

表1-1 网桥表

网段	主机地址
3	75

表1-2 已修改的网桥表

网段	主机地址
3	75
2	26

表1-3 完整的网桥表

网段	主机地址
1	1-25
2	26-50
3	51-75
4	75-100

在被移动主机发送一个帧之前，它不能接收发送给它的任何帧。这些例子演示了网桥确实减少Ethernet网段上的通信量，但它们不能减少广播通信量。Ethernet广播是将地址定位在所有主机的帧。网桥转发广播通信到所有的连接网段。许多时候，广播通信量可能非常高，而网桥对此无能为力，但是路由器能够提供帮助，稍候将介绍这方面的内容。

从本质上来说，网桥是透明的设备。网桥不改变Ethernet帧的源或目标地址，而只是转发通信到适当的网段。网桥不完全是透明的，因为它们在段间的通信流动中，确实产生了延迟。网桥必须缓冲每个帧，确定帧是否要转发到另一个网段，等到网段没有通信，然后再传送该帧。这个缓冲和转发过程在段间包的传输时间中引入了一定量的延迟。而且，如果网桥的缓冲区能力不够的话，可能会使网桥丢弃帧，直到超载减缓。对Ethernet 网桥的数据封装和解封显示在图1-7中。

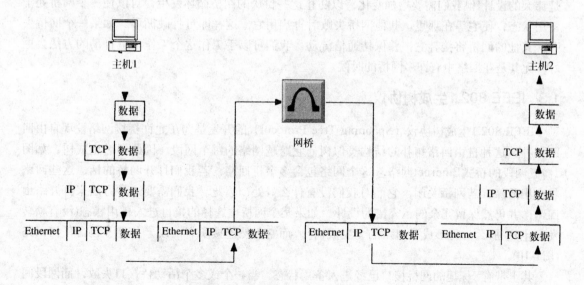

图1-7 桥接网络中的封装和解封

当网桥失败时，会发生什么呢?同一网段上的主机可以通讯，但网段间的通讯将不可能。

解决方法是通过使用多个网桥在网络中设计冗余部件，如图1-8所示。

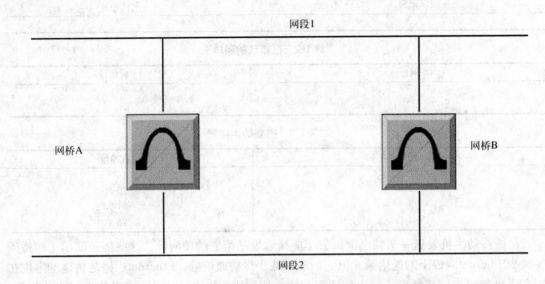

网段1

网桥A　　　　　　　　　　　　　　　　　　　　网桥B

网段2

图1-8　为容错而设计的冗余网桥

如果网桥A出故障，那么，网段间的通信仍然可通过网桥B进行。你看出这种配置有什么问题吗?假设网段1上的主机发一个帧(我们不关心目标是什么)。两个网桥都接收到这个帧，并得知发送主机在网段1上。网桥不知道目标主机的网段，因此，它们俩都向网段2转发该帧。网桥A接收到网桥B转发的帧，并得知发送主机在网段2上。当网桥B接收到网桥A转发的帧时，会发生同样的事情。哪个网桥也不知道目标主机的网段，因此，把帧转发回网段1，而且一圈一圈没完没了。这将形成无限网桥循环，直到我们关闭一个网桥，这种循环才停止。这确实是伟大的设计!但我们需要增加变化，以防止这些讨厌的网桥循环发生。可以使一个网桥处于备用状态，使它等在那里，其他网桥失败时再启用它，这样即可打破循环。如果一个网桥失败，其他的网桥将接替它，并保持通信流动。我们可以手工作这个工作，但自动的方法会更好，尤其是在网络中有许多网桥的时候。

1.3　IEEE 802.1生成树协议

IEEE 802.1生成树协议（Spanning Tree Protocol）的开发是为了允许桥接网络发现自由回路拓扑。这种自由回路拓扑的结构类似树，它跨越网络的每个网段，因此得名生成树。如图1-9五网段的桥式Ethernet网络，这个网络包含多个桥回路，若我们打开网桥的话，这些回路将会出故障。若网桥关闭，它们对我们没有什么好处，因此，我们需要一种方法来打开路由回路，并仍然保留冗余的、容错的设计。如果某个网桥上选择的接口进入备用状态(没有帧转发发生)，那么，将形成无回路的"生成树"，而它仍然连接所有网段，并且不包含任何回路(图1-10)。

其上带有X标记的网桥接口已经进入备用状态。当一个或多个活动桥接口失败，而网段间的连接丢失时，这些备用接口才将被置为活动状态。所有这些是如何完成的? 网桥必须使用桥接协议数据单元(Bridge Protocol Data Units, BPDU)来彼此对话，以得知网络的拓扑，并决定哪个接口将是活动的，以及哪个将进入备用状态。

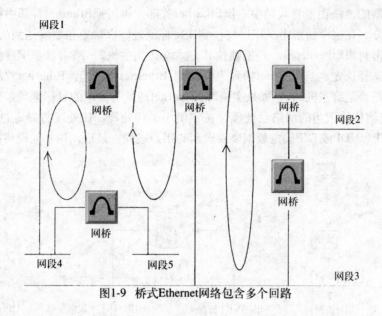

图1-9 桥式Ethernet网络包含多个回路

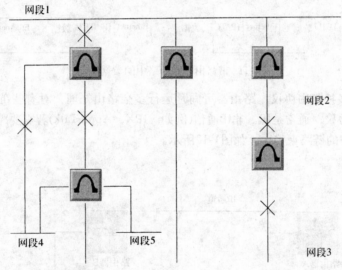

图1-10 无回路的桥接Ethernet 网络

1.4 交换机

交换机是第2层设备,从本质上来说,它是一个快速网桥。网桥缓冲信号帧,然后,使用软件决定是否转发到一个网段,而交换机使用硬件来桥接帧,这样,交换机必定比网桥要快。而且,交换机通常有多路径底板或某种交换结构,其中,后者被用于同时交换多个网段的帧。

1.5 路由器

路由器作用于OSI模型的第3层,即网络层。带路由器的网络数据流动参见图1-11。

当路由器接收Ethernet帧时,检验Ethernet首部,以确定是否把包定址到该路由器。如果包是给该路由器的，路由器将从帧中去掉Ethernet首部，再根据Ethernet首部中指定的协议传送包的其余部分。在这个情形中，IP层将检测IP目标地址，以确定包要发送到的路由器接口。路由器把IP包再封成Ethernet帧，并把帧按其方式发送到主机2。路由器基于目标主机的网络地址做出路由选择决定。当Ethernet帧到主机2时，Ethernet卡将检测Ethernet首部中的目标地址，以决定帧是否是给主机2的。如果主机2的Ethernet地址与帧中的目标地址匹配，数据链路层(第2层)将把帧传给适当的网络层处理，在本例中是IP处理。IP处理将确定包是给第4层的UDP，还是TCP。UDP或TCP确定数据要发送到的用户进程。最后，用户处理将接收数据。

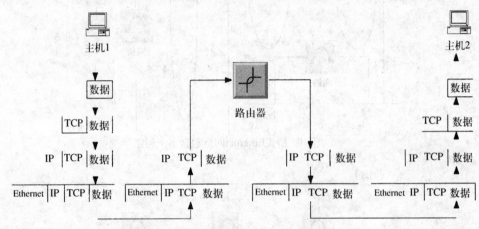

图1-11　带路由器的网络中的数据流动

如果使用了多种路由协议，路由器可同时运行多个路由处理。对有些链路，我们可能只想运行一种路由协议，通常是IP。非IP通信(例如，IPX，AppleTalk)若需要跨越纯IP链路，将需要通过IP隧道中的链路来传输，如图1-12所示。

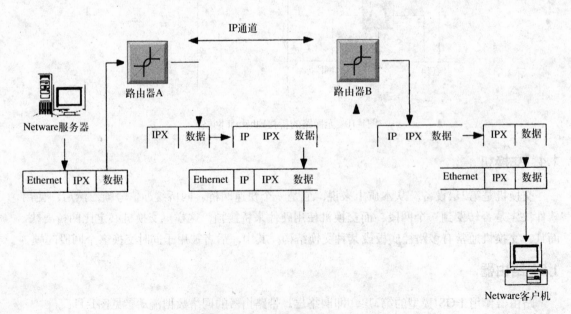

图1-12　通过纯IP链路来传输IPX

注意，隧道传输涉及到第3层协议（如IP）中封装另一个第3层协议（如IPX）。IPX包是IP包中的数据，且通过路由器之间的纯IP链路来进行隧道传输。当包达到链路的另一端时，从IP包中抽取IPX包，并封装在Ethernet帧中，以便发送给NetWare客户。

1.6 小结

在每章的后面，我将总结一些概念，这些概念对于完整理解内容是必须掌握的。如果对小结中提出的任何要点没有完全理解，那么，我建议你再花些时间复习一下这些内容，直到理解为止。

本章要点：

1) TCP/IP和OSI分层网络模型。

2) 多路复用和分离IP通信量。

3) 数据封装，解封，以及隧道传送。

4) 桥接和路由选择操作。

第2章　Ethernet

为什么用一章来讲述Ethernet？没有对Ethernet的透彻理解，也可以完成OSPF网络的设计和配置，那为什么还要找麻烦呢？首先，Ethernet是最常见的局域网(Local area net work,LAN)协议，而且，你无疑将会遇到Ethernet。在第1章我们对OSI和Internet层次模型的讨论中可以看到，不管使用哪种网络协议(IP，IPX，AppleTalk，DECnet等)，数据包最终将靠Ethernet帧来传送。其次，如果你确实想要成为专业网络设计者，对各种正在发展的技术的透彻理解都是必要的。第三，你可能在CCIE(Cisco Certified Internet work Expert)考试中遇到Ethernet问题，而这是主要原因。

2.1　技术概述

Ethernet是共享介质技术。共享介质意味着Ethernet上的节点共享常见的物理传输介质。Ethernet的两种物理配置是总线结构和星形结构(图2-1)。总线结构使用50欧的细同轴电缆(10Base2)或粗同轴电缆(10Base5)，而星形结构使用无屏蔽双绞线(UTP)连接到集线器(hub)或Ethernet交换机(10BaseT或100BaseT)。

共享介质技术要求节点轮流使用传送帧的导线。节点怎样知道轮到它传送了呢？Ethernet使用具有冲突检测的载波监听多路访问(CSMA/CD)来确定该谁使用介质。

在传送之前，节点"侦听"导线上的载波。如果在9.6微秒内没有检测到载波，节点就可发送一个帧。可能会有两个或多个节点注意到导线没有载波，而同时开始传送(图2-2a)。这将引起线路冲突，从而会破坏传送的数据包。节点可检测到冲突(CSMA/CD中的CD)，因为如果仅传送一个包，导线上的电压将跳到更高(图2-2b)。检测到冲突的传送站将传送一个阻塞信号，而每个传送节点在再次听和传送之前，将后退一段随机的时间。阻塞信号通常是32位信号，所有位均设置为1。阻塞信号的目的是完全升高线上电压，以便使每个站都知道发生了冲突。冲突是Ethernet网络中确实存在的事实，而随着网络上节点数量的增加，冲突的数量也将增加，这减少了总有效带宽。Ethernet网络的一个设计目标是减少这些Ethernet冲突区域的范围。网桥和交换机把所有Ethernet通信量转发到所有Ethernet网段，因此，不能使用它们减少冲突区域的范围。实际上，如果使用虚拟LAN (Virtual LAN,VLAN)，交换机可用于减少冲突区域的范围，但那是另一本书的另一个问题。如果不用VLAN，就需要路由器来创建多个冲突区域。

2.2　Ethernet地址

Ethernet地址长度是6字节(48位)，且地址在全球是唯一的(或应该是唯一的)。电子和电气工程师协会（Institute of Electrical and Electronic Engineers,IEEE）为Ethernet网络接口卡制造商分配地址块。Ethernet地址的前3个字节是公司的ID，而后3个字节由制造商分配。图2-3是分配给Cisco System的Ethernet地址的例子。

Ethernet地址被永久地分配给网络接口卡，且被称为烧入地址(Burned-In-Address,BIA)或介质访问控制(Media Access Control MAC)地址。如果更换工作站的NIC，那么，工作站的

Ethernet地址就会改变。因为Ethernet是共享介质技术，节点把包传送到Ethernet网段上每个其他节点就相对地简单了。Ethernet使用各位全部是1的地址做为广播地址。节点将接收寻址到它们的Ethernet地址或广播地址的帧。

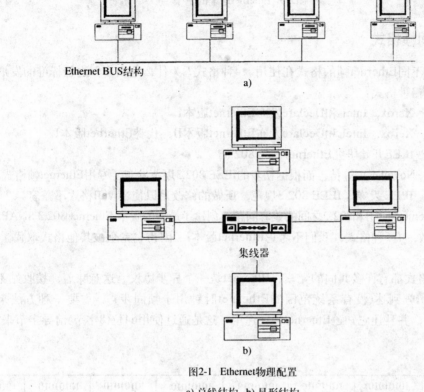

Ethernet BUS结构

a)

集线器

b)

图2-1 Ethernet物理配置

a) 总线结构 b) 星形结构

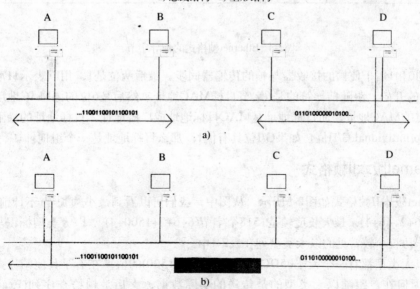

A　　　　　B　　　　　C　　　　　D

...11001100101100101　　　　　　0110100000010100...

a)

A　　　　　B　　　　　C　　　　　D

...11001100101100101　　　　　　0110100000010100...

b)

图2-2 Ethernet帧冲突

a) 节点A和D检测线和同时传送 b) 当信号冲突时，在线上给出非正常电压

制造商ID			由Cisco分配		
00	00	0C	01	23	45

图2-3 Ethernet地址的例子

2.3　Ethernet帧格式

目前有4种不同Ethernet帧的格式在使用。4种格式？为什么这么多？这些标准的发展历史说明了为什么有4种格式。

■ 1980——Xerox，Intel 和Declare发布Ethernet版本I。

■ 1982——Xerox，Intel 和Declare发布Ethernet版本II，代替Ethernet版本I。

■ 1982——IEEE开始研究Ethernet 标准802.3。

■ 1983——Novell不再等待，而根据初步的IEEE 802.3规范发布了专用Ethernet帧格式。

■ 1985——IEEE 发布了IEEE 802.3规范，所做的修改足以使Novell格式不兼容。

■ 因为Ethernet版本II和802.3之间的兼容问题，创建了最后的版本 Ethernet 802.3 SNAP。

如果数一数，有5种格式。我们不考虑Ethernet版本I，因为它完全被其他格式取代了(我希望如此)。

所有这些格式都有许多共同的元素。Ethernet是一个异步协议。这意味着，接收站不知道何时有Ethernet帧到达(没有系统范围的Ethernet时钟用于帧同步)。需要一种方法来唤醒Ethernet接收器，并且让它知道Ethernet帧在途中。这是通过使用64位(8字节)前导字节来完成，如图2-4所示。

10101010	10101010	10101010	10101010	10101010	10101010	10101010	10101011

图2-4 Ethernet帧格式的前导字节

交替的0和1用于使帧的接收器与帧的传输器同步。最后两位是1，用以表示11后面的位是Ethernet帧的开始。跟随前导符的是6字节目标MAC地址，然后是6位的源MAC地址。源地址是发送节点的MAC地址，而目标地址是MAC目标地址或广播地址。目标地址的最重要位是组/个体(group/individnal,G/I)位。如果G/I位具有值1，那么目标地址是一个组地址。

2.4　Ethernet版本II帧格式

Ethernet版本II帧格式如图2-5所示。从图中，我们可以看到最小帧长度(不计前导符)是64个字节(6+6+2+46+4)，最大长度帧是1518个字节(6+6+2+1500+4)。以太类型标识与这个帧相关联的上层协议。较常见的以太类型列在表2-1中。

所有以太类型都有一个大于05DC16进制(十进制1500)的值，在看了其他帧格式后，我们将知道原因何在。跟随以太类型的是传送的实际数据，之后是帧检查序列(Frame Check Sequence,FCS)，用以检测帧中的位错误。Ethernet接收器如何知道Ethernet版本II帧的长度呢？接收器持续接收位，直到线上的载波消失。

目标MAC地址 6字节	源MAC地址 6字节	以太类型 2字节	数据 46-1500字节	FCS 4字节

图2-5 Ethernet版本II帧格式

表2-1 Ethernet版本II帧的常见以太类型

值(16进制)	说　明
0800	IP
0BAD	Banyan
6003	DECnet phase IV
6004	DEC LAT
809B	AppleTalk
8138	Novell

接收器将假设所接收的后4个字节是FCS，而FCS和以太类型之间的字节是实际数据。

2.5 Novell专用帧格式

这种格式也称为"802.2原始格式"，因为它基于IEEE 802.3规范的初级版本。Novell 帧格式参见图2-6中。跟随源地址的是总共2字节长度的域，它包含数据域的长度，因此，这个值在46到1500之间。下两个字节永远设置为0xFFFF，以标识它为Novell 帧。实际上，0xFFFF是Novell IPX或SPX包头中的前两个字节。这些字节代表IPX或SPX检验和标志，而它们永远设置为0xFFFF。因为Novell帧格式只可用于传送IPX/SPX通信量，这两个字节将永远是0xFFFF。回顾Ethernet版本II帧格式，802.3原始格式的长度永远小于以太类型。通过这点，你能够辨别是有Ethernet版本II帧，还是802.3 原始格式帧。

2.6 IEEE 802.3/802.2帧格式

IEEE给802.3 规范增加了什么，使它与Novell的帧格式不兼容了？802.2逻辑链路控制(Logical Link Control,LLC)首部(图2-7)。LLC首部主要完成与Ethernet版本II帧中的以太类型相同的目的。目标服务访问点 (Destination Service Access Point,DSAP) 标识预期帧所到的上层协议，源服务访问点(Source Service Access Point,SSAP) 标识从中发送帧的上层协议。控制域几乎总是设置成0x03。那么，这种帧格式完成什么呢？它比Ethernet版本II的开销多，但仅能处理256种可能的上层协议(Ethernet版本II可处理64035种)，而它具有1字节控制域是几乎从来未使用的。表2-2 包含了802.3格式使用的一些常见的SAP值。

目标MAC地址 6字节	源MAC地址 6字节	总长度 2字节	0xFFFF	数据 44-1498字节	FCS 4字节

图2-6 Ethernet "802.3原始" 帧格式

目标MAC地址 6字节	源MAC地址 6字节	总长度 2字节	DSAP 1字节	SSAP 1字节	控制 1字节	数据 43-1497字节	FCS 4字节

图2-7   Ethernet 802.3/802.2 帧格式

表2-2   常见SAP值

SAP值	说　　明
04	IBM SNA 路径控制(单个)
05	IBM SNA 路径控制(组)
06	IP
08	SNA
0C	SNA
42	IEEE 802.1网桥生成树协议
BC	Banyan VINES
AA	子网访问协议(SNAP)
E0	Novell NetWare
F0	IBM NetBIOS

2.7   IEEE 802.3 SNAP 帧格式

图2-8包含了IEEE 802.3 SNAP帧的格式。SNAP格式与802.3格式之间的主要区别是增加了5字节的SNAP ID域。SNAP ID的前3个字节构成厂商代码，通常与源MAC地址的前3个字节相同，但有时，它被设置为0 。换句话说，这三个字节是冗余的。跟随厂商代码的是2 个字的域，它通常包含以太类型(与Ethernet版本II格式中的相同)。为什么要这种附加开销呢? 有人提出Ethernet帧应该与偶字节边界对齐。802.3格式有一个3字节的LLC首部，而SNAP格式有一个3字节首部及一个5字节的SNAP ID。把它们加起来，就有8字节，或者说是个偶数。

				LLC首部		SNAP首部		
目标MAC地址 6字节	源MAC地址 6字节	总长度 2字节	DSAP 1字节	SSAP 1字节	控制 1字节	SSAP ID 5字节	数据 38-1492字节	FCS 4字节

图2-8   IEEE Ethernet SNAP 帧格式

2.8   区分帧格式

现在，我们可以确定主机如何在四种Ethernet帧格式之间进行区分了。下列算法将有所帮助:

1) 跟随源MAC地址的2字节域的值是否大于1500? 如果是，则该帧是Ethernet版本II 。

2) 跟随2字节长度域的2字节域的值是否等于0xAAAA? 如果是，则该帧是Ethernet SNAP。

3) 跟随2字节长度域的2字节域的值是否等于0xFFFF? 如果是，则该帧是Novell 专用格式。

4) 如果1、2、和3的答案都是不，则该帧是Ethernet 802.3 /802.3 。

练习2-1

对下列部分Ethernet帧(没有前导符),确定源地址和目标地址、帧的类型、使用该帧的上层协议,以及帧的长度。

1. 00000C12345608000B06AA350800ABACAB...

2. 080001A1B2C37E4600000001AAAA03A1B2C38138 ...

3. FFFFFFFFFFFF192834641243FFFF123456 ...

2.9 小结

在你的网络职业生涯中,无疑会遇到Ethernet网络。我看到过有的网络客户机和服务器不通讯,只是因为它们使用了不同的Ethernet帧类型。不要让这种事情发生到你身上。

本章要点:

1) 总线和星形结构。

2) Ethernet 运作(CSMA/CD)。

3) Ethernet 寻址方案。

4) Ethernet帧类型、Ethernet版本II、802.3 原始格式、802.3/802.2、以及Ethernet SNAP。

5) 区分各种Ethernet帧格式。

第3章 IP

为了成为专家级的OSPF网络设计者(记住CCIE中的E)，必须首先成为处理IP(Internet Protocol)寻址方案的专家。OSPF是纯IP路由协议，且不能用于对任何其他协议选择路由。不掌握IP寻址，OSPF的许多强大特性尽管不是不能，也是难于实现的。本章包含了人们想要了解的但又难于启齿询问的有关IP寻址的一切。

3.1 IP地址格式

IP地址是32位数，可以以多种格式表示。路由器和计算机被设计为以二进制数高效运转的，所以，二进制表示是它们存储和操作IP地址的自然方式。路由器的典型32位IP地址类似于：

$$10111100000110100001111000111100$$

对路由器来说，这可能是很好的表示方法，但对人来说，这可不是最吸引人的方法。那么，让我们看一下二进制表示，并弄清我们是否可找到一种方法来表示这些数，使它更方便一些。一种方法是简单地把IP地址表示成十进制数。前面例子中所用的二进制数具有十进制值：

$$2,618,957,372$$

这可能更容易读。但数的长度使它不便于使用。另一种表示方案是把二进制数分成段，且把每段表示成十进制数。二进制段的长度自然是8位了，它是我们所熟悉的字节，也就是八位组(许多人对此说法不熟悉，octet "8位位组"是远程通讯术语，但这两个字可互换使用)。取我们的二进制数，使用8位的位组(4个8位位组)写出它，然后把每个组表示成十进制数：

$$10111100 \quad 00011010 \quad 00011110 \quad 00111100$$
$$156 \qquad 26 \qquad 30 \qquad 60$$

我们不需要数之间的所有空格，因此，让我们使用一个句号或点做为分隔符号。现在，IP地址具有了这样的形式

$$156.26.30.60$$

它被称为点分十进制表示法。有多少个IP地址？在我们的所有表示方案中，IP地址的范围显示在表3-1中。从理论上讲，有4,294,967,296种可能的IP地址，尽管我们在本章将会发现，实际可使用的IP地址个数要小得多。

3.2 经典的IP寻址

对于可路由的协议，协议的地址结构必须是层次式的，就是说，地址必须包含至少两部分。对IP地址，这两部分是网络部分和主机部分。主机(host)是末端站，如计算机工作站、路由器接口或者打印机，而网络由一台或多台主机组成。图3-1是一个简单的网络，是由双端口路由器连接的两个网络组成的。这个网络上的每台主机的地址，包括路由器接口地址，都由网络和主机号给出。

表3-1 IP地址的范围

	低	高
二进制	00000000000000000000000000000000	11111111111111111111111111111111
十进制	0	4,294,967,295
点分十进制	0.0.0.0	255.255.255.255

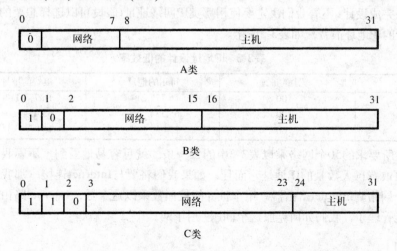

图3-1 层次式寻址

当设计网络IP寻址方案时，决定建立五类IP地址，简单地命名为A，B，C，D及E类。前三类的逻辑是，IP寻址方案可能用于几个有大量主机的网络(A类);中等数量的具有中等数量的主机的网络(B类);以及大量的具有少量主机的网络(C类)。D类地址用于多点传送，而E类地址保留给试验使用。使3类IP地址处理不同大小的网络要求每个地址类的网络部分和主机部分具有不同的长度。前三种IP地址类的网络部分和主机部分位分配划分显示在图3-2中。

A类地址使用8位来标识网络，用24位来标识主机，且使第一字节最有意义的位设置成0。B类地址使用16位来标识网络，用16位来标识主机，且使第一字节前两位设置成10。C类地址使用24位来标识网络，用8位来标识主机，且使第一字节前3位设置成110。如果我们检测每类的第一字节，可以看到这三类的值的范围是：

A类：00000001(1)-01111110(126)

B类：10000000(128)-10111111(191)

C类：11000000(192)-11011111(223)

```
0        7 8                              31
┌─┬──────┬────────────────────────────────┐
│0│ 网络 │           主机                  │
└─┴──────┴────────────────────────────────┘
              A类
```

```
0 1 2              15 16                    31
┌─┬─┬──────────────┬────────────────────────┐
│1│0│    网络       │        主机            │
└─┴─┴──────────────┴────────────────────────┘
              B类
```

```
0 1 2 3                    23 24          31
┌─┬─┬─┬────────────────────┬──────────────┐
│1│1│0│      网络           │    主机      │
└─┴─┴─┴────────────────────┴──────────────┘
              C类
```

图3-2 经典IP地址结构

看一下IP地址的第一字节，可以很容易地标识网络类。例如，前面使用的地址，

156.26.30.60是B类地址，因为第一字节在128到191之间。标识类的另一个方法(更冗长乏味的)是用二进制表示地址的第一字节，再看第一位组设置成了什么。例如，156=10011100 (二进制)。前两位是10，因此按照图3-1，这是B类地址。

有多少种A，B，C类网络?A类网络使用7位用于网络ID，因此，可能有126个A类网络。B类地址使用第一字节的6位和第二字节的全部8位，因此可能有64×256(64来自第一字节而256来自第二字节) = 16384个B类网络。C类地址使用第一字节的5位和第二字节的8位，及第三字节的8位，因此可能有32×256×256 = 2,097,152个C类网络 。每种网络可以有多少台主机? A类网络有24位标识主机，等于每个网络可能有16,777,216台主机。B类网络有16位标识主机，等于每个网络可能有65536台主机，而A类网络有8位标识主机，等于每个网络可能有256台主机。表3-2列出了A，B，C类地址的容量。

你可能已经注意到，表3-2中所列主机的数量总比计算出来的数少2 。原因是有两个特殊的地址不能分配给主机。全部是1的主机地址对某种网络是广播地址，而全部是0的主机地址是分配给该IP地址前临时标识它自身("本主机")。只有126个A类网络的原因是。网络0不能使用而网络127被保留给用于测试相互处理通讯的回送地址 。当主机发送一个包给127.0.0.1时，数据没有被发送到网络上，而是立刻返回到发送主机。

表3-2   IP经典地址容量

类	网络	主机
A	126	16,777,214
B	16,384	65,534
C	2,097,152	254

经典的IP地址效率极低，如下列设计问题所演示的。假定我们在为校园设计一个网络，有大约1500个节点或末端站。还假定今后5年预期未来网络增长不多于5000个节点。初看，好象B类网络足以满足目前的网络需求，且对将来的增长也留有大量空间。回忆第2章中与大Ethernet网络相关联的问题，我们可以看到，这些1500+个节点(将来的5000+节点)将是非常大的冲突区域。如果我们想要限制一个Ethernet网段上的节点的数量不多于100，那么，我们需要50个网络来完成设计。不管我们决定要使用哪类IP网络地址(假设可以选择想要的任何地址)，都将产生巨大的IP地址浪费，如表3-3所示。

表3-3   IP地址设计的低效率

类	要求的地址	可用的地址	浪费的地址
A	100	16,777,214	16,777,114
B	100	65,534	65,434
C	100	254	154

现在，用所要求的50个网络乘以表3-3中的每一条，就可容易地看到，不管我们选择哪种地址类，都将浪费巨大数量的IP地址。而且，如果我们将要与Internet连接，那我们的网络将必须宣告50个网络到Internet路由器。用全世界的校园数乘以这个数，Internet路由表的大小就太庞大而不能管理了。我们如何克服这个问题? 用子网。

3.3 IP子网

对我们的设计问题，解决方案是把分配的各类IP地址划分成多个较小的网络，而使每个网络具有较少的主机。这是通过从IP地址的主机部分"借"位，并把它们用在网络部分来完成的。我们怎样知道,更重要的是路由怎样知道多少位用于网络,多少位用于主机? 答案是通过使用子网掩码。子网掩码是32位二进制数,它标识地址中的哪些位用于主机,而哪些位用于网络。掩码中的1标识在IP地址中对应的位做为网络位,掩码中的0标识在IP地址中对应的位做为主机位。这种运算是由路由器完成的,方法是对IP地址和子网掩码进行位AND运算。

$$0 \text{ AND } 0 = 0 \qquad 0 \text{ AND } 1 = 0$$
$$1 \text{ AND } 0 = 0 \qquad 1 \text{ AND } 1 = 1$$

做为例子,考虑IP地址/子网掩码对

$$156.26.30.60/255.255.240.0$$

其二进制表示为:

10111100	00011010	00011110	00111100
11111111	11111111	11110000	00000000

进行AND运算的结果是

10111100	00011010	00010000	00000000

把结果转换为点分十进制记号产生IP地址的网络部分: 156.26.16.0 。

网络掩码的一个限制是,掩码中的1位必须是连续的。因为1位是连续的,所以,掩码的另一种表示是仅指出掩码中有多少个1位。例如,前例中的IP地址/子网掩码对可写成56.26.30.60/20。没有子网的网络的子网掩码显示在图3-2中。子网掩码永远不会少于图3-3中所列出的掩码。例如,C类地址不能有子网掩码255.255.0.0 。RFC950首先定义了IP地址的子网。RFC950不允许使用全0和全1的子网,因此,我们先看符合这些限制子网例子。在以后的例子中,我们将看使用适当的路由协议,如OSPE,来如何除去这些限制。因为RFC 950的限制,子网位数不能是1 (表3-4和表3-5)。1位子网掩码将具有值0(全部是0)或1(全部是1),而这是不允许的。B类的15位子网掩码 和C类的7位子网掩码也是非法的,因为它们只给主机留了1位,我们已经看到,不能全0或全1。B类的16位的子网掩码和C类的8位子网掩码没有意义,因为它留了0个主机位。

Class A

11111111.00000000.00000000.00000000

255.0.0.0

Class B

11111111.11111111.00000000.00000000

255.255.0.0

ClassC

11111111.11111111.11111111.00000000

255.255.255.0

图3-3 标准IP子网掩码

练习3-1

为A类建立类似于表3-4和表3-5的表

子网实例

在下面的例子中，确定地址/掩码对是否合法。如果合法，确定网络数和该网络中主机地址的范围。再对给定掩码确定可用网络数及每个网络的可用主机。

1) IP 地址=193.144.233.130 ; 子网掩码 = 255.255.255.192

对C类网络，我们只需要看地址和掩码的最后的8位组。

表3-4　B类子网掩码

子网位的个数	子网掩码	子网数	主机/子网数	主机总数
1	—	—	—	—
2	255.255.192.0	2	16,382	32,764
3	255.255.224.0	6	8,190	49,140
4	255.255.240.0	14	4,094	57,316
5	255.255.248.0	30	2,046	61,380
6	255.255.252.0	62	1,022	63,364
7	255.255.254.0	126	510	64,260
8	255.255.255.0	254	254	64,516
9	255.255.255.128	510	126	64,260
10	255.255.255.192	1,022	62	63,364
11	255.255.255.224	2,046	30	61,380
12	255.255.255.240	4,094	14	57,316
13	255.255.255.248	8,190	6	49,140
14	255.255.255.252	16,382	2	32,764
15	—	—	—	—
16	—	—	—	—

表3-5　C类子网掩码

子网位的个数	子网掩码	子网数	主机/子网数	主机总数
1	—	—	—	—
2	255.255.255.192	2	62	124
3	255.255.255.224	6	30	180
4	255.255.255.240	14	14	196
5	255.255.255.248	30	6	170
6	255.255.255.252	62	2	124
7	—	—	—	—
8	—	—	—	—

$$130 = 1000\ 0010$$
$$192 = 1100\ 0000$$

这是合法的，因为子网和主机都不全是0或1。

网络 = 193.144.233.128

因为掩码选择了地址(130)的上两位,其余的位设置为0来标识网络。

主机的范围 = 193.144.233.129 ~193.144.233.191

主机部分(后6位)可取从000001到111110的值(记住，它们不能是全0或全1) 。加到子网部分，它是地址的上两位，在本例中是1 0，就得到10 00001到10111110的主机地址 。从表3-5中可知，可用网络数是2，而主机数是62。

2) IP 地址 = 156.26.30.60 ;子网掩码 = 255.255.255.0

因为整个第三个8位组被用于子网,且整个第四个8位组被用于主机,这比较容易。这是合法的，因为子网和主机都不全是0或1。

    网络 = 156.26.30.0

    主机的范围 = 156.26.30.1 ~ 156.26.30.254

从表3-4中可知，可用网络数是254，而主机数是254。

3) IP 地址 = 199.200.201.50；子网掩码 = 255.255.255.128

因为子网掩码仅从主机借了1位，而该位必须是0或1，所以这是不合法的。

4) P 地址 = 199.200.201.50；子网掩码 = 255.255.255.128

因为地址是B类的，我们从主机借了9位，因此这是合法的。

    网络 = 191.200.201.0

    主机的范围 = 191.200.201.1 ~ 191.200.201.126

从表3-3中可知，网络数是510，而主机数是126。

练习3-2

完成下面的表

IP地址	子网掩码	合法否?	网络数	主机范围
144.223.136.231	255.255.255.192			
184.16.34.10	255.255.255.224			
12.14.1.2	255.255.0.0			
193.15.16.1	255.255.255.252			

    构造子网可看做是建立三部分的层次地址。地址的网络部分可通过把标准的子网掩码(图3-3)应用到IP地址而得到。用从主机部分借的位来确定子网，而主机数只是那些剩余的位，做为一个例子，我们将检验B类地址/掩码对：

$$144.223.0.0 / 255.255.255.0$$

    检验网络数、子网数以及主机的范围。网络由应用标准的B类16位子网掩码得到，产生网络144.223.0.0。

    子网是整个第三个8位组，因此254个子网是：

$$144.223.1.0$$
$$144.223.2.0$$
$$\cdot$$
$$\cdot$$
$$144.223.254.0$$

而且每个子网的主机范围是1~254。

    现在，让我们试一个更复杂的例子。考虑地址/掩码对：

$$144.223.0.0 / 255.255.255.224$$

    网络号仍然是144.223.0.0。子网掩码从地址的主机部分借11位。所借的前8位包括第三个8位组，而它取值0到255，从第四个8位组借的3位取值：

$$000\ 00000 = 0$$
$$001\ 00000 = 32$$
$$010\ 00000 = 64$$
$$011\ 00000 = 96$$

$$100\ 00000 = 128$$
$$101\ 00000 = 160$$
$$110\ 00000 = 192$$
$$111\ 00000 = 224$$

为什么包含了第三个8位组的值为0（全部是0）和255（全部是1），且第四个8位组中的0（全部是0）和224（全部是1）？第三个8位组可以是0。如果第四个8位组的3位不是0。第三个8位组可以都是1。如果第四个8位组的3位不都是1，而第四个8位组的3位可以是1，如果第三个8位组的不都是1。换种说法，即11位子网位不能全部是0，或全部是1。因此，子网号的范围是：

144.223.0.32

144.223.0.64

.

.

.

144.223.0.224

144.223.1.0

144.223.1.32

.

.

.

144.223.255.0

.

.

.

144.223.255.192

确定每个子网的主机地址的范围需要做更多的事情。网络144.223.0.32的第四个8位组的位形式是：

001 hhhhh

其中的hhhhh代表主机号，不能全部是0或全部是1，因此第一个合法的主机号是00001，这使第四个8位组为：

00100001 = 33

因此，第一个主机地址是：

144.223.0.33

而对第四个8位组的最后一个合法主机的位形式是

00111110 = 62

这就给出了第一个子网的主机地址范围：

144.223.0.33 —144.223.0.62

每个子网的广播地址可把主机部分的所有位设置为1而得到。子网144.223.0.32的广播地址可通过设置第四个8位组的后5位为1而确定，即

00111111 = 63

把它全放在一起为我们提供了广播地址：

144.223.0.63

练习3-3

确定下面的地址/掩码对的所有子网号

193.128.55.0 / 255.255.255.240

再确定主机地址的范围及第四个子网的广播地址。

例1 IP地址设计：假设贵公司已经分配了C类地址198.28.61.0，且已经确定你需要4个网络，每个网络最多有25台主机。从表3-5可知，你将需要3个子网位，产生子网掩码255.255.255.224。这种设计的子网号是下列中的任何四个，如图3-4所示。

198.28.61.32

198.28.61.64

198.28.61.96

198.28.61.128

198.28.61.160

198.28.61.192

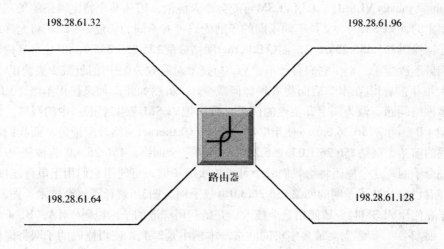

图3-4 IP地址设计(例1)

尽管子网解决了与IP地址空间低效使用有关的一些问题，但有些情况下，简单地构造子网是不够的。考虑图3-5中的网络。两个路由器由一个串行链路连接起来。这个串行链路是点到点连接，因此，链路上只有两个主机，即两个路由器接口。每个网络必须在分离的子网上，所以，不管我们选择哪个子网掩码，我们都将浪费IP地址。如果我们使用有24位子网掩码的B类地址，那么，分配给串行链路的子网将只用254个可用主机地址中的2个。

如果我们可以对不同的子网使用不同的子网掩码，便将解决图3-5的局限。子网掩码255.255.255.252 (或/30) 可以适应只有两台主机的情况，这对点到点串行链路是完美的。不幸的是，这个掩码若在整个网络中使用，将把所有子网限制成两台主机。理想的解决方案是能够变化子网掩码的长度，并按每个网络的需要分别进行调整。

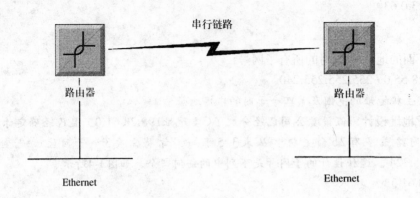

图3-5 简单子网局限

3.4 变长子网掩码

RFC 1009 (1987)指定了使用多子网掩码的过程。这个技术称为变长子网掩码(Variable-length subnet masks VLSM)。术语VLSM可能会令人混淆，因为某个特定网络的子网掩码不变化，是固定的。VLSM的含义是不同子网的子网掩码可有不同的长度。VLSM将允许给串行链路分配子网掩码255.255.255.252，而给Ethernet网络分配255.255.255.0，但是一旦掩码被分配了，它们就不改变了，至少它们自己不。VLSM技术对高效分配IP地址(减少浪费)以及减小路由表的大小非常有用(在本章后面将看到如何减少)。虽然如此，如果使用不当，VLSM可能引起许多网络问题。做为一个介绍性的例子，我们把VLSM应用到图3-5中的网络。假设我们已经分配了B类网络156.26.0.0。使用/24子网掩码为Ethernet网络分配地址，而我们将使用带这个掩码的前两个网络156.26.1.0和156.26.2.0。第三个网络，156.26.3.0将被使用/30子网掩码，再细分子网，这个掩码将给我们62个可能的次级子网，可使用它们用于串行连接。注意，我们是在对已经构造了子网的网络156.26.3.0再分子网。图3-6解释了这个技术。图3-6图形化地表示了在使用VLSM时应该使用这个技术。开始利用标准的子网掩码(对A，B，C类分辨是/8，/16，或/24)。确定需要最多主机的网络，本例中是254。使用掩码的子网将提供这样的网络，它们可处理你所需要的最大数量的主机。对较小的网络，对大网络再细分子子网，并持续到满足要求为止。

例2 VLSM：掌握技术的最好方法是练习、练习、再练习。因此，我们这就开始。给定IP网络202.128.236.0，设计具有下列要求的网络：

■4个网络，每个最多有26个主机

■3 个网络，每个最多有10台主机

■4个点到点串行链路

从具有最大个数主机的网络开始，我们使用/27为子网掩码，以满足第一个要求。从表3-5可知，这将给我们6个每个有30台主机的网络，其中2个网络留做二级子网。为满足第二个要求，我们可使用子网掩码/28对留下的两个 /27网络再细分子子网，给我们4个每个有14台主机的网络。最后，从四个次级子网中取一个，使用子网掩码/30再细分二级子网(图3-7)。

我们如何实现图3-7中的图?让我们更近地看一下这些网络号是从哪里来的，然后，我给提出一个VLSM设计问题，以保证你掌握了这项技术。

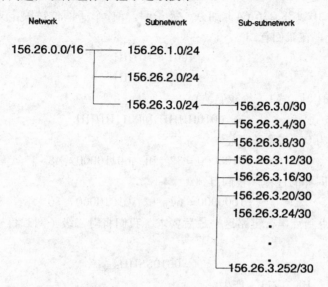

- 4 networks with a maximum of 26 hosts
- 3 networks with a maximum of 10 hosts
- 4 point-to-point serial links

图3-6 VLSM 实例

图3-7 VLSM（例2）

1) 确定包含最多主机的网络掩码。第一个要求是有至多26台主机的4个网络。使用表3-4，我们需要3个子网位或子网掩码/27。IP网络的第四个8位组将分成段：

$$SSSHHHHH$$

其中，SSS指出子网位，而HHHHH指出主机位。那么，这时的子网是：

$$00100000 = 32$$
$$01000000 = 64$$
$$01100000 = 96$$
$$10000000 = 128$$
$$10100000 = 160$$
$$11000000 = 192$$

而且，我们使用96到192的子网做包含26个主机的网络，因为这些子网可处理最多30台主机。

2) 按需要对已分成子网的网络再细分二级子网。第二个要求要3个网络， 每个可最多有

10台主机。我们再查阅表3-4，并看出我们需要4个子网位或子网掩码/28 。我们将对网络202.128.236.32和202.128.236.64再细分二级子网。前3个子网位被固定为值011(子网32)和010(子网64)，因此现在我们有

001 S HHHH

010 S HHHH

对网络32，S可以是0或1，给我们：

0010HHHH 和0011HHHH

把主机位设置为0，二级子网是：

00100000 = 32 和 00110000 = 48

对子网64应用同样的过程，我们得到：

01000000 = 64 和 01010000 = 80

3) 为满足4个点到点串行链路这一最后要求，我们将对二级子网32再分三级子网，现在，它等于：

0010SSHH

SS可以00，01，10，或11，产生：

00100000 = 32
00100100 = 36
00101000 = 40
00101100 = 44

做为这个练习的最后任务，确定主机的范围和网络202.128.236.192，202.128.236.80，及202.128.236.40 的广播地址。

网络202.128.236.192的第四个8位组是：

11HHHHHH

而主机位可在从000001到111110的范围，这给我们如下范围：

11000001 (193) 到 11111110 (254)

广播地址通过把主机位都设置1而确定，它是：

11111111 = 255

因此，广播地址是202.128.236.255。

对网络202.128.136.80，第四个8位组是：

0101HHHH

因此，主机地址的范围是：

01010001 (81) 到01011110 (94)

而广播地址是01011111 (95) 。

对网络202.128.136.40，第四个8位组包含：

001010HH

因为HH不能是00或11，这个网络的主机地址是202.128.136.41 和 202.128.136.42，而广播地址是202.128.136.243 。

这个网络设计的实现显示在图3-8中。

练习3-4

使用C类网络200.100.50.0，设计满足下列要求的网络：

■ 9个点到点串行链路。

■ 四个网络，每个最多有30台主机。

■ 三个网络，每个最多有5台主机。

确定主机地址范围和每个子网的广播地址。

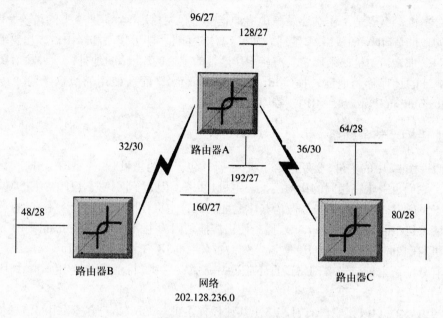

图3-8 VLSM的实现(例2)

3.5 小结

在继续之前，要保证你完全理解了本章讲述的问题。理解IP地址、划分子网及二级子网(VLSM)并不是过分的要求。不管使用哪种IP路由协议，IP网络的健壮设计都取决于对IP寻址的全面理解。

本章要点：

1) 经典IP地址：A，B，C。

2) IP子网及子网掩码。

3) VLSM及把VLSM融入网络设计中。

第4章 地址转换协议

当一台主机，不管是工作站还是路由器，把一个包发给Ethernet网络上的另一个节点时，包要发至的地址是Ethernet或MAC地址。如果我们的主机，即工作站和路由器，想要给IP地址发送一个包，那么，主机必须确定具有指定IP地址的主机的Ethernet地址。这种映射IP地址到Ethernet地址的过程称为地址转换(address resolution)，而所使用的协议是地址转换协议(Address Resolution Protocol, ARP)。

4.1 地址转换：一个网络

我们假设图4-1中的主机1要发送给主机3一个IP包。因为主机1和主机3在相同的物理网络上，所以，它们也一定在相同的IP网络上。主机1知道，因为子网掩码是/16，主机3就在相同的IP子网上，所以，以156.26开头做为其IP地址的每台主机在同一子网上。主机1将首先发送一个ARP请求包(图4-2)做为Ethernet广播。使用广播是因为主机1不知道主机3的Ethernet地址，但假定主机3在相同的Ethernet网段上。当然，如果主机3不在相同的Ethernet网段上，即目标IP地址没有分配给主机，或者网络设计不正确，那么，主机1将不能转换Ethernet到IP地址的映射。

当最初引导主机1时，它没有对网络上其他任何主机一无所知。唯一可用的信息是IP地址和子网掩码。有些应用程序，诸如ftp或telnet，要求与IP地址为156.25.3.3的主机3通讯。主机1必须使用ARP确定对应于该IP地址的Ethernet地址。主机1将构造一个具有图4-2所示格式的ARP包。ARP包格式的设计是为了作用于多硬件地址到网络地址对，但对于我们的讨论，我们仅关心IP 到Ethernet地址的映射。主机1试图转换主机3的Ethernet地址时进行下列步骤，这些步骤在图4-3中做了图示。

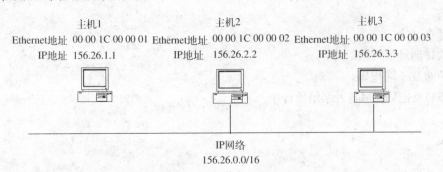

主机1	主机2	主机3
Ethernet地址: 00 00 1C 00 00 01	Ethernet地址: 00 00 1C 00 00 02	Ethernet地址: 00 00 1C 00 00 03
IP地址: 156.26.1.1	IP地址: 156.26.2.2	IP地址: 156.26.3.3

IP网络
156.26.0.0/16

图4-1 单一IP网络

■ 发送包含ARP请求的广播Ethernet帧。把目标IP地址设置为156.26.3.3，且把目标Ethernet地址设置为00 00 00 00 00 00 。

■ 网络上的每台主机都接收广播，并检查目标IP地址，本例中的156.26.3.3 。如果目标IP地址与主机的IP地址不匹配，那就忽略这个包，但用高速缓存保存 ARP帧中所包含源的IP/

Ethernet 地址映射。如果目标IP地址与主机的IP地址匹配,那就直接把ARP回复发送到发送方,并把发送方IP/ Ethernet 地址对放在本地ARP高速缓存中。

■ 主机1现在就有了IP/ Ethernet 地址映射,且把它存放在ARP高速缓存中了。

硬件类型 1 = Ethernet		协议类型 0x0800 = IP	
硬件长度 6(对于Ethernet)	协议长度 4(对于IP)	操作 1 - ARP请求 2 - ARP回复	
发送方硬件地址8位组0 -3			
发送方硬件地址8位组4和l5		发送方IP地址8位组0和1	
发送方IP地址8位组2和l3		目标硬件地址8位组0和1	
目标硬件地址8位组2 - 5			
目标IP地址			

图4-2 ARP包格式

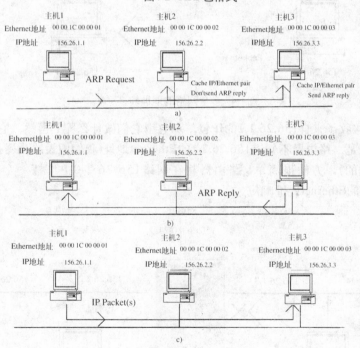

图4-3 ARP 事件序列

a) 主机1广播一个ARP请求 b) 主机3发送一个ARP回答 c) 现在主机1可给主机3发IP包

4.2 地址转换:多个网络

图4-4说明了一种情形,其中,主机想要给不同子网上的主机发送IP包。利用与单一网络

所用的过程，让我们看一下当主机156.26.1.1试图给主机156.26.2.1发送ARP请求时会发生什么。主机156.26.2.1发包含ARP请求的Ethernet广播给对应于IP地址156.26.2.1的Ethernet地址(图4-5)。

路由器检查ARP请求，并确定请求不是给它的IP地址的，因此，它将忽略该帧。而且，路由器不转发Ethernet广播，所以，主机156.26.2.1将总也看不到ARP请求。如何解决这个问题呢？156.26.1.1如何从子网掩码/24和主机2的IP地址知道主机2在不同的子网上，方法很容易：让路由器考虑它。网络上的每台主机都应用默认网关来加以配置。若目标在不同的网络或子网上，所有的帧都发给默认网关。主机1的默认网关将是156.26.1.2，这是连接到主机所在网络路由器接口的地址。主机1将把IP包发送给路由器，但它必须先使用ARP来转换路由器接口的Ethernet地址(图4-6a)。路由器将以它的Ethernet地址来回答(图4-6b)，然后主机1把IP包发送给路由器(图4-6c)。

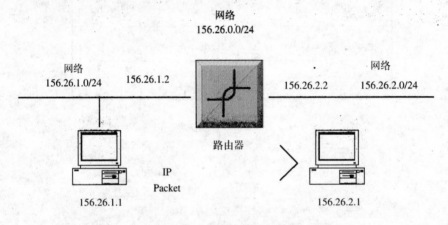

图4-4 多个网络的地址转换

既然路由器接收了来自156.26.1.1的IP包，那它用它们做什么呢？当然，它们需要被发送给156.26.2.1。但是，路由器不知道156.26.2.1的Ethernet地址(我们假设路由器是最近引导的，且ARP缓存是空的)。方法很简单！路由器将在网络156.26.2.0上广播一个ARP请求，而156.26.2.1将以它的Ethernet地址响应。

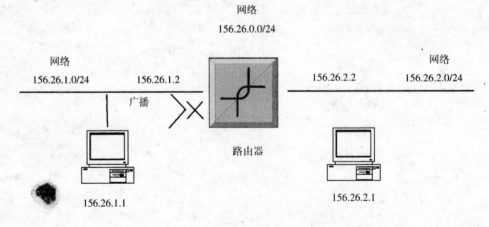

图4-5 试图通过网络进行ARP

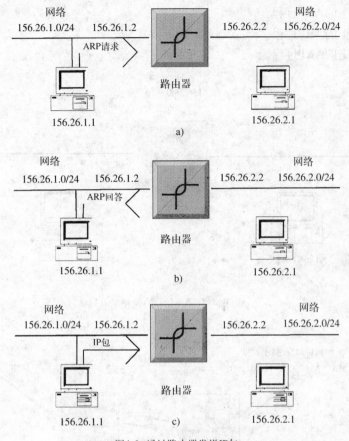

图4-6 通过路由器发送IP包

a) 转换默认网关的Ethernet地址 b) 默认网关ARP回答 c)现在主机156.26.1.1可通过路由器发IP通信了

练习4-1

在图4-7中，主机1想要给主机2发IP包。假设主机1有空的ARP缓存。确定允许主机向主机2发送IP包的事件序列。当主机2从主机1接收IP包时，主机2接收帧的源Ethernet地址是什么？主机2接收的源IP地址是什么？

练习4-2

在图4-8中，主机1想要给主机2发IP包。假设主机1有空的ARP缓存。确定允许主机向主机2发送IP包的事件序列。当主机2从主机1接收IP包时，主机2接收的帧的源Ethernet地址是什么？主机2接收的源IP地址是什么？

4.3 小结

ARP把IP地址映射成Ethernet地址。之所以需要这个协议，是因为Ethernet地址是固定的，或者说是烧入到网络适配器中的，而IP地址是由网络管理管理员分配的。地址转换的概念也可以应用于其他第二层至第三层映射，如AppleTalk和Ethernet，因此，对ARP概念的理解将使你能够很容易地理解其他映射方案。

本章要点：

1) 单一网络上的ARP过程。

2) 桥接网络上的ARP过程。

3) 路由网络上的ARP过程。

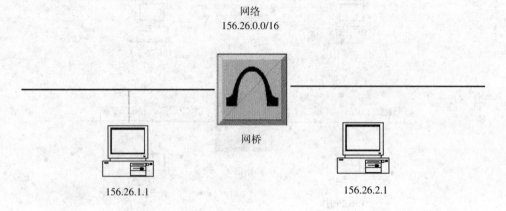

图4-7　练习4-1的网络

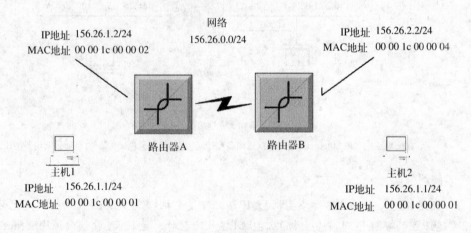

图4-8　练习4-2的网络

第5章 RIP

尽管本书主要讨论的是OSPF路由协议，完整地理解路由信息协议(RIP,Routing Information Protocol)在多方面都有助于你。首先，从历史的观点看，RIP是最早的路由协议之一，且仍然在广泛地使用。第二，RIP的局限将使你能够欣赏OSPF的坚固性。最后，当你同时使用RIP和OSPF的网络时，会发生奇怪的事情，你需要理解这两种协议的交互作用，以便把系统构造为廉价而出色的路由机器。

5.1 技术概述

RIP版本I是在RFC 1058中提出的，它属于内部网关协议(iterior gateway protocol, IGP)的路由协议类。IGP用在单一自治系统内的选择路由。自治系统(autonomous system, AS)中路由策略遵循公共权限，且使用公共路由方案。外部网关协议(exterior gateway protocol, EGP)用于自治系统之间的路由(图5-1)。RIP是距离向量（distance-vector）路由协议，这种协议在做路由决策时仅使用跳跃计数。跳跃计数(hop count)是一个包到达目标所必须经过的路由器数目。如果到相同目标有两个不等速或带宽不同的路由器，但是有相同跳跃计数，那么RIP认为两个路由器是等距离的(图5-2)。这显然是这种协议的一个局限，而OSPF克服了它。

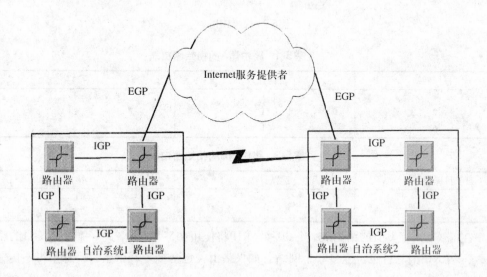

图5-1 内部和外部网关路由协议

RIP遵循一个简单的算法来构造路由表。当路由器最初引导时，它所知道的唯一的网络是直接与之相连的网络。RIP路由表包含目标网络、到目标网络的跳跃计数或度量，以及包被发送到目标网络应经过的接口。图5-3中的路由器A和B最初的路由表如表5-1和表5-2所示。

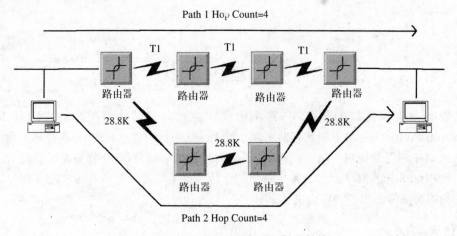

图5-2　RIP认为所有等跳跃路径是相等的

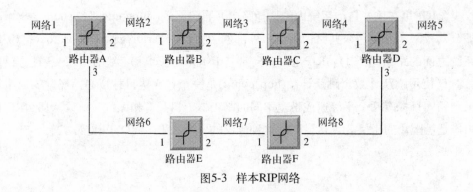

图5-3　样本RIP网络

表5-1　路由器A的初始路由表

目标网络	跳跃计数	接口
1	1	1
2	1	2
6	1	3

表5-2　路由器B的初始路由表

目标网络	跳跃计数	接口
2	1	1
3	1	2

　　路由器C到F有类似的路由表。每30秒，RIP将使用图5-4中的格式广播每个接口的整个路由表。一个RIP消息可包含至多25个网络。如果路由表包含多于25个条目，那不得不传输多个RIP消息。

　　RIP消息中的命令域可用于请求所有或部分路由表(命令=1)，或发出响应信号给请求(命令=2)。其他值在RFC 1058中指定，但现在将它们视为过时的。通常，路由器把命令域设置成1，然后广播整个路由表。

当路由器接收一个RIP消息时，使用简单的一个算法来确定是否应该把路由器增加到路由表中：

1) 如果要更新的路由不在路由表中，那么，把路由添加到表中，并把度量值增加1。

2) 如果要更新的路由在路由表中，那么只把它添加到本地路由表中。如果度量值小于当前路由的度量值，且更新是在不同的接口接收到的，那么，把路由添加到路由表中，如果更新是在与路由表中某个接口相同的接口接收到的，那么，接受该路由。

当路由器B传输第一个RIP消息时，路由器A将只安装到网络3具有跳跃计数2的路由，但不安装到网络2的路由，这是因为已经存在其度量值等于路由器B的度量值的路由。路由器A的路由表将包含4个路由，如表5-3所示。

0	8	16	31

命令	版本 = 1	0	
地址系列 ID　IP = 2		0	
IP 地址 1			
0			
0			
度量 (跳跃计数)			
地址系列 ID		0	
IP 地址 2			
0			
0			
度量 (跳跃计数)1 - 16			

.
.
.

地址系列 ID　IP = 2	0
IP 地址 25	
0	
0	
度量 (跳跃计数)	

图5-4　RIP消息格式

现在，路由器A知道，如果它有一个目标是网络3 的包，它可把它通过接口2发送到路由器2。经过一段时间后，图5-3中网络的所有路由器都将在它们的路由表包含对每个网络中的条目。路由器A的完整的路由表包含在表5-4中。

练习5-1

构造图5-3中路由器E的路由表。

表5-3　路由器A初始的路由表

目标网络	跳跃计数	接　　口
1	1	1
2	1	2
6	1	3
3	2	2

表5-4　路由器A最终的路由表

目标网络	跳跃计数	接　　口
1	1	1
2	1	2
3	2	2
4	3	2
5	4	2
6	1	3
7	2	3
8	3	3

注意，在图5-3中，路由器A通过接口3到达网络5，跳跃计数为4；或通过接口2，其跳跃计数为4。路由器A把哪个路由放到路由表呢？答案取决于它是接收先来自路由器E的RIP消息，还是来自路由器B的消息。路由器B和E都将宣告到网络5、跳跃计数为3的路由 。按照RIP算法，路由器A将安装第一个接收RIP消息的路由，并忽略第二个路由。

在图5-4中，所显示的度量值在1和16范围内取值。跳跃计数为16表示对应的网络是不可达到的。值16被RIP认为是无限的。这是这个协议的另一个限制。大于15个跳跃计数的网络是不能到达的。许多公司网络有数百个路由器，而且它们的规模使RIP不能用做路由协议。RIP也是一个慢速聚合的协议。聚合性是对网络有更改时通过网络传播路由所用时间的度量。假定同时引导了图5-3中的所有路由器(如果所有路由器都立刻发送初始RIP消息)，到网络5的路由到达路由器A将用60秒。如果路由器D失去到网络5的连接，它将对网络5通知一个值为16的跳跃计数(无限大)。路由器A在60秒(非常长的时间)内将不知道网络是不可到达的，而将继续向网络5发送包，直到它得知网络是不可到达为止。实际上，所有路由器并不会在同一时刻发送它们的初始路由表。RIP的30秒记时器随机更新偏移值，以防止路由器同时传输。另外有两个始终与RIP更新有关的记时器，超时记时器和垃圾收集记时器。当新的路由被安装到路由表中时，超时记时器被初始化为0，并开始计数。每当接收到包含路由的RIP消息，超时记时器就重新被设置为0 。如果180秒内没有接收到包含路由的RIP消息，该路由的度量值就被设置为16，而启动该路由的垃圾收集记时器。如果120秒过去了，也没有接收到RIP消息中的路由，该路由就从路由表中清除。如果在垃圾收集记时器到120秒之前，收到了包含路由的消息，记时器被清零，而路由被安装到路由表中。

5.2　计数到无限的问题

在图5-5中，路由器A失去了与网络1的连接。路由器A把路由表中网络1的度量值调整为16。假设路由器B在路由器A传输路由表前传输路由表。

来自路由器B的消息包含到网络1的路由，其跳跃计数为2。这比当前在路由器A的路由表中的路由好一些，因此这个路由被安装。此时，路由器A将通知它可以到达网络1，且跳跃计数为2。因为路由器B将接收与当前表中的路由相同接口的这个信息，它将安装这个路由，且跳跃计数取值3。路由器B又通知路由器A对网络1的跳跃计数为3，而路由器A将以跳跃计数为4安装它，等等，直到无限大(或至少到16) 。当路由器数到16时，我们得到路由环路。路由器A必须发给网络1的包将发送到路由器B，而路由器B把它们发给路由器A，如此这般。当路由器最终数到16时，将打破路由环路，经30秒更新可能要占一些时间。与此同时，网络上到处都是数据包，使网络不再可用。

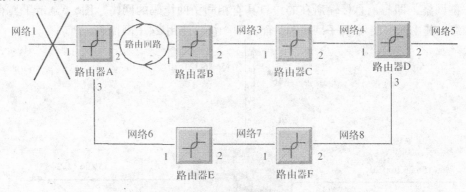

图5-5 RIP计数到无限的问题

5.3 分割范围

分割范围是用于解决计数到无限问题的技术，利用分割范围，路由器可以不通过它得知路由的接口去宣告路由。这将防止路由器B宣告到网络1的路由回到路由A 。在30秒内，路由器A将宣告到网络1的跳跃计数是16，向网络报警网络1是不可到达的。

5.4 用攻毒法分割范围

利用攻毒法（Poisoned Reverse）技术，路由器通过获悉路由信息的接口来发送这些更新信息，但是，跳跃计数设置为16。就我们的例子而言，路由器B通知到网络1的跳跃计数为16的路由，防止路由A把它放到路由表中。

5.5 抑制方法

利用抑制方法，在路由被宣布为不可到达后的一段时间内，路由器将忽略路由的更新信息。就我们的例子而言，路由器A确定网络1是不可到达的。利用抑制方法，在抑制期间，路由器A将忽略路由器B和E的有关网络1的通知，这就允许路由器A传输它的路由表，告诉网络网络1是不可到达的。

5.6 触发更新

尽管分割范围解决了两个路由器之间的路由环路问题，还是会发生三个或多个路由器形成路由环路的情况。分割范围不能防止这种情发生。触发更新要求在发生变化时，路由器立即传输它的路由表。这就加速了网络的聚合性，但具有产生广播泛滥的隐患。另一种情况会出现：路由器接收触发的更新信息，然后，来自另一个路由器的常规更新信息重新安装路由。简言之，这不是解决RIP中所有聚合问题的技术，尽管所提出的问题确实增加对RIP网络的稳定性的衡量。

5.7 RIP 和VLSM

简单地说，不要在将RIP与VLSM一同使用。你可以这么做，但是行不通，并且，如果不认识到会发生什么的话，将引起许多问题。如果你回顾一下图5-4中的RIP消息格式，将会注意到，这里忽略了一条非常重要的信息：子网掩码！当RIP构造接口的路由信息时，RIP仅包括这样一些网络，即与消息传输所在的接口具有相同子网掩码的网络。图5-6显示了具有4个接口的网络。其中两个使用/20子网掩码，而另两个接口使用/24子网掩码。

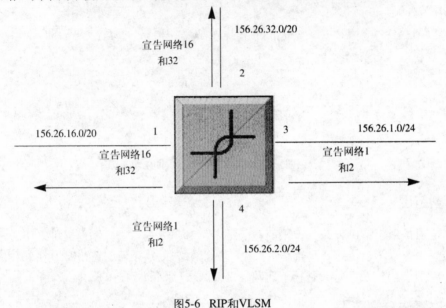

图5-6 RIP和VLSM

接口1和2下游的路由器将永远不会知道网络1.0和2.0，而接口3和4下游的路由器将永远不会知道网络16和32。如果所有子网掩码都相等，那么，就没有问题了。不传输子网掩码，RIP便不能利用VLSM属性的优点，这是VLSM的另一个局限。

5.8 RIP版本2

RFC 1723 (1994) 包含RIP版本I的扩展。最显著的是RIP消息格式(图5-7)。其中带阴影的条目是在版本2中所做的补充。路由标志可用于指出从其他RIP路由器，或从另一个IGP，如OSPF，或者从EGP如BGP得知的路由。子网掩码大概是最重要的补充，允许设计者在RIP版本2中使用VLSM。

不幸的是，RIP版本2仍然受到RIP版本1 的其他限制，如表5-5所总结的。RIP可安全地用于小网络，但若有其他选择的话，则应当使用别的。这个世界上安装了许多RIP网络，因此要小心。

表5-5 RIP的限制

聚合慢
路由选取到无限
不能处理VLSM (版本1)
不能检测路由环路
度量值只是跳跃计数
网络直径小(15个跳跃)
如果存在到一个目标的多个路由，仅可使用一个(没有负载平衡)

0	8	16	31
命令	版本 = 1	0	
地址系列 ID IP = 2		路由器标志	
IP 地址 1			
子网掩码			
下一步			
度量值(跳跃计数)			
地址系列 ID		0	
IP 地址 2			
0			
0			
度量值(跳跃计数)1 - 16			

.
.
.

地址系列 ID IP = 2		0	
IP 地址 25			
子网掩码			
下一步			
度量值(跳跃计数)			

图5-7 RIP版本2 消息格式

5.9 进一步学习

上网并拷贝 RFC 1058、RIP版本1及 RFC 1723、RIP版本2。它们的网址是 http://www.cis.ohio-state.edu/htbin/rfc/rfc11058.html和http://www.cis.ohio-state.edu/htbin/rfc/rfc1723.html。

5.10 小结

RIP协议仍然将广泛使用，即使有可用的IP路由协议在对网络加以修改后更稳定，且聚合更快。对RIP的完整理解是理解RIP与这些协议的交互作用所需要的，因此可计划和实现从RIP的无缝迁移。

本章要点：

1) RIP路由算法。

2) RIP版本1和RIP版本2包格式。

3) 无限计数的问题。

4) 分割范围。

5) 用攻毒法分割范围。

6) 抑制方法。

7) 触发更新。

8) RIP版本1及使用VLSM所遇到的问题。

第6章 OSPF

OSPF(Open Shortest Path First)克服了第5章中列举的RIP的所有限制。本章概述了RFC 2178中提出的OSPF，RFC 2178指定了OSPF协议的第二版本。RFC 2178 是十分庞大的文档，共有200多页，而RIP RFC只有32页。如同许多RFC一样，RFC 2178有的地方意思含混，且难于理解。本章尽可能清楚地解释OSPF的术语、概念及操作，以便为在Cisco路由器上设计和实现协议提供坚实的基础，更好地进行理解。本章不打算提出或解释RFC的每个细节，而仅是介绍对理解OSPF协议的运转所必需的那些概念。

6.1 概述

OSPF是一个内部网关协议(interior gateway protocol,IGP)，用于在单一自治系统(autonomous system,AS)内决策路由。与RIP相对，OSPF是链路状态路由协议，RIP是距离向量路由协议。链路只是路由器接口的另一个说法，因此可称OSPF为接口状态路由协议。术语状态是指路由器接口或链路的参数。这些参数是接口的物理条件:包括设计是上还是下，接口的IP地址，分配给接口的子网掩码，接口所连的网络，以及使用路由器的网络连接的相关费用。我们曾经看到，RIP的运转是通过与邻居交换它的整个路由表，方法是对运行RIP的接口广播路由表。OSPF与其他路由器交换信息，但是，所交换的信息不是路由，而是链路状态。OSPF路由器不是告知其他路由器它们可到达哪些网络，以及距离是多少，而是互相告知它们的网络接口的状态，这些接口所连的网络，以及使用这些接口的费用。显然，各个路由器与其他路由器相比，都有不同的链路状态。每个路由器链路的状态可称为本地链路状态。这些本地链路状态遍布在OSPF网络传播，直到所有OSPF路由器都有完整而等同的链路状态数据库为止。

一旦每个路由器都接收所有局部链路状态，那么每个路由器就可以构造一棵树，以它自己为根，而分支表示到AS中所有网络的最短的或费用最少的路由。每个OSPF路由器使用这些最短路径构造路由表，因此得名最短路径优先。OSPF中的O只是意味着定义OSPF的标准是对公共开放的，且不是封闭的专用路由方案，比如Cisco的IGRP和EIGRP 。图6-1说明了OSPF的一些基本术语。路由器A有3个活动接口或链路。每个接口有一个IP地址和一个子网掩码。IP地址和子网掩码唯一地标识哪个接口连接到哪个网络。每个链路的费用是一个相对的数量，它通常与链路的带宽有关。较快的链路是"较好"链路，而因此应该有较低的相关费用。计算费用的一个方法是，用接口的带宽除以一亿。假设图6-1中的Ethernet网络是10BaseT，带宽为10Mbits/s，那么，与Ethernet网相关的费用将是10 。ISDN链路的费用将是1786，而帧延迟连接费用是333 (所有费用都四舍五入为整数)。每个路由器的局部状态现在可以确定了，而路由器A的链路状态包含在表6-1中。路由器A将与每个相连路由器交换它的局部状态，而每个路由器都通过网络传播这个信息，直到所有五个路由器都具有完整而等同的链路状态数据库。

一旦每个路由器都有了完整的链路状态数据库，每个路由器就可以计算最短路径树。例如，到达网络5,有许多路径可供路由器A从中选择(图6-2) 。对所显示的4条路径，费用是:

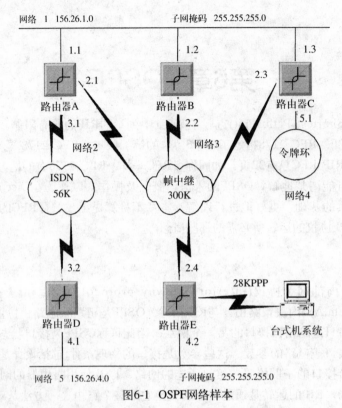

图6-1 OSPF网络样本

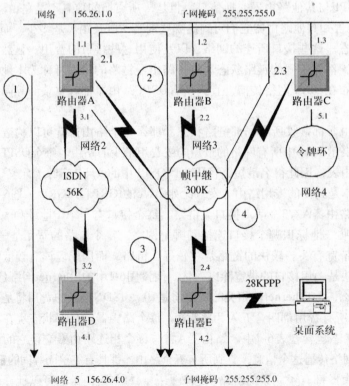

图6-2 从路由器A到网络5的一些可能的路径

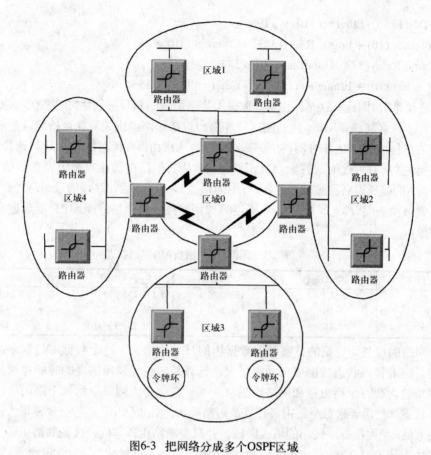

图6-3 把网络分成多个OSPF区域

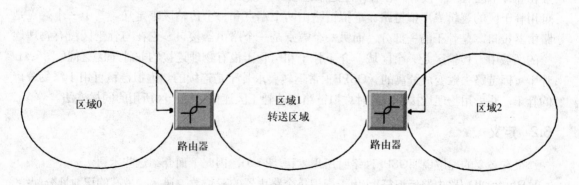

图6-4 OSPF 虚拟链路

1) ISDN(1786)+Ethernet (10) = 1798

2) Ethernet (10) + Frame Relay(333) +Ethernet (10) = 353

3) Frame Relay(333) +Ethernet (10) = 343

4) Ethernet (10) + Frame Relay(333) +Ethernet (10) = 353

最短路径是3，因此，这是路由器A将插入其路由表的到目标网络5的路径。图6-1和6-2中的网络包含了许多环路。RIP不能检测这些环路，但最短路径优先算法可检测这些环路，并生成无环路的路径方案，这是对RIP的另一个改进。从路由器A到网络5，RIP将选择哪个路径？如我们在第5章所看到过的，答案取决于路由器A从其他路由器接收路由表更新信息的次序。假设路由器A的帧延迟链路被禁止。图6-2中的路径3和4 变成到网络5的最短路径。OSPF选择哪个插入到路由表呢？都选择！OSPF可通过等费用路径输送通信，而RIP只能通过到目标网络的一个路径。

表6-1   图6-1中路由器A的链路状态

接口	接口状态	IP地址	子网掩码	费　　用
Ethernet	UP	156.26.1.1	255.255.255.0	10
串行，帧	UP	156.26.2.1	255.255.255.0	333
串行，ISDN	U	156.26.3.1	255.255.255.0	1786

随着网络的成长，完整的链路状态数据库的尺寸也增大，这个数据库是每个路由器都需要维护的。随着链路状态数据库尺寸的增大，计算最短路径树所需的时间也增加了。许多公司的网络包含数百个路由器和网络。想象一下，在一个大网络中给每个路由器传播数百个局部链路状态，然后要求每个路由器计算最短路径树，好象OSPF 不适合规模增大，但有个巧妙的解决方法：把网络分成较小的块或区域，并只要求路由器与同一区域的路由器交换链路状态。这意味着传播信息减少。而计算最短路径树计算强度也将减小。OSPF区域这个概念显示在图5-3中。如果形成的区域多于一个，那就要求有区域0，且它一般被称做骨干区域。所有非零或非骨干区域必须与骨干区物理或者逻辑接触。物理连接是这种类型的，即图6-3中非骨干区与骨干之间所具有的类型。这种物理连接是通过一个路由器，它在骨干区有一个接口，且在非骨干区有一个接口。在骨干区是不连续的，或在非骨干区不可能物理连接到骨干区时，可用骨干区的逻辑或虚拟链路。虚拟链路由两个端点和一个传输区来定义。其中一个端点是路由器接口，是骨干的一部分，而另一个端点是一个路由器接口，它在与骨干区没有物理连接的区域中。传输区是一个区域，介于骨干与骨干没有物理连接的非骨干区之间(图6-4)。骨干可因链路失败变成分离的。OSPF正常运转要求骨干是连续的。虚拟链路可用于修复分离的骨干，并采用物理连接不可能时虚拟链路把非骨干区连接到骨干区所用的同样方法。

6.2 定义

很有必要的理解说明OSPF网络时所用术语(图6-5)，因此下面介绍这些术语：

Router ID (路由器标识符)：用于标识每个路由器的32位数。通常，最高的IP地址分配给路由器。如果在路由器上使用了回送接口，那么，路由器ID是回送接口的最高IP地址，不管物理接口的IP地址的值。

Interface (接口)：路由器和具有唯一IP地址和子网掩码的网络之间的连接。也称为链路(Link)。

Neighboring routers (相邻路由器): 带有到公共网络的接口的路由器。

Broadcast network (广播网络): 支持广播的网络。Ethernet是一个广播网络。

Nonbroadcast Network (非广播网络): 支持多于两个连接路由器，但没有广播能力的网络。帧中继和X.25 是非广播网络的例子。有两种一般类型的非广播网络，非广播多点访问(nonbroadcast multiaccess,NBMA)和点到多点。这两种的区别更多地取决于路由器的配置，而不是物理网络。考虑图6-6中的网络。A部分显示一个路由器，与其他三个路由器用帧延迟连接。所有连接都使用相同的IP子网，因此这是一个NBMA网络。B部分的配置在物理上相同，不同的是集线器路由器有三个逻辑子接口帧延迟连接，它们在不同的子网上进行配置，使它成为点到多点配置。在NBMA网络，要选出指定的路由器，而在点到多点网络，没有指定的路由器。区别很小，但很重要，这在我们开始配置路由器时将看到。

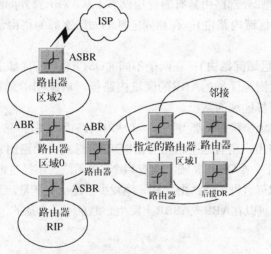

图6-5 OSPF术语的图示

Designated router (DR) (指定路由器): 在广播和NBMA网络，指定路由器用于向公共网络传播链路状态信息。

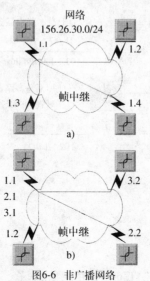

图6-6 非广播网络

a)非广播多访问(NBMA)网络，近使用一个IP子网 b)非广播点到多点网络

Backup Designated router (DR) (后援指定路由器)： 在DR故障时接替DR的路由器。

Area border router (ABR) (区域边界路由器)： 在不止一个OSPF区域有接口的路由器。

Autonomous system border router (ASBR) (自治系统边界路由器)： 一个OSPF路由器，它连接到另一个AS，或者在同一AS的网络区域中，但运行不同于OSPF的IGP。

Adjacency (邻接)： 邻接在广播或NBMA网络的DR和非指定路由器之间形成。邻接也在BDR和所有非指定路由器之间形成。OSPF路由更新信息仅通过邻接被传送和接收。

Flooding (扩散)： 用于分布和同步路由器之间的链路状态数据库。

Link-state advertisement (LSA) (链路状态宣告)： 描述路由器的本地状态。

External routes (外部路由)： 从另一个AS或另一个路由协议得知的路由可做为外部路由放到OSPF中。有两种类型的外部路由。类型1的外部路由具有的费用包含OSPF费用，加上从ASBR到网络的费用。类型2外部路由具有的费用仅等于从ASBR到外部网络的费用。

Intraarea routing（区域内路由）： 在相同区域的网络之间的路由。这些路由仅依据从网络内所接收的信息。

Interarea routing（区域间路由）： 在两个不同的OSPF非骨干区域之间的路由。区域间路径由三部分组成：从区域到源区域的ABR的区域内路径，从源ABR到目标ABR的骨干路径，而最后是从目标ABR到目标区域的路径。

Route summarization（路由概要）： 一个区域内的路由，来自另一个AS的路由，以及从另一个路由协议得知的路由，所有这些路由可由SOPF汇总成一个路由宣告，假如IP网络的设计正确的话。图6-7显示了一个OSPF区域，它有14个C类网络。不经过汇总，ABR将通告14个路由。经过汇总后，ABR可通告一个路由，显著地减少了路由更新量，且下游路由器可有更小的路由表。注意，汇总仅可以在ABR或ASBR上发生。汇总不是自动的，这在RFC中指出了。

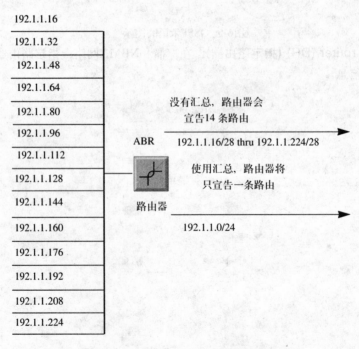

图6-7 路由概要的例子

Stub area (存根区域)： 只有一个出口路径的区域。虚拟链路不能用于存根区域。

6.3 OSPF路由协议包

OSPF使用五种类型的路由协议包，如表6-2所列。呼叫（Hello）协议用于寻找路由器所连网络上的邻居。通过周期性地发出呼叫包，呼叫协议也用于确定邻居路由器接口是否仍然在起作用。在广播和NBMA网络，被指定路由器的选取是通过使用呼叫协议。呼叫包被发送给MULTICAST多点传送地址AllSPFRouters (224.0.0.5)。在播发期间，有些协议包也发送到这个地址。指定和后援指定路由器发送并接收到多点传送地址AllDRouters (224.0.0.6) 的协议包。发送到多点传送地址的包使IP首部中的TTL域设置为1，以便包只进行单跳跃旅行。

表6-2 OSPF路由协议包类型

包 类 型	目 的
呼叫	发现和维护邻居
数据库描述	汇总数据库内容
链路状态请求	数据库下载
链路状态更新	数据库上载
链路状态确认	扩散确认

6.4 包格式

所有OSPF包都有共同的24位的首部，如图6-8所示。版本号被设置为路由器所运行的OSPF的版本。目前版本号是2。类型域根据OSPF包的类型取1到5范围内的值。包长度以字节计，是OSPF包加上OSPF首部的长度。路由器ID是分配给传输包的路由器的最高IP地址。区域ID是分配给路由器传输接口的区域的32位指示器。如果包经过虚拟链路来发送，那么区域ID是0 。检验和是使用补运算进行计算的，如我们在计算Ethernet 帧的FCS及IP首部的检验和时所看到的。如果使用了身份验证，AuType标识身份验证的方法，而其后64位域包含使用的证明类型所要求的数据。呼叫协议使用图6-9所示的包格式。

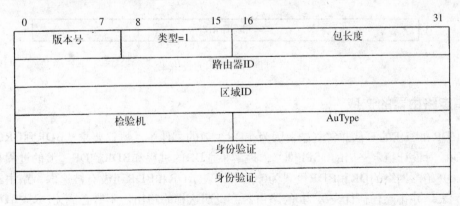

图6-8 OSPF协议包的首部

网络掩码是传输呼叫包的接口的子网掩码。呼叫时间区间是呼叫包传输之间的秒数。路由器优先级域可用于影响DR的选取。默认的路由器优先级值是1 。如果所有路由器使用都使用这个默认值1，那么，DR将是具有最高IP地址的DR。值0表示路由器不能是被选的DR。如果使用不是0或1的值，那么，具有最高优先级的路由器将成为被选DR 。RouterDeadInterval 用于确定邻居是否出故障了。如果在由RouterDeadInterval指定的秒数内没有从已建立的邻居处接收到呼叫包，那么，邻居被宣布为故障状态。指定路由器和后援指定路由器域包含DR和BDR的IP地址 。如果没有DR或BDR(对等网络)，这个域设置为0。最后，包中包含路由器在这个网络上所拥有的邻居的列表。如果在由RouterDeadInterval指定的秒数内没有从某个邻居处接收到呼叫包，那么，这个邻居从此列表除去。选项域包含5个分配位，但仅有一位在RFC 2178中做了说明，即E位，它确定如何传播外部链路状态宣告。

0	7	8	15	16	31
版本号		类型		包长度	
路由器ID					
区域ID					
检验机				AuType	
身份验证					
身份验证					
网络掩码					
HelloInterval				选项	路由器优先级
指定的路由器					
指定的路由器					
后接指定的路由器					
邻居路由器					
邻居路由器					
⋮					
邻居路由器					

图6-9 呼叫协议使用的包格式

6.5 指定路由器的选取

选取DR和BDR的算法非常复杂，因为在DR失效的事件中，协议要求从BDR到DR的过渡是平滑的。对设计稳定坚固的OSPF网络，理解挑选DR的过程和BDR到DR过渡的过程是至关重要的。开始，网络的DR和BDR设置为0.0.0.0，表示DR和BDR还没有被选取。路由器将查阅邻居列表，并排除任何优先级为0的路由器，说明这样的路由器不符合成为DR或BDR的条件。然后，对具有0优先级的且从符合条件的列表中清除的路由器运行如下算法。

1) 记录当前的DR和BDR 。

2) 从当前没有被标识为DR的路由器列表中确定新BDR 。如果有路由器宣告为BDR，选择具有最高优先级的路由器。如果在比较优先级时有相等的，那么，选择一个具有最大路由器ID (IP地址)的。如果没有路由器宣告为BDR，那么选择一个具有最高优先级的非DR 。同样，如果有相等的，则选择具有最大路由器ID的。

3）查阅宣告自己为DR的路由器列表，并选择具有最高优先级的为DR。如果有相等的，那么选择具有最大路由器ID的。如果没有路由器宣告为DR，则分配一个新BDR为DR。

4）如果一个路由器变成DR或BDR，那么第2步和第3步需要重复，以保证路由器不被同时选为DR和BDR。

5）如果选择了DR，就把接口状态设置为DR。如果选择了BDR，就将接口状态设置为BDR。对其他情况，把接口状态设置为 DR Other。

6）在NBMA网络，新的DR和BDR必须开始发送呼叫包给不符合成为DR条件的邻居。

7）如果DR或BDR已经改变了，那么这个接口的邻居状态也需要加以更改。

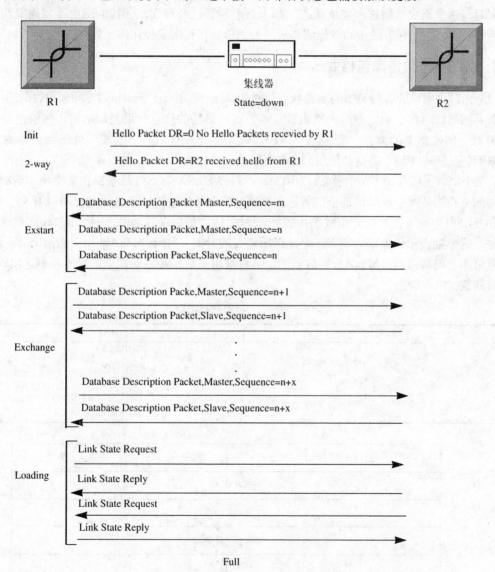

图6-10　在广播网络上形成一个邻居

参见图6-10,从路由器接口向下通过两个路由器状态的过渡,在它们的公共网络上形成完全邻接。向下状态表示或者路由器接口物理向下,或者在这个接口没有允许OSPF协议。当OSPF在接口允许时,将传输呼叫包。当从邻居接收到一个呼叫包,但路由器没有出现在邻居列表时,接口进入Init状态。处于这种状态且被连接到网络上的所有接口将包含在邻居列表中。当路由器看到它的接口列在邻居的邻居列表中时,进入双向(2-way)状态。处于双向或更高状态的任何路由器符合被选为DR或BDR的条件。此外,路由器可通过进入ExStart状态开始交换链路状态信息。在这个状态路由器决定谁是主,谁是从,以及初始数据库描述序列号是什么。当进入交换状态时,路由器发送数据库描述包给邻居路由器,以及链路状态请求包,以请求邻居的最新信息。在加载状态,邻居在等待请求数据库更新。当链路状态数据库的交换完成时,两个路由器将进入完成状态。如果一个邻居已经形成,邻接的路由器将周期性地交换呼叫包,这是一种方法告知且检测邻居是否还仍然在正常发挥作用。

6.6 链路状态数据库包格式

路由器可生成的各种类型的链路状态信息(link-state advertisements,LSA)列在表6-3中。路由器和网络LSA包含确定网络和路由器互连方式所必需的信息。汇总LSA用于传输已经被集成为单一网络信息的网络。汇总可在ABR(3型)或ASBR(4型)处生成。外部路由信息可被ASBR传播进OSPF域,方法是使用5型LSA包。

每个LSA包都有20字节的首部(图6-11)。一般许多LSA在OSPF域被路由器交换,而LSA首部的部分功能是唯一地标识每个LSA包,并确定哪个是最近的。这是通过使用LS序列、LS检验和及LS时限域来完成的。生成路由器把LS时限域初始值设置为0,而按InfTransDelay的量增加,这个量表示传输LSA到下一个跳跃所需要的时间 。参数MaxAge用于撤消LSA,而LS时限值不会增加到超过MaxAge。较新的LSA将被用于数据库,而较老的版本在到达MaxAge时将从数据库中删除。

表6-3 链路状态类型

类 型	描 述
1	路由器LSA
2	网络LSA
3	汇总LSA
4	汇总LSA(ASBR)
5	AS-external LSA

链路状态时间		选项	链路状态类型
链路状态ID			
宣告路由器			
链路状态序列号			
检验机		长度	

图6-11 LAS首部格式

选项域用于指示路由器的能力。目前使用的唯一一位是E位(外部),对存根区域,它是0,

对所有其他区域，它是1。LS类型取值1到5，并标志LSA包的类型，如表6-3所列。链路状态
ID值取决于LSA包类型，而这些值列在表6-4中。宣告路由器域包含LSA的产生者的路由器ID。
在路由器LSA中，宣告路由器域与链路状态ID域相同。网络的DR被包含在网络LSA的这个域，
ABR的ID用于汇总LSA，而ASBR的ID用于AS-external LSA。序列号用于检测原有LSA和
LSA副本，而检验和用于检测破坏的包。长度域显示包括首部的LSA长度。

表6-4 LSA 链路状态值

LS类型	链路状态ID值
1	生成路由器ID
2	这个网络的DR的IP 接口地址
3	目标网络的IP地址
4	ASBR的路由器ID
5	目标网络的IP地址

6.7 链路状态数据库

对路由器有活动接口的所有区域，路由器维护每个区域各自的链路状态数据。在一个区
域有接口的每个路由器，将有一个该区域同等的链路状态数据库。对每个区域的最短路径树
的计算，分别由每个路由器以自己为树根进行。一个区域的链路状态数据库的路由器部分仅
通过该区域传播。这个区域数据库由路由器LSA、网络LSA及汇总LSA组成。如果这个区域不
是存根域，数据库还将包括一个AS-externalLSA。当在传播过程中，路由器接收一个LSA时，
或路由器初始化LSA时，路由器将把LSA增加到它的数据库。当路由器接收一个较新的LSA时，
路由器生成一个新LSA时，或者LSA过于陈旧时，路由器将把LSA从数据库中删除。从路由器
的数据库中删除的任何LSA，也将从每个邻居的再传输列表中删除。

每个路由器将首创一个路由器LSA。如果路由器也是DR，那么，路由器将为它是DR的
网络生成一个网络LSA。ABR路由器将为区域间路由生成汇总LSA，而ASBR路由器将为外部
路由生成AS-externalLSA。对触发产生的LSA新实例的10个事件做了标识：

1) 当路由器首创的LSA的时限域到达值LSRefreshTime 时。

2) 路由器接口的状态改变。

3) 网络的DR变化。路由器ID是分配给路由器的最高IP地址，或分配给路由器的最高回送
IP地址。如果具有最高IP地址的接口失败，那么路由器ID必须改变。这就是使用回送接口的
原因。回送接口从来不会失败。失败的接口也可能是某种网络接口，而对于这个网络路由器是DR。

4) 邻居路由器变化为完全状态或从完全状态改变。

5) 区域内路由被增加、删除或修改。

6) 区域间路由被增加、删除或修改。

7) 路由器使一个接口在某区域成为活动的。

8) 路由器的虚拟链路变化。

9) 外部路由变化。

10) 曾经是ASBR的路由器不再是ASBR了。

6.8 路由器链路状态宣告

路由器为每个有活动OSPF接口的区域生成一个路由器LSA。包含在路由器LSA中的信息

是路由器接口在该区域的状态,而LSA在整个区域传播。路由器LSA的格式显示在图6-12中。进入一个区域的所有路由器接口必须在一个路由器LSA中说明。链路状态ID域是路由器的OSPF ID。VEB位用于确定路由器可能有的链路的类型。V位显示路由器虚拟链路的端点。如果路由器是ASBR,那么,将设置E位。如果路由器是ABR,那么,将设置B位。链路数显示在路由器上表示有多少OSPF接口是活动的。每个链路由下列域来说明:

1) 链路类型

类型1: 对等链接

类型2: 到传输网的连接

类型3: 到存根网的连接

类型4: 虚拟连接

链路状态时间		选项	链路状态类型=1
链路状态ID			
宣告路由器			
链路状态序列号			
检验机		长度	
0 0 0 0 0 V E B	0	链路个数	
链路ID			
链路数据			
类型	#TOS	度量值	
. . .			
TOS	0	TOS度量值	
链路ID			
链路数据			

图6-12 路由器LSA包格式

2) 链路ID

对类型 1, 邻居路由器的ID

对类型 2, DR的IP地址

对类型 3, IP网络/子网号

对类型 4, 邻居路由器的ID

链路ID标识路由器的接口所连接的对象。链路ID一般等于邻居路由器的链路状态ID。链路数据域的内容取决于链路类型域。如果路由器与存根网络连接,那么,这个域将包含这个网络的IP地址掩码。对其他类型的链路,这个域包含分配给该接口的IP地址。服务类型域(TOS)通常设置成0。最后的值是度量值,或链路的费用,它应该总是非0的,除非链路连接到存根网络。

6.9 网络链路状态宣告

网络LSA的格式参见图6-13。网络LSA是2型LSA，而这样的LSA是由支持两个或多个路由器的每个广播和NBMA网络所生成的。网络LSA由网络的DR所创建，且链路状态ID域包含到DR到这个区域的接口的IP地址。费用或度量值在宣告中是不需要的，因为路由器直接连接到网络上，导致费用为0。网络掩码域包含公共网络的网络掩码，而连接路由器域包含路由器接口的IP地址，其中的路由器接口被连接到这个公共网络，而且还与DR邻接。

6.10 汇总链路状态宣告

3型和4型LSA是汇总链路状态宣告，具有如图6-14所示的格式。汇总LSA由区域边界路由器生成，且它们说明区域间目标。3型汇总LSA有IP地址目标，而链路状态ID域是IP网络号。4型汇总LSA以一个自治系统边界路由器为其目标，而链路状态ID域是OSPF 路由器ID。链路状态ID域是两种类型LSA包之间的唯一区别。

3型LSA还用于说明进入存根区域的默认路由，对于本例，链路状态ID域和网络掩码域设置为0.0.0.0。对于3型LSA，网络掩码域是目标网络的IP地址掩码，而对于4型LSA，应该设置为0。

链路状态时间		选项	链路状态类型=2
链路状态ID			
宣告路由器			
链路状态序列号			
检验和		长度	
网络掩码			
连接的路由器			
连接的路由器			

图6-13 网络LSA包格式

链路状态时间		选项	链路状态类型=3,4
链路状态ID			
宣告路由器			
链路状态序列号			
检验机		长度	
网络掩码			
0		度量值	
TOS		TOS度量值	

图6-14 汇总LSA包格式

6.11　AS-external LSA

5型LSA是AS-external LSA，它被ASBR用于说明自治系统外的网络。它们具有图6-14所示的包格式。AS-external LSA用于说明到外部网络的路由。链路状态ID域包含IP网络号或0.0.0.0，如果它描述一个默认路由。如果LSA说明默认路由，那么网络掩码域也被置为0.0.0.0。E位用于显示外部路由是2型的（E = 1），还是1型的（E = 0）外部路由。想一下1型路由所具有的度量值与链路状态度量值相同的单位，而2型路由大于任何链路状态度量值。转发地址包含目标为外部网络的任何通信量的发送地址。OSPF没有使用外部路由标志域。

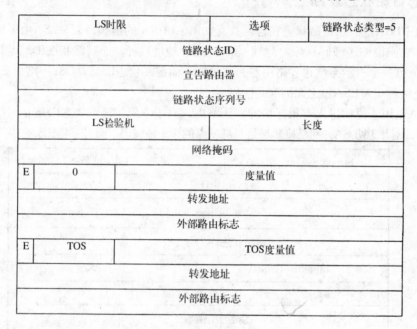

图6-15　AS-external 链路状态宣告包格式

6.12　数据库描述包

数据库描述包是2型OSPF包，具有图6-16所示的格式。在形成邻接过程中的路由器之间交换数据库描述包，且它们描述链路状态数据库。根据接口数和网络数，可能不只需要一个数据库描述包，来传输整个链路状态数据库。在交换中所涉及的路由器建立主从关系。主路由器发送包，而从路由器通过使用数据库描述(database description,DD)序列号认可接收到包。

接口MTU域指示通过该接口可发送的最大IP包长度。当通过虚拟链路发送时，这个域设置为0。选项域包含3位，用于显示路由器的能力。I位是Init位，而对数据库序列中的第一个包，它置成1。M位设置为0，表示在序列中还有更多的数据库描述包。MS位是主从位。在数据库描述包交换期间，1表示路由器是主路由器，而0表示路由器是从路由器。包的其余部分是一个或多个LSA，其格式在本章前面几节中做了说明。

6.13　链路状态请求包

3型OSPF包是链路状态请求包，它们具有图6-17所示的格式。当两个路由器完成交换数据描述包时，路由器可检测链路状态数据库部分是否过时。当这种情形发生时，路由器可请求新一些的数据库描述包，它们是最新的。

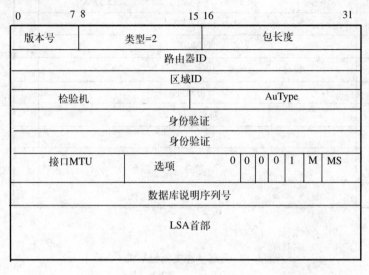

图6-16 数据库描述包格式

图6-17 链路状态请求包格式

6.14 链路状态更新包

4型OSPF包是链路状态更新包，它们用于实现LSA的传播。链路状态更新包格式显示在图6-18中。每个链路状态更新包包含一个或多个LSA，而每个包通过使用链路状态认可包来认可。

版本号	类型=4	包长度	
路由器ID			
区域ID			
检验和		AuType	
身份验证			
身份验证			
LSA的个数			
LSAS			

图6-18 链路状态更新包格式

6.15 链路状态确认包

5型OSPF包是链路状态确认包。链路状态确认包的格式显示在图6-19中。这些包发送到三个地址之一：多点传送地址ALLDRouters，多点传送地址ALLSPFRouters，或单点传送地址。对链路状态确认包的汇总显示在表6-5中。

表6-5　OSPF LSA 的汇总

LAS类型	路由器类型
Router（路由器）	所有路由器
Network（网络）	指定的路由器
Summary（汇总）	区域边界路由器
AS-external（As-外部）	自治系统边界路由器

6.16 OSPF NSSA

RFC 1587描述了OSPF NSSA（Not-So-Stubby area，非存根区域)选项，开发它是为了解决图6-20中所描绘的方案。

从广域传输网络的观点看，站点是具有下列属性的存根区域：

1) 5型外部链路状态宣告将不被路由器r1和r4发送到存根区域。

2) 路由器r1和r4将只把默认网络宣告到路由器r2和r4 。

这种配置存在的问题是，路由器1和2（和路由器3和4）不能同时是存根区域的成员，因为一个存根区域不能导入OSPF以外的路由。如果OSPF运行在路由器1和3上，那么，路由器1和3必须连接到骨干上，或不在存根区域。没有理由让路由器1和3维护传输网络的所有外部路由，因此我们必须在路由器1和3上运行不同的路由协议，比如RIP，并且重新分布从OSPF到RIP的路由。NSSA的开发使AS外部路由可以用有限的方式导入到存根区域，方法是使用被称为7型AS-external的新型LSA。7型LSA具有下列属性：

0	7 8	15 16	31
版本号	类型=5	包长度	
路由器ID			
区域ID			
检验和		AuType	
身份验证			
身份验证			
LSAS首部			

图6-19 链路状态确认包格式

1) 它们可以在整个NSSA内生成和宣告。

2) 它们仅在NSSA内传播，且不传播到OSPF骨干网，但它们的信息可传播进骨干网区域。

NSSA 边界路由器可首创默认的7型LSA到NSSA中，且通过把7型LSA翻译成5型LSA，外部路由信息的有限交换可发送到NSSA。存根区域和NSSA的最大区别是OSPF 3型汇总LSA被导入到NSSA。NSSA允许路由器r1和r2(和r3和r4)都是NSSA的成员。路由器r2是NSSA边界路由器，而路由器r1是自治系统边界路由器，在NSSA内部。路由器r1将导入站点1的子网到NSSA，做为一个7型LSA。路由器r2将把7型LSA翻译成5型汇总LSA，并把它们传播到OSPF骨干网。

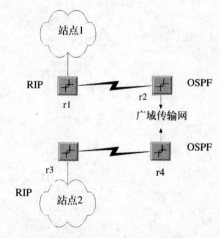

图6-20 开发NSSA 是为了解决此图中的方案

6.17 小结

你现在应该对OSPF的复杂性与RIP相比较有了评价，并了解了这种复杂性为什么对完成IP路由协议是必要的。所讲述的RFC要点提供了对OSPF术语和运作的介绍。

本章要点：

1) 链路状态与距离向量路由协议。

2) 链路状态宣告格式及其作用。

3) OSPF 骨干网或区域0。

4) 区域边界路由器(ABRs)和自治系统边界路由器(ASBRs)。

5) 虚拟链路及其用途。

6) 链路费用的确定。

7) 存根和非存根区域。

8) 路由器ID。

9) 网络类型：广播和NBMA。

10) 指定路由器(DR)和后援指定路由器(BDR)的作用。

11) 邻居。

12) 传播。

13) 区域内路由和区域间路由。

14) 路由汇总。

第7章 IP通信量管理

一般来说，有两种类型的IP(Internet Protocol)通信，路由和控制通信及用户通信。本章介绍管理用户通信的技术。你大概很熟悉的用户通信类型是telnet，ftp，email，ping，当然还有World Wide Web 。IP通信可通过使用标准和扩展的IP访问列表来管理。然而，在我们看Cisco IOS 中可用于通信管理的工具之前，为了理解这些包中的可用信息，有选择地管理IP通信，我们需要详细研究IP，UDP和TCP包的结构。

7.1 IP数据报格式

我们已经知道，IP作用于Internet层次模型的第3层，网络层。来自第4层过程的数据在IP数据报中解封，IP数据报具有如图7-1所示的结构。

0	3 4	7 8	15	16	31
版本	HLEN	服务种类		总长	
标识			标志	段误差	
存在时间		协议		首部检验机	
源IP地址					
目标IP地址					
IP选项				填充	
数据					
数据					

图7-1 IP数据报的包格式

4位版本域包含IP数据报格式的版本号。路由器必须检查该版本号，以便确定它是否与它们正在运行的IP的版本号一致。如果版本号不一致，那么包将被拒绝。当前IP版本号是4 。4位首部长度是以32位字为单位的IP首部长度。如果没有使用IP选项和填料，那这个域将包含5，表示IP首部是20个字节。8位的服务类型域指定路由器应如何处理IP数据报。这个域被路由器忽略，但事实上将在以后版本中使用。总长度是以字节为单位的IP数据包长度，且包括首部长度和数据长度。数据长度可以很容易确定，方法是从这个域减去首部长度，再乘以4。因为总长度域是16位，IP数据报的最大长度是65635字节。IP数据报可通过具有不同MTU长度的网络，但可能引起IP包被分成段。标志、段偏移量等域用于控制分段及IP数据报的重新组装。路由环路可能发生，这可能引起IP包在网络中不停地循环。存活时间域用于打断潜在的路由环路。TTL域被初始化成一个正数，而包通过每个路由器时都使这个域减去1 。当TTL域变成0时，路由器将抛弃包。包含在IP包中的数据是来自4层协议的。协议域标识第4层处理过程，而数据是从该层接收的，比如UDP或TCP 。首部检验和仅对IP首部计算，并不包括数据。提供数据的上层协议一般包含数据检验和，因此，没有必要把数据包括到IP检验和中。源IP地址包含数据报的生成者的IP地址，而目标地址是包的最终目标地址。转发路由器从不改变源和目标IP地址。这在第4章中已有介绍，路由器将改变转发包的源和目标MAC地址，但是，路由器从不改变IP首部中的IP地址。IP选项域具有可变长度，这要根据所使用的选项的类型。填充域也具有可变长度，它根据选项域的长度而变化。因为首部长度域以32位字为单位提供长度，所以，首部必须截止在32位边界。填充域是用0填充的，因此选项域的长度和填充域的长度都是32位。

7.2　标准IP访问列表

标准IP访问列表可用于根据包含在IP首部中的源地址来过滤IP通信。标准IP访问列表不能用于根据任何其他参数进行过滤。访问列表是在如下所示的全局配置模式下生成的。标准IP访问列表用范围从1到99的数来标识，因此，路由器可有最多99个标准IP访问列表同时活动。

```
router#configure terminal
Enter configuration commands,one per line.End with CNTL/Z
router(config)#access-list?
```

<1-99>	IP　standard access list
<100-199>	IP　extended access list
<1000-1099>	IPX SAP access list
<1100-1199>	Extended 48-bit MAC address access list
<1200-1299>	IPX summary address access list
<200-299>	Protocol type-code access list
<300-399>	DECnet access list
<400-499>	XNS standard access list
<500-599>	XNS extended access list
<600-699>	Appletalk access list
<700-799>	48-bit MAC address access list
<800-899>	IPX standard access list
<900-999>	IPX extended access list

标准IP访问列表的第一个参数是列表号，取值1到99。

```
router (config)#access-list 1?
    deny        Specify packets to reject
    permit      Specify packets to forward
```

第二个参数指出是允许还是禁止通信。例如，假设我们想要禁止主机1访问图7-2中的网络172.16.2.0，但想要允许所有其他主机能够访问网络172.16.2.0 。

在访问列表中将否定这个操作。

```
router(config)#access-list 1 deny?
    Hostname or A.B.C.D Address to match
    any         Any source host
    host        A single host address
```

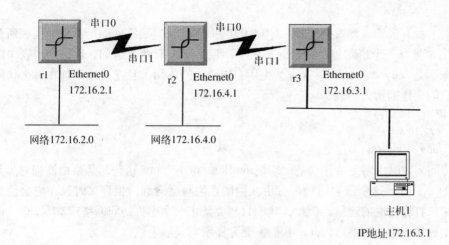

图7-2 禁止主机1访问网络172.16.2.0

我们要禁止什么呢? 我们要禁止主机1，它的IP地址是172.16.3.1 。有两种方法输入主机地址，第一种是简单地输入主机地址做为IP地址，

```
router (config)#access-list 1deny 172.16.3.1?
A.B.C.D Wildcard bits
<cr>
```

注意输入了主机的完整地址。下一个参数称为wildcard bits（通配位），可把各位看成反掩码，因为我们输入 0 来匹配一位，而输入1来指出我们不关心对应位的值是什么。为了匹配整个主机地址，WILD CARD位应都是0 。

```
router (config)#access-list 1deny 172.16.3.1 0.0.0.0 ?
<cr>
```

现在，我们可以从exec(执行)模式列出访问列表。

```
router #show access-lists
Standard IP access list 1
   deny      172.16.3.1
```

输入主机地址的另一种方法是在创建访问列表时使用关键字主机。

```
router(config)#access-list 1 deny?
   Hostname or A.B.C.D Address to match
   any       Any source host
   host      A single host address

router(config)#access-list 1 deny host?
   Hostname or A.B.C.D Host address

router(config)#access-list 1 deny host 172.16.3.1?
   <cr>
```

列出访问列表，以便查看与前一个例子是否有什么区别。

```
router #show access-lists
Standard IP access list 1
    deny      172.16.3.1
```

可以看到，没有区别。形式172.16.3.1 0.0.0.0 和172.16.3.1是等同的。从访问列表所列的内容可以看出，只有一个语句包含在访问列表中，但实际上有两个语句。IP访问列表中的最后一个语句永远是deny any 语句。这有禁止所有IP通信的作用，且隐式地添加在每个访问列表的末尾。我们创建的访问列表实际上包含：

```
Standard IP access list 1
    deny      172.16.3.1
    deny      any   (implicit)
```

在使用访问列表时，常见的错误是，忘记implicit deny any 语句，是路由器把它加到访问列表结尾的。有时，这个隐含语句很有用，稍候我们将会看到，但许多时候，它会使访问列表过滤掉你未打算过滤的通信。例如，我们只想要禁止一个主机访问网络172.16.2.0，而允许其他任何主机访问这个网络，因此，我们需要允许所有其他主机。

```
router (config)#access-list 1 permit any
```

现在，访问列表包含完成我们的目标的语句。

```
router #show access-lists
Standard IP access list 1
    deny      172.16.3.1
    permit any
```

为激活访问列表，必须在接口配置模式下把它应用到一个路由器接口。从图7-2我们可以看出，我们有6个接口，在其上可以应用访问列表。当然，必须在将要用来过滤通信的路由器上创建访问列表。哪里是放访问列表的最佳位置呢? 我们的目标是阻止主机172.16.3.1到达网络172.16.2.0，但不以任何其他方式干扰主机1的通信。如果我们把访问列表放在路由器r3的Ethernet 接口，我们将阻止主机1的所有通信。标准IP访问列表只能对源地T址过滤，不对目标地址。如果访问列表被放在路由器r3，那主机1不能到达网络172.16.4.0或其他任何网络。对于标准访问列表，有一个很好的规则，即在下面进行陈述，并应当提交给内存。

注意　标准访问列表应尽量靠近目标使用。

这个规则意味着，我们必须把标准访问列表放在直接与要禁止访问网络相连的路由器上。因此，这个例子的访问列表应该放在路由器r1上。既然我们决定了在哪个路由器放访问列表，那下一个问题是应该把它放在哪个接口上。我们可以使用访问列表过滤进入串口通信，或到Ethernet接口的通信。就本例而言，接口没有区别，但它不久将会有。把访问列表放在接口上的命令显示的下边。

对串行接口：

```
r1(config)#interface serial 0
r1(config-if)#ip access-group?
  <1-199>    IP access list(standard or extended)
  WORD       Access-list name
r1(config-if)#ip access-group 1?
  in          inbound packets
  out         outbound packets
```

```
<cr>
r1(config-if)#ip access-group 1 in
```
对Ethernet接口:
```
r1(config)#interface Ethernet 0
r1(config-if)#ip access-group?
r1(config-if)#ip access-group 1 out
```

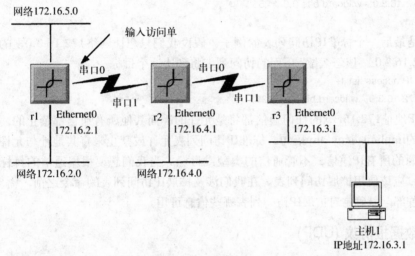

图7-3　r1上的输入访问列表将禁止主机1访问网络2.0和5.0

　　IP访问组接口配置命令用于把访问列表与接口关联起来。选择哪种方式呢? 就本例而言,把访问列表放在串行接口做为输入列表, 将使路由器不必为到Ethernet接口的包选择路径, 从而使这种处理更有效率。如果路由器r1有多个连接的网络, 如图7-3所示, 那么, 串行接口不是放访问列表的地方。你能确定这是为什么吗?

　　如果主机1想要访问网络172.16.5.0上资源, 路由器r1串行接口上的输入访问列表将阻止通信, 因为访问列表只能根据源地址过滤通信。对这种情况, 放访问列表的最好位置是路由器r1上Ethernet接口的输出端。这样, 主机可访问网络172.16.5.0, 但不能访问172.16.2.0 。是否有输入访问列表, 使我们可以在路由器r1的串口上使用, 以便主机1可到达网络172.16.5.0, 但不能到达网络172.16.2.0呢? 答案是没有。为了这样做, 我们将需要使用扩展IP访问列表, 很快我们就将涉及到这种列表。在做这之前, 我们需要看构造访问列表的方法。无论是给访问列表增加允许或禁止语句, 语句都应插入在列表的结尾。是的, 几乎是在列表的结尾。实际上, 语句被插入为倒数第二条语句, 因为implicit deny any 永远是最后的语句。如果你创建一个访问列表, 且注意到允许和禁止语句的次序不正确, 也没有方法在列表的任何地方删除语句或插入语句。唯一的选择是删除访问列表, 再重新开始。 no 形式的命令用于删除访问列表。

```
r1#configure terminal
Enter configuration commands, one per line.End with CNTL/Z.
r1(config)#no access-list 1
```

我们已经看到如何使用标准IP访问列表禁止一个主机访问一个网络。我们也可以用标准IP访问列表禁止访问整个网络。例如，我们要禁止网络172.16.3.0上的所有主机到达网络172.16.2.0 。怎样到达这个目标呢? 记住，当确定通信是否要被过滤时，使用通配位来确定使用哪部分地址。为了禁止访问整个172.16.3.0网络，我们将使用下面显示的源/通配位对:

172.16.3.0 0.0.0.255

换句话说，我们不关心源地址的最后8位组是什么，而在172.16.3.0到172.16.3.255范围内的任何地址都匹配。这个例子的对应访问列表是

Standard IP access list 1
  deny 172.16.3.0, wildcard bits 0.0.0.255
  permit any

接下来是最后一个标准IP访问列表的例子。假设我们只想让网络172.16.3.0上的主机能够访问网络172.16.2.0 。该怎么做? 下面的访问列表将到达这个目标 。

Standard IP access list 1
  permit 172.16.3.0, wildcard bits 0.0.0.255

具有源IP地址172.16.3.x的任何通信都将是允许的，而其他所有通信都禁止的，这是因为列表末尾部的implicit deny any语句。标准IP访问列表允许或禁止来自其地址与允许或禁止语句相匹配的源的所有IP通信，不管通信的类型或目标。当我们想要根据通信的目标或类型来过滤通信时，应该使用扩展访问列表。在我们涉及扩展IP访问列表的命令之前，需要检查第4层协议包的首部，以确定对扩展IP访问列表哪些信息可用。

7.3 用户数据报协议 (UDP)

用户数据报协议 (User Datagram Protocol,UDP)是无连接协议，用户把IP用做它的传输机制。UDP包的格式显示在图7-4中。

UDP源和目标端口标识使用UDP的上层应用。源端口是可选的，而如果它没有使用，那么，这个域应置为0。表7-1列出了一些常见UDP端口号 。

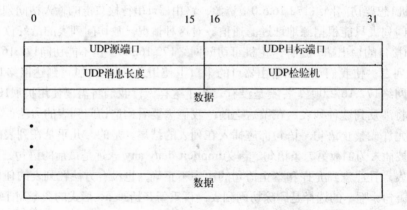

图7-4 用户数据报协议(UDP)包的格式

表7-1 常见UDP端口号

UDP端口号 十进制值	UDP端口号 十六进制值	应用
7	7	Echo（回送）（PING）
37	25	Time（时间）
53	35	DNS
67	43	BOOTP server（BOOTP服务器）
68	44	BOOTP client（客户）
69	45	TFTP

UDP消息长度域是以字节为单位的UDP数据报的长度，包括UDP首部和数据。如果数据报没有包含数据，则长度是8字节，这是数据报的最小长度。如果没有使用UDP检验和，那它就是0。如果使用了检验和，那么，它是对UDP首部、数据以及没有包含在UDP数据报中的信息计算的。附加信息包含在UDP伪首部中，如图7-5所示。

IP源地址		
IP目标地址		
0	协议=17	UDP数据报长度

图7-5 UDP伪首部格式

伪首部(pseudoheader)不是UDP数据报的一部分，它只是用来计算UDP检验和。因为UDP数据报不包含源或目标IP地址，有可能UDP包到达错误的目标。UDP将"窥视"到IP包的首部内部，并使用目标地址来计算检验和。这似乎像是侵犯了Internet分层模型，其实正是。伪首部用于保证UDP数据报到达正确的目标。因为IP包检验和只包括IP首部，UDP检验和一般用于检测可能破坏UDP包的传输错误。一旦UDP数据报生成，它就被封装为IP包的数据部分，如图7-6所示。

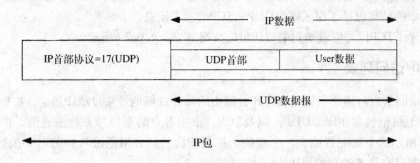

图7-6 IP包中的UDP数据报的封装

7.4 传输控制协议 (TCP)

传输控制协议 (Transmission Control Protocol,TCP)是面向连接的协议，它使用IP做为它的传输机制。TCP包的格式如图7-7所示。

源端口	目标端口

下面的表格表示TCP段格式：

源端口		目标端口	
序列号			
认可号			
首部长度	保留	代码位	窗口
检验机		紧急指针	
选项		填充	
用户数据			

用户数据

图7-7 TCP段格式

TCP段首部中所涉及的域是源和目标端口。如同UDP一样，这些端口号指定使用TCP的上层应用。一些常见的TCP端口号列在表7-2中。

表7-2 常见TCP端口号

TCP端口号 十进制值	TCP端口号 十六进制值	应用
7	7	Echo (PING)
21	15	FTP
23	17	TELNET
25	19	SMTP
79	4F	FINGER
80	4F	HTTP/WWW
110	6E	POP - 3

TCP检验和使用伪首部，它与UDP伪首部一样。本章不讨论TCP操作，而只涉及包含在TCP首部中可应用于扩展访问列表的信息。完整理解TCP，将有助于你成为更好的网络设计者，而且，在本章的结尾包括了深入研究UDP和TCP的参考信息。

一旦创建了TCP段，它就被封装成IP包的数据部分，如图7-8所示。

7.5 扩展IP访问列表

扩展IP访问列表可用于根据包含在IP首部中的源和目标地址来过滤IP通信。扩展IP访问列表还能够用于根据包含在IP，UDP，以及TCP首部中各自的端口号来过滤通信。扩展访问列表是在如下所示的全局配置模式下生成的。扩展IP访问列表用范围从100到199的数来标识，因此，路由器可有最多99个扩展IP访问列表同时活动。

```
r1(config)#access-list?
<1-99>          IP standard access list
<100-199>       IP extended access list
<1000-1099>     IPX SAP access list
<1100-1199>     Extended 48-bit MAC address access list
<1200-1299>     IPX summary address access list
<200-299>       Protocol type-code access list
```

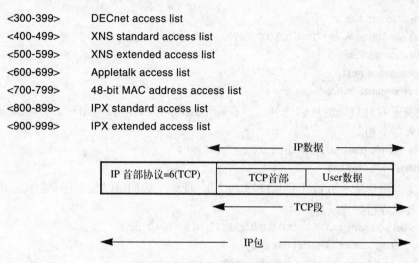

```
<300-399>      DECnet access list
<400-499>      XNS standard access list
<500-599>      XNS extended access list
<600-699>      Appletalk access list
<700-799>      48-bit MAC address access list
<800-899>      IPX standard access list
<900-999>      IPX extended access list
```

图7-8 IP包中TCP段的封装

从100到199范围选取一个数。

```
r1 (config)#access-list 100?
   deny      Specify packets to reject
   dynamic   Specify a DYNAMIC list of PERMITs or DENYs
   permit    Specify packets to forward
```

有一个选项在标准IP访问列表没有，即动态列表。动态列表在本章最后讲述。选择 permit(允许)或deny(禁止)二者之一。然后决定下一个参数。

```
r1 (config)#access-list 100 deny?
   <0-255>   An IP protocol number
   eigrp     Cisco's EIGRP routing protocol
   gre       Cisco's GRE tunneling
   icmp      Internet Control Message Protocol
   igmp      Internet Gateway Message Protocol
   igrp      Cisco's IGRP routing protocol
   ip        Any Internet Protocol
   ipinip    IP in IP tunneling
   nos       KA9Q NOS  compatible IP  over IP tunneling
   ospf      OSPF routing protocol
   tcp       Transmission Control Protocol
   udp       User Datagram Protocol
```

可以看到，与标准访问列表相比，我们有更多的选项。我们将探讨的选项是IP，UDP，TCP及ICMP选项。

```
r1 (config)#access-list 100 deny ip ?
   A.B.C.D   Source address
   Any       Any source host
   Host      A single source host
```

源地址的输入方式与标准访问列表相同，即使用一个地址和通配符掩码。假设我们要阻止主机172.16.3.1访问图7-2中的网络172.16.2.0。我们已经看到，有两种方法输入主机地址。

```
r1 (config)#access-list 100 deny ip172.16.3.1?
```

A.B.C.D Source Wildcard bits

r1 (config)#access-list 100 deny ip 172.16.3.0 0.0.0.0?

A.B.C.D   Destination address

Any   Any destination host

Host   A single destination host

扩展IP访问列表还有对目标地址的选择，这在标准IP访问列表中没有出现。目标地址的输入与源地址的输入完全相同。

r1 (config)#access-list 100 deny ip172.16.3.1 0.0.0.0 172.16.2.0 ?

A.B.C.D Destination wildcard bits

这个禁止语句足以阻止从主机1访问网络172.16.2.0。此外，我们可以根据优先级或在IP首部中提供的TOS参数来进行禁止动作。

r1(config)#access-list 100 deny ip 172.16.3.0 0.0.0.255 172.16.2.0 0.0.0.255?

log   Log matches against this entry

log-input   Log matches against this entry,including input interface

precedence   Match packets with given precedence value

tos   Match packets with given TOS value

<cr>

r1(config)#$ip 172.16.3.0 0.0.0.255 172.16.2.0 0.0.0.255 precedence?

<0-7>   Precedence value

critical   Match packets with critical precedence(5)

flash   Match packets with flash precedence(3)

flash-override   Match packets with flash override precedence(4)

immediate   Match packets with immediate precedence(2)

internet   Match packets with internetwork control precedence(6)

network   Match packets with network control precedence(7)

priority   Match packets with priority precedence(1)

routine   Match packets with routine precedence(0)

r1(config)#$ip 172.16.3.0 0.0.0.255 172.16.2.0 0.0.0.255 tos?

<0-15>   Type of service value

max-reliability   Match packets with max reliable TOS(2)

max-throughput   Match packets with max throughput TOS(4)

min-delay   Match packets with min delay TOS(8)

min-monetary-cost Match packets with min monetary cost TOS(1)

normal   Match packets with normal TOS(0)

列出我们所输入的扩展访问列表。

r1 #show access-lists 100

Extended IP access list 100

deny   ip host 172.16.3.1 172.16.2.0 0.0.0.255

在本例中，扩展访问列表和标准访问列表之间的区别，至少是补充了目标地址。如同标准访问列表那样，在列表的末尾有一个implicit deny any any语句，因此，我们需要增加语句permit any any，做为我们输入的最后语句(并非总是如此)。

r1(config)#access-list 100 permit ip any any

```
r1#show access-lists 100
Extended IP access list 100
    deny ip host 172.16.3.1 172.16.2.0 0.0.0.255
    permit ip any any
```

我们推论出，标准列表的最佳位置是尽可能接近目标。扩展IP访问列表的最佳位置是哪里呢？我们可以把访问列表放在图7-2中的路由器r1上，但是，通信在到达r1前，将必须经过r2和r3传播。因为我们知道源和目标这两个地址，通信可被Ethernet接口输入端的路由器r3所阻止。因此，对扩展IP访问列表要记住的规则如下：

注意 扩展访问列表应该在尽量接近源的地方使用。

即使列表在任何路由器上都会正常运转，为了减少网络带宽的使用，我们想要尽快停止通信。

还可以根据包含在UDP或TCP首部中的信息来过滤，首先，我们研究一下UDP包的过滤。

```
r1(config)#access-list 100 deny udp?
    A.B.C.D  Source address
    any      Any source host
    host     A single source host
```

然后，我们需要输入要过滤的源地址。就本例而言，我们使用主机关键字。

```
r1(config)#access-list 101 deny udp host 172.16.3.1?
    A.B.C.D        Destination address
    any            Any destination host
    eq             Match only packets on a given port number
    gt             Match only packets with a greater port number
    host           A single destination host
    lt             Match only packets with a lower port number
    neq            Match only packets not on a given port number
    range          Match only packets in the range of port numbers
r1(config)#access-list 100 deny udp 172.16.3.0 0.0.0.255 eq?
    <0-65535>      Port number
    biff           Biff(mail notification,comsat,512)
    bootpc         Bootstrap Protocol(BOOTP)client(68)
    bootps         Bootstrap Protocol(BOOTP)server(67)
    discard        Discard(9)
    dnsix          DNSIX security protocol auditing(195)
    domain         Domain Name Service(DNS,53)
    echo           Echo(7)
    mobile-ip      Mobile IP registration(434)
    nameserver     IEN116 name service(obsolete,42)
    netbios-dgm    NetBios datagram service(138)
    netbios-ns     NetBios name service(137)
    ntp            Network Time Protocol(123)
    rip            Routing Information Protocol(router,in.routed,520)
    snmp           Simple Network Management Protocol(161)
    snmptrap       SNMP Traps(162)
```

sunrpc	Sun Remote Procedure Call(111)
syslog	System Logger(514)
tacacs	TAC Access Control System(49)
talk	Talk(517)
tftp	Trivial File Transfer Protocol(69)
time	Time(37)
who	Who service(rwho,513)
xdmcp	X Display Manager Control Protocol(177)

UDP可用的选项非常多。一般来说，对UDP过滤，我们可完成下列工作：

1) 根据源和目标IP地址过滤UDP。

access-list 100 deny udp 172.16.3.1 0.0.0.0 172.16.2.0 0.0.0.255

2) 根据源地址和UDP端口号及目标地址过滤UDP。

access-list 100 deny udp 172.16.3.1 0.0.0.0 eq tftp 172.16.2.0 0.0.0.255

3) 根据源地址和目标地址和端口号过滤UDP。

access-list 100 deny udp 172.16.3.1 0.0.0.0 172.16.2.0 0.0.0.255 eq tftp

4) 根据源地址和端口号和目标地址和端口号过滤UDP。

access-list 100 deny udp 172.16.3.1 0.0.0.0 eq tftp 172.16.2.0 0.0.0.255 eq tftp

对端口号，我们可使用关键字eq表示相等，gt 表示大于，lt表示小于， neq不等于 。还可以输入UDP端口号的范围。

access-list 100 deny udp host 172.16.3.1 range echo tftp 172.16.2.0 0.0.0.255 range echo tftp

此时，你可能会想:这样做可能会失去控制，我同意这种看法。你将看到的最常见的格式是格式3，因为一般情况下，源和目标端口号是相同的，或不需要源端口号。如果我们要阻止图7-1中的主机1 到网络172.16.2.0 tftp访问，会使用下面所示的扩展访问列表。

Extended IP access list 100

    deny udp host 172.16.3.1 172.16.2.0 0.0.0.255 eq tftp

    permit ip any any

根据TCP端口号过滤等同于根据UDP端口号过滤:

r1(config)#$ 100 deny tcp?

A.B.C.D	Source address
any	Any source host
host	A single source host

r1(config)#$ 100 deny tcp 172.16.2.0 0.0.0.255 172.16.3.0 0.0.0.255?

eq	Match only packets on a given port number
establisthed	Match established connections
gt	Match only packets with a greater port number
log	Log matches against this entry
log-input	Log matches against this entry,including input interface
lt	Match only packets with a lower port number
neq	Match only packets not on a given port number
precedence	Match packets with given precedence value
range	Match only packets in the range of port numbers
tos	Match packets with given TOS value
<cr>	

```
r1(config)#access-list 100 deny tcp any any eq?
  <0-65535>         Port number
  bgp               Border Gateway Protocol(179)
  chargen           Character generator(19)
  cmd               Remote commands(rcmd,514)
  daytime           Daytime(13)
  discard           Discard(9)
  domain            Domain Name Service(53)
  echo              Echo(7)
  exec              Exec(rsh,512)
  finger            Finger(79)
  ftp               File Transfer Protocol(21)
  ftp-data          FTP data connections(used infrequently,20)
  gopher            Gopher(70)
  hostname          NIC hostname server(101)
  ident             Ident Protocol(113)
  irc               Internet Relay Chat(194)
  klogin            Kerberos login(543)
  kshell            Kerberos shell(544)
  login             Login(rlogin,513)
  lpd               Printer service(515)
  nntp              Network News Transport Protocol(119)
  pop2              Post Office Protocol v2(109)
  pop3              Post Office Protocol v3(110)
  smtp              Simple Mail Transport Protocol(25)
  sunrpc            Sun Remote Procedure Call(111)
  syslog            Syslog(514)
  tacacs            TAC Access Control System(49)
  talk              Talk(517)
  telnet            Telnet(23)
  time              Time(37)
  uucp              Unix-to-Unix Copy Program(540)
  whois             Nicname(43)
  www               World Wide Web(HTTP,80)
```

例如，假设我们要允许任何主机访问网络172.16.2.0上的Web服务器，但禁止到网络172.16.2.0的所有其他通信。可使用的访问列表如下所示。

```
Extended IP access list 102
  permit tcp any 172.16.2.0 0.0.0.255 eq www
```

注意隐含在列表末尾的deny any any 语句，这正是我们所要求的。这个访问列表只允许Web通信，而禁止任何其他的通信。

最后，让我们看一下Internet Control Message Protocol (ICMP)协议过滤。最熟悉的ICMP功能是回应，或称PING。

```
r1(config)#access-list 100 deny icmp?
  A.B.C.D Source address
  any               Any source host
```

```
        host                    A single source host

r1(config)#$ 100 deny icmp?
  <0-255>                       ICMP message type
  administratively-prohibited   Administratively prohibited
  alternate-address             Alternate address
  conversion-error              Datagram conversion
  dod-host-prohibited           Host prohibited
  dod-net-prohibited            Net prohibited
  echo                          Echo(ping)
  echo-reply                    Echo reply
  general-parameter-problem     Parameter problem
  host-isolated                 Host isolated
  host-precedence-unreachable   Host unreachable for precedence
  host-redirect                 Host redirect
  host-tos-redirect             Host redirect for TOS
  host-tos-unreachable          Host unreachable for TOS
  host-unknown                  Host unknown
  host-unreachable              Host unreachable
  information-reply             Information replies
  information-request           Information requests
  log                           Log matches against this entry
  log-input                     Log matches against this entry,including input
                                   interface
  mask-reply                    Mask replies
  mask-request                  Mask requests
  mobile-redirect               Mobile host redirect
  net-redirect                  Network redirect
  net-tos-redirect              Net redirect for TOS
  net-tos-unreachable           Network unreachable for TOS
  net-unreachable               Net unreachable
  network-unknown               Network unknown
  no-room-for-option            Parameter required but no room
  option-missing                Parameter required but not present
  packet-too-big                Fragmentation needed and DF set
  parameter-problem             All parameter problems
  port-unreachable              Port unreachable
  precedence                    Match packets with given precedence value
  precedence-unreachable        Precedence cutoff
  protocol-unreachable          Protocol unreachable
  reassembly-timeout            Reassembly timeout
  redirect                      All redirects
  router-advertisement          Router discovery advertisements
  router-solicitation           Router discovery solicitations
  source-quench                 Source quenches
```

source-route-failed	Source route failed
time-exceeded	All time exceededs
timestamp-reply	Timestamp replies
timestamp-request	Timestamp requests
tos	Match packets with given TOS value
traceroute	Traceroute
ttl-exceeded	TTL exceeded
unreachable	All unreachables

可以看到，有许多种选择，但其输入方式与UDP和TCP访问列表相同。如果我们要阻止图7-1中的主机1 ping 路由器r1上的 Ethernet 接口的能力，可使用下面所示的访问列表。

```
Extended IP access list 151
    deny   udp host 172.16.3.1 host 172.16.2.1 eq echo
permit ip any any
```

应该提一下访问列表的最后一个属性，访问列表不能用于过滤起源于路由器的通信。例如，如果我们想要阻止图7-2中的路由器r3能够ping路由器r1，访问列表不能放在路由器r3上，因为访问列表不影响起源于路由器的通信。

7.6 动态访问列表

图7-9中的网络包含网络172.16.4.0中的服务器，且IP地址为172.16.4.1 。我们想要网络172.16.3.0上的主机只有对这个服务器的telnet访问，因此，我们可使用扩展IP访问列表，来过滤到这个网络的telnet通信。

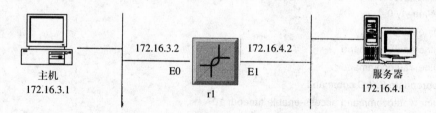

图7-9 阻止网络72.16.3.0上的主机打开到服务器172.16.4.2的telnet会话

路由器r1上的访问列表应允许telnet，但阻止所有其他通信。

```
access-list 100 permit tcp any host 172.16.4.1 eq telnet
```

然后，这个访问列表被应用到路由器r1上的Ethernet接口，做为一个输入访问组。

```
interface Ethernet0
    ip address 172.16.3.2 255.255.255.0
    ip access-group 100 in
```

假设有时候网络172.16.3.0上的某个用户需要使用非telnet的应用去访问网络172.16.4.0。利用所应用的访问列表，这将是不可能实现的。我们可修改访问列表，来允许这种主机访问，如下：

```
access-list 100 permit tcp any host 172.16.4.1 eq telnet
access-list 100 permit ip host 172.16.3.1 any
```

这将达到我们的目标，允许主机172.16.3.1访问网络172.16.3.1 。问题是，用户必须注册到主机172.16.3.1。而且，注册到这个主机的任何人可获得对网络的访问。用户可能不希望这样。更安全的方法是使用动态IP访问列表，也称为"锁定-密钥安全性（lock-and-key security）。锁定-密钥安全性背后的含义是，允许用户使用动态访问列表临时在访问列表中打开一个入口。锁定-密钥安全性的方法是：

1）用户通过虚拟终端端口telnet进入路由器。

2）路由器打开telnet会话，并提示用户输入口令。有几个方法验证用户身份。比如本地身份验证、TACACS+或RADIUS。

3）当用户成功通过身份验证时，便从路由器注销，而在访问列表中便创建了临时入口。

4）经身份验证的用户这时可以访问服务器了。

5）所配置的超时时间到期后，动态访问列表将被删除。

就本例而言，我们将使用本地用户身份验证。首先，在路由器上创建用户名和口令。

r1(config)#username elvis password king

第二步，在vty行允许本地注册身份验证。

r1(config)#line vty 0 4

r1(config-line)#login?

    local   Local password checking

    tacacs   Use tacacs server for password checking

   r1(config-line)#login local

在路由器上创建动态访问列表。

access-list 100 dynamic allow_elvis timeout 5 permit ip any any

动态列表给定一个名字，即allow_elvis，而且，空闲超时时间以分钟为单位。

最后，配置虚拟终端行允许对动态访问列表的激活。

r1(config)#line vty 0 4

r1(config-line)#login local

r1(config-line)#autocommand

r1(config-line)#autocommand ?

  LINE Appropriate EXEC command

r1(config-line)#autocommand access-enable timeout 10

所指定的超时时间是绝对超时值，它应大于为访问列表空闲超时所指定的超时时间。

当用户以elvis用户身份telnet进入路由器，且提供了正确的口令时，用户将被注销，时同将调用动态访问列表，允许用户访问网络172.16.4.0。

7.7 小结

IP访问列表用于限制对网络选择部分的访问。在后面的章节中，我们将看到，如何使用访问列表影响路由器间的路由更新。IP访问列表被应用于满足列表条件的每个IP包，这对路由器性能具有影响。例如，输入IP访问列表将被应用到进入路由器的每个IP包，因此，只在必要时使用访问列表。

本章要点：

1）标准IP访问列表。

2）扩展IP访问列表。

3）访问列表的放置。

4）动态访问列表。

第8章　配置RIP

如何实现我们的目标呢？实践，再实践。我发现，精通路由器与准备CCIE考试，唯一成功的方法是掌握第一手的实践经验。在本章和以下几章中，将着重介绍两个有效的路由器，以便实现我们将讨论的所有配置。这些路由器不需任何想象，所需要的只是Cisco IOS的当前版本，以及连接两个路由器的方法：Ethernet或同步串行方式。本章将讨论路由器的配置，并且，还要尝试你所能想象的任何变化方式。

8.1　RIP版本1

我们通过图8-1中的网络来说明RIP版本1各种配置命令的用法。

Router r1 Configuration	Router r2 Configuration
hostname r1	hostname r2
enable password cisco	enable password cisco
interface Loopback0	interface Loopback0
ip address 172.16.1.1 255.255.255.0	ip address 172.16.4.1 255.255.255.0
interface Loopback1	interface Loopback1
ip address 172.16.2.1 255.255.255.0	ip address 172.16.5.1 255.255.255.0
interface Ethernet0	interface Ethernet0
ip address 172.16.3.1 255.255.255.0	ip address 172.16.3.2 255.255.255.0

如图8-1所示，在每个路由器上，我们仅需一条物理接口。在下面的例子中，其他网络将使用回送接口来模拟。路由信息协议（Routing Information Protocol, RIP）配置的第一步是启动RIP路由进程，方法是键入配置模式和启用RIP进程。

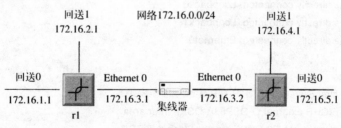

图8-1　RIP网络配置示例

```
r1#configure terminal
Enter configuration commands, one per line.End with CNTL/Z
r1(config)#router rip
r1(config-router )#
```

RIP路由进程需要知道宣告哪一个网络。对于路由器r1，我们想宣告网络172.16.1.0，172.16.2.0和172.16.3.0。我们使用网络命令来告知RIP，在路由变化中，要宣告哪个网络。

```
r1(config-router )#network 172.16.1.0
r1(config-router )#network 172.16 2.0
```

r1(config-router)#network 172.16.3.0

r1(config-router)#^Z

此时，可列出当前路由器配置，来查看基本RIP路由进程是如何配置的。

router rip

　network 172.16.0.0

键入三条网络命令时，为什么只显示一条呢？回忆一下第5章，在路由更新中，RIP 版本1不传递子网掩码。你只能使用RIP网络配置命令来键入主网编号。由于路由器r1连接的所有网络都属于B类网络172.16.0.0，这便是RIP将宣告的网络。网络命令也可以确定哪个接口将发送和接收RIP路由更新。由于所有网络属于172.16.0.0，所以，RIP将发送和接收所有接口的更新。路由器r2的配置与路由器r1的配置将是一样的。

r2(config-router)#network 172.16.0.0

r2(config-router)#^Z

在这种情况下，RIP将宣告多少条路由，一条还是三条？记住，如果网络与它们将要传输到的接口具有相同的子网掩码，则RIP版本1将只宣告接口外的主网。既然所有网络都具有相同的24位子网掩码，RIP将宣告三条路由，并且，接收路由器r2将假设，它为主网172.16.0.0接收的所有宣告的网络，将与接收路由的接口具有相同的子网掩码。为确定路由器r1和r2是否交换路由更新，可在路由器r1和r2上使用命令show IP route。

r1#show ip route

Codes:C-connected,S-static,I-IGRP,R-RIP,M-mobile B-BGP

　D-EIGRP,EX-EIGRP external,O-OSPF,IA-OSPF inter area

　E1-OSPF external type 1,E2-OSPF external type 2,E-EGP

　i-IS,-L1-IS-IS level-1,L2-IS-IS level-2,* -candidate default

　U-per-user static route

Gateway of last resort is not set

　172.16.0.0/16 is subnetted, 5 subnets

R　172.16.4.0[120/1]via 172.16.3.2,00:00:07,Ethernet0

R　172.16.5.0[120/1]via 172.16.3.2,00:00:07,Ethernet0

C　172.16.1.0 is directly connected, Loopback0

C　172.16.2.0 is directly connected, Loopback1

C　172.16.3.0 is directly connected, Ethernet0

r2#show ip route

Codes:C-connected,S-static,I-IGRP,R-RIP,M-mobile B-BGP

　D-EIGRP,EX-EIGRP external,O-OSPF,IA-OSPF inter area

　E1-OSPF external type 1,E2-OSPF external type 2,E-EGP

　i-IS-IS,L1-IS-IS level-1,L2-IS-IS level-2,* -candidate default

　U-per-user static route

Gateway of last resort is not set

　172.16.0.0/16 is subnetted, 5 subnets

C　172.16.4.0 is directly connected, Loopback0

C　172.16.5.0 is directly connected, Loopback1

R　172.16.1.0[120/1]via 172.16.3.1,00:00:22,Ethernet0

R　172.16.2.0[120/1]via 172.16.3.1,00:00:22,Ethernet0

C　172.16.3.0 is directly connected, Ethernet0

注意，路由器r1和r2有三条直接连接的路由和两条来自RIP的路由。路由表中的每一项都包括了以下信息：

■ 路由器如何获悉信息（C—直接连接；R—来自RIP）。

■ 目标网络。

■ 管理的距离和RIP或直接连接的跳跃计数（120/1）。

■ RIP转接网（经由172.16.3.1）。

■ 路由的时效—00:00:02。RIP每30s传送一次路由更新，并且，本项表明路由的上一次更新多长时间消逝。

■ 向目标网发送一个包时，使用哪个接口。

这是启动RIP版本1所需要的最低配置。在IP路由表中，包括了每个路由器确定如何向目标网络路由一个包时所需要的信息。对于已连接的网络，路由器仅需将一个包从直接连接的接口转发网络上的主机。对于发送到没有直接连接接口的网络上的包，路由器必须确定应当使用哪个接口来转发包。

如果子网掩码不相同，会发生什么事情？假设路由器r1上的两个网络，Loopback 0和Loopback 1，每个网络的主机都不超过14个。我们可以使用VLSM技术，将子网172.16.1.0再分为使用28位子网掩码的两个二级子网络，如图8-2所示。

```
Rourter r1 configuration changes
interface Loopback0
ip address 172.16.1.17 255.255.255.240
interface Loopback1
ip address 172.16.1.33 255.255.255.240
```

这将如何影响RIP的更新呢？如果我们测试路由器r2的路由表，就会发现，新再分的二级子网并没有消失。我们可以使用了clear ip route *命令，因为RIP会记住旧的路由长达四分钟。这条命令将清除IP路由表，并强制路由表进行更新，使我们能看见路由器配置变化产生的影响。

```
r2#clear ip route*
r2#show ip route
  172.16.0.0/16 is subnetted,3 subnets
C 172.16.4.0 is  directly connected, Loopback0
C 172.16.5.0 is  directly connected, Loopback1
C 172.16.3.0 is  directly connected, Ethernet0
```

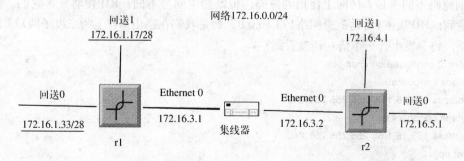

图8-2 在相同主网的路由器r1上使用VLSM

路由器r1将不从网络172.16.3.0来宣告网络172.16.1.6和172.16.1.32，因为这些网络的子网掩码不相等。如果在一个网络上将配置RIP版本1，那么，对于你想宣告的网络，如果它们都包含在相同的主网络号中，则必须具有相同的子网掩码。在这个例子中，主网号是172.16.0.0。如果这些二级子网使用不同的主子网号，例如，172.16.0.0，将会怎样呢？请参看图8-3。

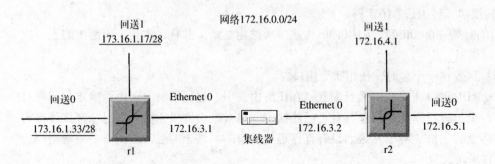

图8-3 在不同主网的路由器r1上使用VLSM

```
Router r1 configuration changes
interface Loopback0
ip address 173.16.1.17 255.255.255.240
interface Loopback1
ip address 173.16.1.33 255.255.255.240
router rip
network 172.16.0.0
network 173.16.0.0


r2#clear ip route*
r2#show ip route
   172.16.0.0/16 is subnetted,3 subnets
C 172.16.4.0 is directly connected, Loopback0
C 172.16.5.0 is directly connected, Loopback1
C 172.16.3.0 is directly connected, Ethernet0
R 173.16.0.0/16 [120/1]via 172.16.3.1, 00:00:14,Ethernet0
```

注意，路由器r1正在宣告网络173.16.0.0，使路由器r2能够到达路由器r1上的两个173.16网络。子网掩码不同于172.16网上使用的掩码，但既然主网号不同，RIP便将宣告它们。同时，也应注意到：RIP版本1自动汇总网络173.16.0.0。如果我们在路由器r2上为二级子网173.16.0.0指定网络，将会发生什么事情？请参看图8-4。

```
Router r2 configuration changes
interface Loopback0
ip address 173.16.1.49 255.255.255.240
interface Loopback1
ip address 173.16.1.65 255.255.255.240
router rip
network 172.16.0.0
network 173.16.0.0
```

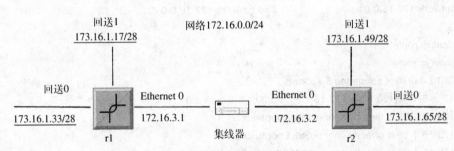

图8-4 在不同主网的路由器r1和r2上使用VLSM

现在，路由器r2的路由表包括：

r2#clear ip route*

r2#show ip route

  172.16.0.0/16 is subnetted,1 subnets

C 172.16.3.0 is directly connected, Ethernet0

  173.16.0.0/16 is subnetted,2 subnets

C 173.16.1.48 is directly connected, Loopback0

C 173.16.1.64 is directly connected, Loopback1

到173.16.1.16和173.16.1.32的路由在哪里？回忆一下RIP算法的运作。路由器r1采用跳跃计数0宣告路由173.16.0.0，这意味着它们是直接连接的。路由器r2也直接连接到网络173.16.0.0，因此，从路由器r2的角度来看，它有一条到173.16.0.0的更好的路由，因此，路由器r2将忽略路由器r1正在宣告的到173.16.0.0的路由。当然，这种情况并不常见，但它说明了RIP版本1会发生的问题，因此，在路由更新中，RIP版本1不宣告子网信息。

当然，方案是不同的。对于在路由器r1和r2之间的普通网，使用完全的B类网并没有意义，但它说明了RIP版本1的行为。如果路由器r1和r1之间的链路与其他接口在相同的子网上，会发生什么情况呢？参见图8-5。

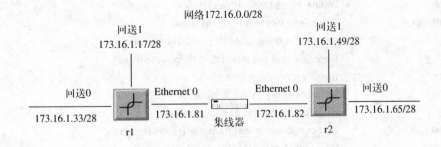

图8-5 在整个网络172.16.0.0上使用VLSM

只要使用的子网掩码是一致的，那么，将会传播所有的路由。假设我们改变了到173.16.1.82/82(r1)和173.16.1.81/28(r2)的公用接口的地址。路由器r1和r2的路由表将包括配置中所有网络的路由。

Router r1 configuration changes   Router r2 configuration changes

Interface Ethernet0   Interface Ethernet0

ip address 173.16.1.81 255.255.255.240 ip address 173.16.1.82 255.255.255.240

router rip   router rip

no network 172.16.0.0   no network 172.16.0.0

r1#clear ip route*
r1#show ip route
   173.16.0.0/16 is subnetted,5 subnets
R   173.16.1.48[120/1]via 173.16.1.81, 00:00:14, Ethernet0
C   173.16.1.32 is directly connected, Loopback1
C   173.16.1.16 is directly connected, Loopback0
C   173.16.1.80 is directly connected, Ethernet0
R   173.16.1.64[120/1]via 173.16.1.81, 00:00:15, Ethernet0

r2#clear ip route*
r2#show ip route
   173.16.0.0/16 is subnetted,5 subnets
C   173.16.1.48 is directly connected, Loopback0
R   173.16.1.32[120/1]via 173.16.1.82, 00:00:00, Ethernet0
R   173.16.1.16[120/1]via 173.16.1.82, 00:00:00, Ethernet0
C   173.16.1.80 is directly connected, Ethernet0
C   173.16.1.64 is directly connected, Loopback1

现在，我们回到图8-1中的网络，并检验RIP配置的其他有效命令。列出这些命令的方法是键入RIP配置模式和一个问号。

r1(config)#router rip
r1(config-router)#?
Router configuration commands:

auto-summary   Enable automatic network number summarization
default-information   Control distribution of default information
default-metric   Set metric of redistributed routes
distance   Define an administrative distance
distribute-list   Filter networks in routing updates
exit   Exit from routing protocol configuration mode
help   Description of the interactive help system
neighbor   Specify a neighbor router
network   Enable routing on an IP network
no   Negate a command or set its defaults
offset-list   Add or subtract offset from IGRP or RIP metrics
output-delay   Interpacket delay for RIP updates
passive-interface   Suppress routing updates on an interface
redistribute   Redistribute information from another routing protocol
timers   Adjust routing timers
validate-update-source   Perform sanity checks against source address of routing
                              updates
version   Set routing protocol version

命令：auto-summary
作用：RIP版本1的自动方式；参见RIP版本2上的区域。
命令：default-information

作用：这条命令将在第13章介绍。

命令：default-metric

作用：路由器可能会运行多个IP路由协议（RIP，IGRP，EIGRP或OSPF）。每个路由协议都有不同的度量方式；RIP有跳跃计数，OSPF有无维成本代价（dimensionless cost）。当从一个路由协议向另一个路由协议送入路由时，路由度量方式也需要随着协议的转换而变化，default-metric命令则用于执行这个转换。这将在第13章中详细讲解。

命令：distance

作用：调整路由管理的距离。

```
r2(config)#router rip
r2(config-router)#distance?
    <1-255>Administrative distance
```

管理距离在1-255的范围内。RIP默认值是120。当在一个路由器上有多个路由协议有效时，就要使用管理距离。例如，如果运行RIP和OSPF，对相同的网络，每个协议都有一个路由，则OSPF路由是优先运行的，因为OSPF的管理距离（110）比RIP的低（120）。通过设置低于OSPF的管理距离，可以强制选择RIP路由。

```
r2(config-router)#distance 130?
    A.B.C.D IP Source address
<cr>
```

选择<cr>，将对来自RIP的所有路由设置管理距离，将其设置为键入的数字（如130）。通过检验IP路由表，便可以看到这些。

```
r2#show ip route
    172.16.0.0/16 is subnetted,5 subnets
C    172.16.4.0 is directly connected, Loopback0
C    172.16.5.0 is directly connected, Loopback1
R    172.16.1.0 [130/1]via 172.16.3.1, 00:00:22, Ethernet0
R    172.16.2.0 [130/1]via 172.16.3.1, 00:00:22, Ethernet0
C    172.16.3.0 is directly connected, Ethernet0
```

如果想为特定的IP网络调整管理距离，则使用如下格式:

```
r2(config-router)#distance 130 172.16.0.0?
    A.B.C.D IP address mask
r2(config-router)#distance 130 172.16.0.0 0.0.255.255?
    <1-99> IP Standard access list number
    <cr>
```

键入<cr>，将只对网络172.16.0.0应用新的管理距离。注意，IP地址掩码是将使用的子网掩码"求反"得到的。这与第7章中讨论的IP访问表具有相同的形式。既然路由器r2只知道来自路由器r1的网络172.16.0.0，这与对来自RIP的所有网络应用管理距离，具有相同的效果。最终，我们将通过使用一个IP访问表来选择路由，这些路由都有自己的修改过的管理距离。假设我们想改变到172.16.1.0的路由的管理距离为130，但不影响到172.16.2.0的路由。首先，我们使用RIP命令:

```
r2(config-router)#distance 130 172.16.0.0 0.0.255.255?
    <1-99> IP Standard access list number
    <cr>
```

```
r2(config-router)#distance 130 172.16.0.0 0.0.255.255 1?
  <cr>
r2(config-router)#distance 130 172.16.0.0 0.0.255.255 1
r2(config-router)#^Z
```

最后一步是建立一个IP访问表，由访问表通知RIP去调整172.16.1.0的管理距离，但将172.16.2.0的管理距离设为120。如果没有访问表，但有上面指出的距离命令，则网络172.16.0.0的所有路由将把它们的管理距离设为130。这是默认的操作。

```
r2#clear ip route*
r2#sh ip route
    172.16.0.0/16 is subnetted,5 subnets
C   172.16.4.0 is directly connected, Loopback0
C   172.16.5.0 is directly connected, Loopback1
R   172.16.1.0 [130/1]via 172.16.3.1, 00:00:01, Ethernet0
R   172.16.2.0 [130/1]via 172.16.3.1, 00:00:01, Ethernet0
C   172.16.3.0 is directly connected, Ethernet0
```

只需调整172.16.1.0的距离的访问表是：

```
r2(config)#access-list 1?
    deny        Specify packets to reject
    permit      Specify packets to forward
r2(config)#access-list 1permit?
    Hostname or A.B.C.D Address to match
    any         Any source host
    host        A single host address
r2(config)#access-list 1permit 172.16.1.0 0.0.0.225?
  <cr>
r2(config)#access-list 1permit 172.16.1.0 0.0.0.225
r2(config)#^Z
```

注意，在访问表的末尾，不一定要使用permit any语句。在正规的IP访问表中，最后一条语句总是隐含着deny any。在这个例子中，确实如此，但对于符合允许语句的路由，则只影响其管理的距离，因此，在这个例子中，访问表中的implicit deny any并没有什么影响。新的路由表包括：

```
r2#clear ip route*
r2#sh ip route
    172.16.0.0/16 is subnetted,5 subnets
C   172.16.4.0 is directly connected, Loopback0
C   172.16.5.0 is directly connected, Loopback1
R   172.16.1.0 [130/1]via 172.16.3.1, 00:00:02, Ethernet0
R   172.16.2.0 [120/1]via 172.16.3.1, 00:00:02, Ethernet0
C   172.16.3.0 is directly connected, Ethernet0
```

注意，路由172.16.1.0是唯一调整过管理距离的路由。如果我们想把172.16.1.0的管理距离设置为130，而把172.16.2.0的管理距离设置140，可以使用两个带有两个访问表的距离命令吗？有时是可以的。当我们在RIP配置下键入第二条距离命令时，第二条距离命令将覆盖第一条。如果主网是不同的，我们会有两条距离命令。简而言之，我们可以在相同的主网上设置任何编号的路由管理距离为1-255之间的任意值，但必须为相同的值。在访问表中，只有这些被允许的路由有改变的管理距离。

命令：distribute-list

作用：过滤传入或传出的路由更新。

常用于从传入或传出RIP更新中删除路由。假设路由器r2要删除正被路由器r1宣告的网172.16.1.0。首先，我们需要对RIP进程和路由器r2指定一个分布表。

我们可以使用一个标准的或扩展的IP访问表，这使我们具有许多种选择。

1) 使用标准IP访问表阻塞来自任一接口的172.16.1.0路由。

```
r2(config)#router rip
r2(config-router)#distribute-list?
  <1-199>                A standard IP access list number
r2(config-router)#distribute-list 1?
  in                     Filter incoming routing updates
  out                    Filter outgoing routing updates
r2(config-router)#distribute-list 1 in?
  Ethernet               Ethernet IEEE 802.3
  Loopback               Loopback interface
  Null                   Null interface
<cr>
r2(config-router)#^Z
```

现在，为阻塞172.16.1.0路由建立访问表：

```
access-list 1 deny 172.16.1.0 0.0.0.255
access-list 1 permit any
```

在分布表中，需用permit any statement；否则，表尾的implicit deny all将过滤出所有接口上的所有路由。现在，路由器r2的路由表包括：

```
r2#clear ip route*
r2#show ip route
    172.16.0.0/16 is subnetted,4 subnets
C   172.16.4.0 is directly connected, Loopback0
C   172.16.5.0 is directly connected, Loopback1
R   172.16.2.0 [120/1]via 172.16.3.1, 00:00:16, Ethernet0
C   172.16.3.0 is directly connected, Ethernet0
```

注意，来自路由器r1的172.16.1.0路由已经被过滤了。通过列举配置，或使用命令show ip protocols，可以查看RIP配置访问表。

```
r2#show ip protocols
Routing Protocol is "rip"
    Sending updates every 31 seconds,next due in 25 seconds
    Invalid after 181 seconds,hold down 181,flushed after 241
    Outgoing update filter list for all interfaces is not set
    Incoming update filter list for all interfaces is 1
    Redistributing:rip
    Default verstion control:send version 1, receive any version
    Interface    Send    Recv    Key-chain
```

```
Ethernet0  1        1        2
Loopback0  1        1        2
Loopback1  1        1        2
Routing for Networks:
    172.16.0.0
Routing Information Sources:
    Gateway     Distance        Last Update
    172.16.3.1  120             00:00:27
Distance:(default is 120)
```

2) 使用扩展访问表阻塞来自任一接口的172.16.1.0路由。

```
r2(config)#router rip
r2(config-router)#distribute-list?
    <1-199>        A standard IP access list number
r2(config-router)#distribute-list 100?
    in             Filter incoming routing updates
    out            Filter outgoing routing updates
r2(config-router)#distribute-list 1 in?
    Ethernet       Ethernet IEEE 802.3
    Loopback       Loopback interface
    Null           Null interface
    <cr>
r2(config-router)#^Z
access-list 100 deny ip any 172.16.1.0 0.0.0.255
access-list 100 permit ip any any
```

注意，列出的用于阻塞的路由在访问表中作为目标地址，而不是源地址。

3) 使用标准IP访问表阻塞来自Ethernet接口的172.16.1.0路由。

```
r2(config)#router rip
r2(config-router)#distribute-list 1 in?
    Ethernet       Ethernet IEEE 802.3
    Loopback       Loopback interface
    Null           Null interface
    <cr>
r2(config-router)#distribute-list 1 in Ethernet?
    <0-1>          Ethernet interface number
r2(config-router)#distribute-list 1 in Ethernet 0?
    <cr>
r2(config-router)#distribute-list 1 in Ethernet 0/0
r2(config-router)#^Z
```

我们可以通过特定的接口来过滤路由。如果通过不同的接口得知路由的宣告，则它将不被过滤。

4) 使用扩展IP访问表阻塞来自Ethernet接口的172.16.1.0路由。

```
r2(config)#router rip
r2(config-router)#distribute-list 1 in?
    Ethernet       Ethernet IEEE 802.3
    Loopback       Loopback interface
```

```
Null          Null interface
 <cr>
r2(config-router)#distribute-list 1 in Ethernet?
 <0-1>        Ethernet interface number
r2(config-router)#distribute-list 1 in Ethernet 0?
 <cr>
r2(config-router)#distribute-list 1 in Ethernet 0
r2(config-router)#^Z
```

对于例3和例4，访问表不须从例1和例2中修改。为了过滤传出路由宣告，将用传出的分配表代替传入列表。这也提供了四种过滤的可能性。例如，假设在图8-1中，路由器r2想阻塞到172.16.4.1的路由，使路由器r1不接收它。

1) 使用标准IP访问表阻塞从任一接口传出的172.16.4.0路由。

```
r2(config)#router rip
r2(config-router)#distribute-list 1?
 in            Filter incoming routing updates
 out           Filter outgoing routing updates
r2(config-router)#distribute-list 1 out?
Ethernet       Ethernet IEEE 802.3
 Loopback      Loopback interface
 Null          Null interface
 Bgp           Border Gateway Protocol (BGP)
 Connected     Connected
 Egp           Exterior Gateway Protocol (EGP)
 Eigrp         Enhanced Interior Gateway Routing Protocol (EIGRP)
 Igrp          Interior Gateway Routing Protocol(IGRP)
 Isis          ISO IS-IS
 iso-igrp      IGRP for OSI networks
 ospf          Open Shortest Path First(OSPF)
 rip           Routing Information Protocol(RIP)
 static        Static routes
 <cr>
r2(config-router)#distribute-list 1 out
r2(config-router)#^Z
```

出站过滤器比入站过滤器有更多的有效选项。这些附加选项将在第13章介绍。例1的访问表包括：

```
access-list 1 deny 172.16.4.0 0.0.0.255
access-list 1 permit any
```

过滤后，路由器r1的路由表将不包括路由172.16.4.0。

```
r1#sh ip route
   172.16.0.0/16 is subnetted,4 subnets
R   172.16.5.0 [120/1]via 172.16.3.2, 00:00:03, Ethernet0
C   172.16.1.0 is directly connected, Loopback0
C   172.16.2.0 is directly connected, Loopback1
C   172.16.3.0 is directly connected, Ethernet0
```

使用命令show ip protocols命令，可以显示应用的访问表。

```
r2#show ip protocols
Routing Protocol is "rip"
  Sending updates every 31 seconds,next due in 7 seconds
  Invalid after 181 seconds,hold down 181,flushed after 241
  Outgoing update filter list for all interfaces is 1
  Incoming update filter list for all interfaces is not set
  Redistributing:rip
Default version control:send version 1, receive any version
  Interface    Send    Recv    Key-chain
  Ethernet0     1       1         2
  Loopback0     1       1         2
  Loopback1     1       1         2
Routing for Networks:
  172.16.0.0
Routing Information Sources:
Gateway        Distance Last Update
172.16.3.1     120       00:00:16
Distance:(default is 120)
```

2) 使用扩展IP访问表阻塞来自任一接口的172.16.4.0路由。

```
r2(config)#router rip
r2(config-router)#distribute-list 100 out
r2(config-router)#^Z
access-list 100 deny  ip any 172.16.4.0 0.0.0.255
access-list  100 permit  ip any any
```

3) 使用标准IP访问表阻塞来自Ethernet接口的172.16.4.0路由。

```
r2(config)#router rip
r2(config-router)#distribute-list 1 out
r2(config-router)#distribute-list 1 out Ethernet 0
r2(config-router)#^Z
access-list 1 deny 172.16.4.0 0.0.0.255
access-list 1 permit any
```

4) 使用扩展IP访问表阻塞来自Ethernet接口的172.16.4.0路由。

```
r2(config)#router rip
r2(config-router)#distribute-list 1 out
r2(config-router)#distribute-list 1 out Ethernet 0
r2(config-router)#^Z
access-list 1 deny 172.16.4.0 0.0.0.255
access-list 1 permit any
```

命令：exit

作用：退出路由器配置模式，并进入全局配置模式。

```
r2(config)#router rip
r2(config-router)#exit
r2(config)#
```

命令：help

作用：获得帮助

r2(config)#router rip

r2(config-router)#help

Help may be requested at any point in a command by entering

a question mark'?'If nothing matches,the help list will

be empty and you must backup until entering a '?' shows the

available options.

Two styles of help are provided:

1.Full help is available when you are ready to enter a command argument (e.g.'show?')

and describes each possible argument.

2.Partial help is provided when an abbreviated argument is entered and you want to

know what arguments match the input (e.g.'show pr?'.)

命令：neighbor

作用：在无广播的网上指定一个邻居。

对于NBMA网，例如X.25和帧中继，需要其他配置信息，以传播RIP路由更新。为了穿过帧中继层，RIP的更新需要使用neighbor命令。在多路访问网络（Ethernet）上，neighbor命令与passive-interface命令结合使用，稍候我们将会学到这些。

命令：network

作用：用于通知RIP宣告哪个网络，哪个接口发送和接收RIP路由更新。任何一个有效的接口都可用于发送和接收RIP路由更新，但是，此有效接口应具有network命令中包含的IP地址。

命令：no

作用：否定配置命令。

No命令用于取消以前的配置命令。例如，如果我们确定不宣告一个网络，删除分布表，或删除管理距离修改量，可使用no命令。

r1(config)#router rip

r1(config-router)#no network 172.16.0.0

r1(config-router)#no distribute-list 100 out

r1(config-router)#no distance 130

r1(config-router)#^Z

命令：offset-list

作用：增加或减少IGRP或RIP度量的位移量。

在使用标准IP访问表来更新传入或传出RIP时，位移量表用于调整路由的度量方式或跳跃计数。

1) 在路由器r1上，将所有传入RIP路由的跳跃计数加2。

r1(config)#router rip

r1(config-router)#offset-list?

  <0-99>   Access list of networks to apply offset(0 selects all networks)

r1(config-router)#offset-list 1?

  in   Perform offset on incoming updates

  out   Perform offset on outgoing updates

```
r1(config-router)#offset-list 1 in?
  <0-16>      Offset
r1(config-router)#offset-list 1 in 2?
  Ethernet    Ethernet IEEE 802.3
  Loopback    Loopback interface
  Null        Null interface
  <cr>
r1(config-router)#offset-list 1 in 2
r1(config-router)#^Z
access-list 1 permit any
r1#clear ip route*
r1#show ip route
  172.16.0.0/16 is subnetted,5 subnets
R   172.16.4.0[120/3]via 172.16.3.2,00:00:02,Ethernet0
R   172.16.5.0[120/3]via 172.16.3.2,00:00:02,Ethernet0
C   172.16.1.0 is directly connected,Loopback0
C   172.16.2.0 is directly connected,Loopback1
C   172.16.3.0 is directly connected,Ethernet0
```

2) 在路由器r1，将路由172.16.4.0的跳跃计数加2。

```
r1(config-router)#offset-list 1 in 2
access-list 1 permit 172.16.4.0 0.0.0.255
r1#show ip route
  172.16.0.0/16 is subnetted,5 subnets
R   172.16.4.0[120/3]via 172.16.3.2,00:00:02,Ethernet0
R   172.16.5.0[120/1]via 172.16.3.2,00:00:02,Ethernet0
C   172.16.1.0 is directly connected,Loopback0
C   172.16.2.0 is directly connected,Loopback1
C   172.16.3.0 is directly connected,Ethernet0
```

3) 从路由器r1，将所有传出RIP路由的跳跃计数加2。

```
r1(config)#router rip
r1(config-router)#offset-list 1 out?
  <0-16>      Offset
r1(config-router)#offset-list 1 out 2?
  Ethernet    Ethernet IEEE802.3
  Loopback    Loopback interface
  Null        Null interface
  <cr>
r1(config-router)#offset-list 1 out 2
r1(config-router)#^Z

r2#show ip route
  172.16.0.0/16 is subnetted,5 subnets
C   172.16.4.0 is directly connected,Loopback0
C   172.16.5.0 is directly connected,Loopback1
R   172.16.1.0[120/3]via 172.16.3.1,00:00:01,Ethernet0
```

R   172.16.2.0[120/3]via 172.16.3.1,00:00:01,Ethernet0

C   172.16.3.0 is directly connected,Ethernet0

使用show ip protocols 命令来查看位移表的应用。

r1#show ip protocols

Routing Protocol is "rip"

    Sending updates every 30 seconds,next due in 25 seconds

    Invalid after 180 seconds,hold down 180,flushed after 240

    Outgoing update filter list for all interfaces is not set

    Incoming update filter list for all interfaces is not set

    Outgoing routes will have 2 added to metric if on list 1

    Redistributing:rip

    Default version control:send version 1,receive any version

Interface	Send	Recv	Key-chain
Ethernet0	1	1	2
Loopback0	1	1	2
Loopback1	1	1	2

    Routing for Networks:

        172.16.0.0

    Routing Information Sources:

Gateway	Distance	Last Update
172.16.3.2	120	00:00:11

        Distance:(default is 120)

4) 将路由172.16.1.0的跳跃计数加2，它是通过路由器r1宣告的。

access-list 1 permit 172.16.1.0 0.0.0.255

r2#sh ip route

    172.16.0.0/16 is subnetted,5 subnets

C   172.16.4.0 is directly connected,Loopback0

C   172.16.5.0 is directly connected,Loopback1

R   172.16.1.0.[120/3]via 172.16.3.1,00:00:12,Ethernet0

R   172.16.2.0.[120/1]via 172.16.3.1,00:00:12,Ethernet0

C   172.16.3.0 is directly connected,Ethernet0

命令：passive-interface

作用：进制接口的路由更新。

passive-interface 命令用来停止从接口发出的路由更新，但是，在被动接口上，已接收的路由更新将继续接收和处理。例如，在图8-1中，如果路由器r1的172.16.3.1接口变为被动的，路由器 r2将不会再接收来自路由器r1的路由更新（因为路由的更新并没有发送出），但路由器r1将继续接收来自路由器r2的路由更新。

r1(config)#router rip

r1(config-router)#passive-interface Ethernet0

r1(config-router)#^Z

r1#clear ip route*

r1#sh ip route

    172.16.0.0/16 is subnetted,5 subnets

```
R    172.16 4.0[120/1]via 172.16.3.2,00:00:13,Ethernet0
R    172.16 5.0[120/1]via 172.16.3.2,00:00:13,Ethernet0
C    172.16.1.0 is directly connected,Loopback0
C    172.16.2.0 is directly connected,Loopback1
C    172.16.3.0 is directly connected,Ethernet0
r2#sh ip route
      172.16.0.0/16 is subnetted,3 subnets
C    172.16.4.0 is directly connected,Loopback0
C    172.16.5.0 is directly connected,Loopback1
C    172.16.3.0 is directly connected,Ethernet0
```

RIP版本1通常是在一个由所有主机处理的Ethernet网上以广播的形式来传送路由更新。为预防广播，可以结合使用passive-interface命令和neighbor命令。在图8-1中，如果想让路由器r1对一个单目地址发送路由更新，可以使用如下配置：

```
Router rip
  Passive-interface Ethernet0
  Neighbor 172.16.3.2
```

命令：redistribute

作用：从另一个路由协议再分布信息。本命令将在第13章中介绍。

命令：timers

作用：调整路由计时器。

RIP计时器可以通过使用下面说明的show ip protocols命令来查看。

```
r2#show ip protocols
Routing Protocol is "rip"
  Sending updates every 30 seconds,next due in 0 seconds
  Invalid after 180 seconds,hold down 180,flushed after 240
  Outgoing update filter list for all interfaces is not set
  Incoming update filter list for all interfaces is not set
  Redistributing:rip
  Default version control:send  versionl 1,receive any version
      Interface      Send      Recv      Key-chain
      Ethernet0      1         1         2
      Loopback0      1         1         2
      Loopback1      1         1         2
  Routing for Networks:
      172.16.0.0
  Routing Information Sources:
      Gateway      Distance      Last Update
      172.16.3.1   120           00:13:12
      Distance:(default is 120)
```

更新计时器（30s）是在接口发送出路由更新之间的时间范围。路由在180s后是无效的。这意味着，如果在180s内没有接收到上次宣告过的一个已知路由，则此路由将被声明为无效的。持有时间（hold-down time）是路由器接收新的路由宣告之前，在路由表上保留路由的时间。闪现时间（flash time）对于已经接收的路由，如果没有收到路由更新，在从路由表中删除此路由之前，应当到达的时间总量。在表中没有出现的计时器的值是休眠时间（sleep time）。休眠时间是在转送之前，将延迟RIP路由的时间总量，它是以毫秒为单位的。

在多数情况下，根本不须调整RIP计时器。在协议中，这些计时器已被设置好，以提供最佳性能。然而，如果必须进行调整，可使用如下语法：

```
r2(config)#router rip
r2(config-router)#timers?
  basic Basic routing protocol update timers
r2(config-router)#timers basic?
  <0-4294967295>      Interval between updates
r2(config-router)#timers basic31?
  <1-4294967295>      Invalid
r2(config-router)#timers basic 31 181?
  <0-4294967295>      Holddown
r2(config-router)#timers basic 31 181 181?
  <1-4294967295>      Flush
r2(config-router)#timers basic 31 181 181 241?
  <1-4294967295>      Sleep time,in milliseconds
  <cr>
r2(config-router)#timers basic 31 181 181 241 10?
  <cr>
```

可以使用show ip protocols命令，来验证新的计时器值。

```
r2#show ip protocols
Routing Protocol is "rip"
Sending updates every 31 seconds,next due in 7 seconds
Invalid after 181 seconds,hold down 181,flushed after 241
Outgoing update filter list for all interfaces is not set
Incoming update filter list for all interfaces is not set
```

命令：validate-update-source

作用：按照路由更新的源地址进行检查。

默认情况下启用此功能。使用此命令，用于查看源地址是否正确。在图8-1中，通过接口172.16.3.1上的路由器r1接收的RIP路由更新，将被网上的RIP路由器接收。如果源地址不在网上，则路由更新将被拒绝。为禁用这个特征，我们将no命令和validates-update-source命令一起使用。

```
r1(config)#router rip
r1(config-router)#no validate-update-source
```

命令：version

作用：设置路由协议版本。

RIP配置有版本1（默认）或版本2。这条命令用于选择RIP版本。我们可以通过检查RIP配置，或使用show ip protocols命令，来查看当前值。

```
r2(config)#router rip
r2(config-router)#version?
  <1-2> version
r2(config-router)#version 1?
```

```
   <cr>
or
r2(config-router)#version 2
```

通过执行show ip protocols命令，可以来查看RIP的默认行为。

```
r2#show ip protocols
Default version control:send version 1,receive any version
   Interface   Send   Recv   Key-chain
   Ethernet0     1      1        2
   Loopback0     1      1        2
   Loopback1     1      1        2
```

注意，在发送RIP路由更新时，使用版本1，但是，任一接口都能接收版本1和版本2格式。如果改变RIP版本为版本1，那么，我们就不能处理版本2的包，如果设置RIP版本为版本2，我们也不能处理版本1的包。

```
r2(config)#router rip
r2(config-router)#version 1
r2#show ip protocols
   Interface   Send   Recv   Key-chain
   Ethernet      1      1
   Loopback0     1      1
   Loopback1     1      1


r2(config)#router rip
r2(config-router)#version 2
r2#show ip protocols
   Interface   Send   Recv   Key-chain
   Ethernet0/0   2      2
   Loopback0     2      2
   Loopback1     2      2
```

在接口配置模式期间，我们可以通过使用ip rip send版本，或ip rip receive版本命令，在每个接口的基础上修改上述行为。例如，要在路由器r2上启用Ethernet接口，以发送版本2，并接收版本1和2，我们使用如下命令：

```
r2(config)#interface Ethernet 0
r2(config-if)#ip rip?
   authentication      Authentication control
   receive             advertisement reception
   send                advertisement transmission
r2(config-if)#ip rip receive?
   version             version control
r2(config-if)#ip rip receive version ?
   1 RIP version 1
   2 RIP version 2
   <cr>
r2(config-if)#ip rip receive version 1?
   2 RIP version 2
```

```
  <cr>
r2(config-if)#ip rip receive version 1 2?
  <cr>
r2(config-if)#ip rip receive version 1 2
r2(config-if)#ip rip send version 2
r2(config-if)#^Z


r2#show ip protocols
  Interface       Send    Recv    Key-chain
  Ethernet0       2       1       2
  Loopback0       2       2
  Loopback1       2       2
```

8.2 RIP版本2

在第5章中介绍过，RIP版本2在路由更新中包括子网掩码信息。利用此特征，我们可以实现图8-1中的网络配置，这是用RIP版本1不能处理的。配置中唯一的变化是设置RIP版本号为2。

```
r1(config)#router rip
r1(config-router)#network 172.16.0.0
r1(config-router)#network 173.16.0.0
r1(config-router)#version 2
r1(config-router)#^Z


r2(config)#router rip
r2(config-router)#network 172.16.0.0
r2(config-router)#network 173.16.0.0
r2(config-router)#version 2
r2(config-router)#^Z
```

RIP版本1和版本2之间的另一个主要的不同之处是，RIP版本2在多目地址224.0.0.9上发送和接收路由更新，而RIP版本1则采用广播地址来发送和接收路由更新。RIP版本1和版本2之间的最后一个不同之处是，路由器交换RIP路由更新可以使用身份验证。身份验证可以通过接口配置模式进行配置，使用命令如下：

```
r1(config)#int Ethernet 0
r1(config-if)#ip rip?
  authentication     Authentication control
  receive            advertisement reception
  send               advertisement transmission
r1(config-if)#ip rip authentication?
  key-chain          Authentication key-chain
  mode               Authentication mode
r1(config-if)#ip rip authentication key-chain?
  LINE               name of key-chain
r1(config-if)#ip rip authentication key-chain cisco?
  LINE               <cr>
```

```
r1(config-if)#ip rip authentication key-chain cisco
r1(config-if)#ip rip authentication mode?
  md5              Keyed message digest
  text             Clear text authentication
r1(config-if)#ip rip authentication mode md5?
  <cr>
or
r1(config-if)#ip rip authentication mode text?
  <cr>
r1(config-if)#ip rip authentication mode text
r1(config-if)#^Z
```

Clear text authentication在清除过程中发送身份验证密钥，密钥可以通过截取RIP路由更新很容易地获得，所以，我们不推荐使用此方法。Md5身份验证方法是在传送之前对密钥进行编码，所以，md5是路由身份验证的优选方法。

使用身份验证密钥cisco来验证接收的路由更新。不使用相同身份验证密钥的RIP版本2路由器，通过使用不同密钥的接收路由器，将有自己无效的路由更新。当我们使用RIP版本1时，路由表上并不出现173.16.0.0远程网。使用RIP版本2，路由表上将出现这些远程路由，如下：

```
r1#show ip route
  172.16.0.0/16 is subnetted,1 subnets
C   172.16.3.0 is directly connected,Ethernet0
    173.16.0.0/16 is variably subnetted,3 subnets,2 masks
C   173.16.1.32/28 is directly connected,Loopback1
C   173.16.1.16/28 is directly connected,Loopback0
R   173.16.0.0/16[120/1]via 172.16.3.2,00:00:23,Ethernet0


r2#show ip route
  172.16.0.0/16 is subnetted,1 subnets
C   172.16.3.0 is directly connected,Ethernet0
    173.16.0.0/16 is variably subnetted,3 subnets,2 masks
C   173.16.1.48/28 is directly connected,Loopback0
R   173.16.0.0/16[120/1]via 172.16.3.1,00:00:06,Ethernet0
C   173.16.1.64/28 is directly connected,Loopback1
```

注意，对于两个路由器有一个值为16的子网掩码的情况，路由表只出现一个RIP路由，而直接连接的173.16.0.0网显示了一个值为28的子网掩码。RIP版本2进程自动汇总进入一个路由宣告的路由。这对RIP版本2是默认行为，如果我们想要宣告两条路由，就必须关闭路由汇总。

```
r1(config)#router rip
r1(config-router)#network 172.16.0.0
r1(config-router)#network 173.16.0.0
r1(config-router)#version 2
r1(config-router)#no auto-summary
r1(config-router)#^Z


r2(config)#router rip
r2(config-router)#network 172.16.0.0
```

```
r2(config-router)#network 173.16.0.0
r2(config-router)#version 2
r2(config-router)#no auto-summary
r2(config-router)#^Z
```

路由器r1和r2的路由表现在包括每个远程网络的条目。

```
r1#show ip route
       172.16.0.0/16 is subnetted,1 subnets
C      172.16.3.0 is directly connected,Ethernet0
       173.16.0.0/16 is subnetted,4 subnets
R      173.16.1.48[120/1]via 172.16.3.2,00:00:23,Ethernet0
C      173.16.1.32 is directly connected,Loopback1
C      173.16.1.16 is directly connected,Loopback0
R      173.16.1.64[120/1]via 172.16.3.2,00:00:23,Ethernet0


r2#show ip route
       172.16.0.0/16 is subnetted,1 subnets
C      172.16.3.0 is directly connected,Ethernet0
       173.16.0.0/16 is variably subnetted,5 subnets,2 masks
C      173.16.1.48/28 is directly connected,Loopback0
R      173.16.1.32/28[120/1]via 172.16.3.1,00:00:28,Ethernet0
R      173.16.1.16/28[120/1]via 172.16.3.1,00:00:28,Ethernet0
R      173.16.0.0/16[120/1]via 172.16.3.1,00:01:24,Ethernet0
C      173.16.1.64/28 is directly connected,Loopback1
```

8.3　RIP版本1和版本2的互用性

对于路由器使用RIP进行通信，它们必须能发送和接收相同的版本。最简单的方案是使路由器r1运行RIP版本2，使路由器r2运行RIP版本1。如果我们检查路由器r1和r2的协议配置，就会发现路由器不能交换路由。

```
r1#show ip protocols
    Interface      Send      Recv      Key-chain
    Ethernet0       2         2
    Loopback0       2         2
    Loopback1       2         2


r2#show ip protocols
    Interface      Send      Recv      Key-chain
    Ethernet0       1         1         2
    Loopback0       1         1         2
    Loopback1       1         1         2
```

路由器r1仅发送和接收版本2的包。路由器r2可发送版本1的包，但版本1和版本2的包都能接收，但是，由于路由器r2运行RIP版本1，所以，来自路由器r1的包将被忽略。为了使这些路由器能运行不同的RIP版本，能彼此接收路由更新，我们可以配置路由器。为了路由器r2可以查看来自路由器r1的路由，可以通过正确地配置共同的接口，来强制路由器r1发送版本1的包和版本2的包。

```
r1(config)#interface Ethernet 0
r1(config-if)#ip rip send version 1 2
r1(config-if)#^Z
```

检查协议配置，路由器r1正向路由器r2发送版本1和版本2的包。

```
r1#show ip protocols
Default version control:send version 2,receive version2
    Interface    Send    Recv    Key-chain
    Ethernet0    1       2       2
    Loopback0    2       2
    Loopback1    2       2
```

路由器r2现在接收来自路由器r1的版本1的包，并且，路由器r2的路由表上出现了路由器r1的网络。

```
r2#show ip route
    173.16.0.0/16 is subnetted,5 subnets
C   173.16.1.48 is directly connected,Loopback0
R   173.16.1.32[120/1]via 173.16.1.82,00:00:12,Ethernet0
R   173.16.1.16[120/1]via 173.16.1.82,00:00:12,Ethernet0
R   173.16.1.80 is directly connected,Ethernet0
R   173.16.1.64 is directly connected,Loopback1
```

因为路由器r2是发送版本1包的，所以，路由器r1并不能看到来自路由器r2的路由。这个问题可以解决，方法是通过接口配置模式启用路由器r1来接收版本1的包。

```
r1(config)#interface Ethernet 0
r1(config-if)#ip rip receive version 1 2
r1(config-if)#^Z
```

```
r1#show ip protocols
Default version control:send version 2,receive version2
    Interface    Send    Recv    Key-chain
    Ethernet0    1       2       1        2
    Loopback0    2       2
    Loopback1    2       2
```

```
r1#sh ip route
    173.16.0.0/16 is subnetted,5 subnets
R   173.16.1.48 [120/1]via 173.16.1.81,00:00:20,Ethernet0
C   173.16.1.32 is directly connected,Loopback1
C   173.16.1.16 is directly connected,Loopback0
C   173.16.1.80 is directly connected,Ethernet0
R   173.16.1.64 [120/1]via 173.16.1.81,00:00:20,Ethernet0
```

如果要升级RIP版本1的网络为RIP版本2的网络，那么，你可以在路由器配置模式中改变版本号为2，但版本1和版本2路由器间不能通信。有一个很好的解决办法，即改变每一个路由器为版本2，并在版本2路由器上配置合适的接口，使其能够发送和接收版本1的包。当所有路由器都升级为版本2后，那么，所有的接口都可设置为只发送和接收版本2的包。通过这种方法，在升级进程中，路由信息将一直在所有的RIP路由器间流动。在这段时间里，由于版本2

路由器将要发送版本1和版本2两个版本的包，所以，将会出现额外的网络信息流量。

8.4 RIP调试

我们使用图8-5中的网络来说明RIP调试命令。这有两条命令可用于RIP 调试。第一条命令是：

```
r1#debug ip rip
Which produces the following console output.
RIP: sending v1 update to 255.255.255.255 via Ethernet0 (173.16.1.81)
   subnet     173.16.1.32,metric 1
   subnet     173.16.1.16,metric 1
RIP: sending v2 update to 224.0.0.9 via Ethernet0 (173.16.1.81)
   173.16.1.32/28->0.0.0.0,metric 1,tag 0
   173.16.1.16/28->0.0.0.0,metric 1,tag 0
RIP: sending v2 update to 224.0.0.9 via Loopback0 (173.16.1.17)
   173.16.1.48/28->0.0.0.0,metric 2,tag 0
   173.16.1.32/28->0.0.0.0,metric 1,tag 0
   173.16.1.80/28->0.0.0.0,metric 1,tag 0
   173.16.1.64/28->0.0.0.0,metric 2,tag 0
RIP: sending v2 update to 224.0.0.9 via Loopback1 (173.16.1.33)
   173.16.1.48/28->0.0.0.0,metric 2,tag 0
   173.16.1.16/28->0.0.0.0,metric 1,tag 0
   173.16.1.80/28->0.0.0.0,metric 1,tag 0
   173.16.1.64/28->0.0.0.0,metric 2,tag 0
RIP:ignored v2 packet from 173.16.1.17 (sourced from one of  our addresses)
RIP:ignored v2 packet from 173.16.1.33 (sourced from one of our addresses)
RIP:received v1 update from 173.16.1.82 on Ethernet0
   173.16.1.48 in 1 hops
   173.16.1.64 in 1 hops
```

路由器r1正在发送版本1 和版本2的路由更新。版本1的更新正在发送到广播地址，而版本2 的更新正发送到多目地址224.0.0.9。路由器r1可以接收来自Ethernet接口上路由器r2的版本1的更新，并且，我们可以查看路由器r2发送的路由。当一个或多个路由器没有接收路由更新时，此信息是有用的。利用调试过程的输出信息，我们确切地查看 RIP进程正在做什么，并且有助于引导我们找到运作异常的路由器。另一条RIP调试命令是：

```
r1#debug ip rip events
RIP:received v1 update from 173.16.1.82 on Ethernet0
RIP:Update contains 2 routes
RIP:sending v1 update to 255.255.255.255 via Ethernet0 (173.16.1.81)
RIP:Update contains 2 routes
RIP:sending v1 update to 255.255.255.255 via Loopback0 (173.16.1.17)
RIP:Update contains 4 routes
RIP:sending v1 update to 255.255.255.255 via Loopback1 (173.16.1.33)
RIP:Update contains 4 routes
```

Debug ip rip和debug ip rip events的不同之处是细节的级别。Debug ip rip events是RIP事件的总汇，而debug ip rip则包括了与每一个RIP事件的相关信息。

```
r1#debug ip rip
RIP protocol debugging is on
r1#
RIP:sending v2 update to 224.0.0.9 via Ethernet0 (173.16.1.81)
    173.16.1.32/28-> 0.0.0.0,metric 1,tag0
    173.16.1.16/28-> 0.0.0.0,metric 1,tag0
RIP:sending v2 update to 224.0.0.9 via Loopback0 (173.16.1.17)
    173.16.1.32/28-> 0.0.0.0,metric 1,tag0
    173.16.1.80/28-> 0.0.0.0,metric 1,tag0
RIP:sending v2 update to 224.0.0.9 via Loopback1(173.16.1.33)
    173.16.1.16/28->0.0.0.0,metric 1,tag 0
    173.16.1.80/28->0.0.0.0,metric 1,tag 0
RIP:ignored v2 packet from 173.16.1.17(sourced from one of our addresses)
RIP:ignored v2 packet from 173.16.1.33(sourced from one of our addresses)
```

当使用身份验证，并且密钥不相符时，或者，如果一个路由使用了身份验证，而另一个路由器却没有使用时，则调试输出信息包括：

```
RIP:ignored v2 packet from 173.16.1.82(invalid authentication).
```

8.5 小结

总结本章的内容是比较困难的，因为所有命令都很重要，都需要理解消化。所以，我按命令的重要顺序，列出了一个RIP命令表，以此来代替本章内容的总结。我也列出了到13章才介绍的特别重要的三条命令。我在此列出它们，读者应当牢记这些命令。

RIP命令。

1) router-rip

2) network

3) redistribute（第13章）

4) distribute-list（第13章）

5) default-metric（第13章）

6) passive-interface

7) offset-list

8) distance

9) 所有其他RIP命令

第9章 配置IGRP

内部网关路由协议（Interior Gateway Routing Protocol, IGRP）是一个Cisco专有的路由协议，此协议的基础是路由信息协议（Routing Information Protocol, RIP），这意味着，IGRP是一个远程矢量的内部路由协议。RIP使用跳跃计数度量方式，而IGRP使用由五个参数构成的无维成本度量方式，这五个参数是：带宽、延迟、可靠性、加载和最大传输单元（mtu）。在IGRP度量方式中，允许使用比RIP更大的网络直径，并且，对于路由确定，它提供的灵活性比RIP更多，因为IGRP度量方式可以根据网络拓扑进行调整。对于路由的稳定性，IGRP使用了分割范围、抑制方法和攻毒法（poisoned reverse）。当一个网络或度量方法在另一个路由表更新之前改变了时，IGRP也使用瞬间更新（flash update）来发送路由信息。

9.1 IGRP

我们通过图9-1来说明各种配置命令，IGRP使用下列配置：

Router r1 Configuration	Router r2 Configuration
hostname r1	hostname r2
enable password cisco	enable password cisco
interface Loopback0	interface Loopback0
ip address 172.16.1.1 255.255.255.0	ip address 172.16.4.1 255.255.255.0
interface Loopback1	interface Loopback1
ip address 172.16.2.1 255.255.255.0	ip address 172.16.5.1 255.255.255.0
interface Ethernet0	interface Ethernet0
ip address 172.16.3.1 255.255.255.0	ip address 172.16.3.2 255.255.255.0

如图9-1所示，在每个路由器上，仅需一个物理接口。下面例子中的其他网络，我们将使用回送接口来模拟。IGRP配置的第一步是启动IGRP路由进程。这可以通过键入配置模式和运行IGRP进程来完成。

```
r1#configure terminal
Enter configuration commands,one per line.End with CNTL/Z.
r1(config)#router igrp?
  <1-65535>     Autonomous system number
r1(config-router)#router igrp 100
r1(config-router)#^Z
```

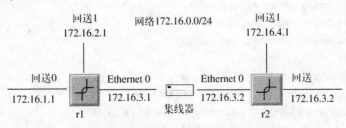

图9-1 IGRP网络配置例图

IGRP路由进程必须由1-65535之间的自治系统编号来标识。由于它必须与你的自治系统编号相符合，所以，实际上，它应称为路由进程编号。多数IGRP路由进程可以在相同的路由器运行，但只有具有相同编号的进程才交换路由更新。如同RIP一样，IGRP 需要知道要宣告哪一个网络。对路由器r1，我们想宣告网络172.16.1.0、172.16.2.0和172.16.3.0。使用网络命令来告知IGRP，在路由更新中宣告哪个网络。

```
r1(config-router)#network 172.16.1.0
r1(config-router)#network 172.16.2.0
r1(config-router)#network 172.16.3.0
r1(config-router)#^Z
```

此时，列出当前路由器配置，来查看基本IGRP路由进程是如何配置的。

```
router igrp 100
network 172.16.0.0
```

当我们键入三条网络命令时，为什么只显示一条呢？前面已经提过，IGRP以RIP为基础，并且，在路由更新中，不发送子网掩码。你只能应用IGRP网络配置命令来键入主网络编号。因为路由器r1连接的所有网络都属于B类网络172.16.0.0，所以，IGRP将宣告这个网络。网络命令也可以确定哪一个接口将发送和接收IGRIP路由更新。因为所有的网络都属于172.16.0.0，所以，IGRP将发送和接收在所有接口上更新。路由器r2的配置与路由器r1的配置将是一样的。

```
r2(config)#router igrp 100
r2(config-router)#network 172.16.0.0
r2(config-router)#^Z
```

在这种情况下，IGRP将宣告多少个路由，一个还是多个？与RIP版本1一样，如果这些网络具有相同的子网掩码作为它们传送的接口，IGRP将只宣告接口外主网的子网。因为我们的所有网络都有相同的24-位子网掩码，所以，IGRP将宣告三条路由，并且，接收路由器r2将假设，对于主网172.16.0.0，它接收的所有宣告的网络都具有与接收路由的接口相同的子网掩码。为确定路由器r1和r2是否交换路由更新，在路由器r1和r2上使用命令show ip route。

```
r1#show ip route
Codes:C-connected,S-static,I-IGRP,RIP,M-mobile,B-BGP
  D-EIGRP,EX-EIGRP external,O-OSPF,IA-OSPF inter area
  EI-OSPF external type 1,E2-OSPF external type 2,E-EGP
  i-IS-IS,L1-IS-IS level-1,L2-IS-IS level-2,*-candidate default
  U-per-user static route
Gateway of last resort is not set
  172.16.0.0/16 is subnetted,5 subnets
I   172.16.4.0[100/610]via 172.16.3.2,00:00:58,Ethernet0
I   172.16.5.0[100/610]via 172.16.3.2,00:00:58,Ethernet0
C   172.16.1.0 is directly connected,Loopback0
C   172.16.2.0 is directly connected,Loopback1
C   172.16.3.0 is directly connected,FastEthernet8/0
r2#show ip route
Codes:C-connected,S-static,I-IGRP,R-RIP,M-mobile,B-BGP
  D-EIGRP,EX-EIGRP external,O-OSPF,IA-OSPF inter area
  EI-OSPF external type 1,E2-OSPF external type 2,E-EGP
  i-IS-IS,L1-IS-IS level-1,L2-IS-IS level-2,*-candidate default
```

U-per-user static route

Gateway of last resort is not set

Gateway of last resort is not set

   172.16.0.0/16 is subnetted,5 subnets

C 172.16.4.0 is directly connected,Loopback0

C 172.16.5.0 is directly connected,Loopback1

I 172.16.1.0[100/610]via 172.16.3.1,00:01:23,Ethernet0

I 172.16.2.0[100/610]via 172.16.3.1,00:01:23,Ethernet0

C 172.16.3.0 is directly connected,Ethernet0

注意，路由器r1和r2有三条直接连接的路由和两条从IGRP获悉的路由。路由表的每一项都包括了以下信息：

1) 如何获悉路由器（C-直接连接；R-来自IGRP）

2) 目标网络。

3) 管理距离和IGRP或直接连接的路由成本（100/160）。

4) IGRP传输网络（经由172.16.3.1）。

5) 路由的时效-00：01：23。IGRP每90秒传送一次路由更新，并且，本项表明路由的上一次更新多长时间消逝。

6) 向目标网络发送一个包时使用的接口。

这是启用IGRP所需要的最小配置。IP路由表包括了每个路由器确定向目标网络发送包时所必须的信息。对于已连接的网络，路由器仅需转发目标为直接连接接口外的网络上主机的包。对于目标不是在直接连接接口上的网络的包，路由器必须确定应当使用哪一个接口来转发包。

如果子网掩码不相同，又会如何呢？假设在路由器r1上有两个回送网络，Loopback 0和Loopback 1，且每个网络的主机不超过14个。我们能使用VLSM技术，将子网172.16.1.0细分为使用28位子网掩码的两个网络。如图9-2所示。

Router r1 configuration changes

interface Loopback0

ip address 172.16.1.17 255.255.255. 240

interface Loopback1

ip address 172.16.1.33 255.255.255.240

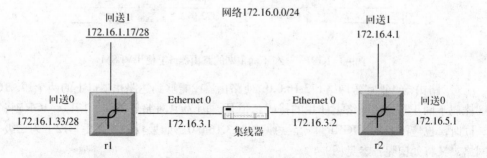

图9-2 IGRP——在相同主网上，使用路由器r1的VLSM

这将如何影响IGRP的更新呢？如果我们测试路由器r2的路由表，就会发现，新的二级子网的路由没有出现。因为IGRP会记住旧的路由长达10.5分钟，所以使用了clear ip route *命令，这条命令将清除IP路由表，并强制路由表更新，使我们能看见路由器配置变化产生的影响。

```
r2#clear ip route*
r2#show ip route
  172.16.0.0/16 is subnetted,3 subnets
C  172.16.4.0 is directly connected,Loopback0
C  172.16.5.0 is directly connected,Loopback1
C  172.16.3.0 is directly connected,Ethernet0
```

路由器r1将不从网络172.16.3.0宣告网络172.16.1.6和172.16.1.32，因为这些网络的子网掩码是不相等的。如果在一个网络上配置IGRP，那么，你想宣告的网络如果在相同的主网编号中，则必须具有相同的子网掩码。本例中，主网编号是172.16.0.0。如果这些二级子网使用不同的主网编号173.16.0.0，那将如何？请参看图9-3。

```
Router r1 configuration changes
interface Loopback0
ip address 173.16.1.17 255.255.255.240
interface Loopback1
ip address 173.16.1.33 255.255.255.240
router igrp 100
network 172.16.0.0
network 173.16.0.0
```

路由器r1的路由表现在包括：

```
r2#clear ip route*
r2#show ip route
  172.16.0.0/16 is subnetted,3 subnets
C  172.16.4.0 is directly connected,Loopback0
C  172.16.5.0 is directly connected,Loopback1
C  172.16.3.0 is directly connected,Ethernet0
I  173.16.0.0/16[100/610]via 172.16.3.1,00:00:03,Ethernet0
```

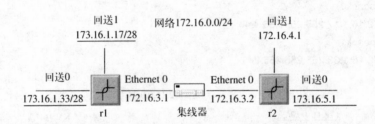

图9-3 IGRP——在不同主网的路由器r1上使用VLSM

注意，路由器r1正宣告网络173.16.0.0，使路由器r2能够到达路由器r1上的两个173.16网络。子网掩码不同于172.16网络上使用的掩码，但是，因为主网编号不同，所以，IGRP将宣告它们。同时，也应注意到：IGRP自动汇总网络173.16.0.0。如果我们在路由器r2上为二级子网指定网络，又将如何呢？参见图9-4。

```
Router r2 configuration changes
interface Loopback0
ip address 173.16.1.49 255.255.255.240
```

```
interface Loopback1
ip address 173.16.1.65 255.255.255.240
router igrp 100
network 172.16.0.0
network 173.16.0.0
```

现在，路由器r2的路由表包括：

```
r2#clear ip route*
r2#show ip route
   172.16.0.0/16 is subnetted,1 subnets
C   172.16.3.0 is directly connected,Ethernet0
      173.16.0.0/16 is subnetted,2 subnets
C   173.16.1.48 is directly connected,Loopback0
C   173.16.1.64 is directly connected,Loopback1
```

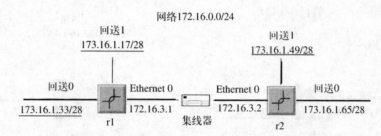

图9-4 IGRP——在不同主网上，在路由器r1和r2上使用VLSM

到网络173.16.1.16和173.16.1.32的路由在哪里？IGRP与RIP算法的运作方式类似。路由器r1使用610成本来宣告路由173.16.0.0，路由器r2也直接连接到网络173.16.0.0，因此，从路由器r2的角度来看，它具有到173.16.0.0的更好的路由，这样，路由器r2将忽略路由器r1宣告的到173.16.0.0的路由。当然，这种情况不常见，但它说明了使用IGRP可能会出现的问题，原因是IGRP在路由更新中不宣告子网信息。

当然，这种情形不太可能发生。对于在路由器r1和r2之间的普通网络，完全使用B类网络并没有意义，但它说明了IGRP的行为。如果路由器r1和r1之间的链路与其他接口在相同的主网上，会发生什么情况呢？参见图9-5。

只要使用的子网掩码一致，则将传播所有的路由。假设我们改变了到173.16.1.82/28(r1)和173.16.1.81/28(r2)的公共接口地址，则路由器r1和r2的路由表将在配置中包括到所有网络的路由。当然，这不是真正的VLSM，因为所有子网掩码是一样的。

Router r1 configuration changes	Router r2 configuration changes
interface Ethernet 0	interface Ethernet 0
ip address 173.16.1.81 255.255.255.240	ip address 173.16.1.82 255.255.255.240
router igrp 100	router igrp 100
no network 172.16.0.0	no network 172.16.0.0

```
r1#clear ip route*
r1#show ip route
   173.16.0.0/16 is subnetted,5 subnets
I   173.16.1.48[100/610]via 173.16.1.82,00:00:08,FastEthernet8/0
```

C 173.16.1.32 is directly connected,Loopback1
C 173.16.1.16 is directly connected,Loopback0
C 173.16.1.80 is directly connected,Fast Ethernet 8/0
I   173.16.1.64[100/610]via 173.16.1.82,00:00:09,FastEthernet8/0

r2#clear ip route*
r2#show ip route
  173.16.0.0/16 is subnetted,5 subnets
C 173.16.1.48 is directly connected,Loopback0
I   173.16.1.32[100/610]via 173.16.1.81,00:00:01,FastEthernet0/0
I   173.16.1.16[100/610]via 173.16.1.81,00:00:01,FastEthernet0/0
C 173.16.1.80 is directly connected,FastEthernet0/0
C 173.16.1.64 is directly connected,Loopback1

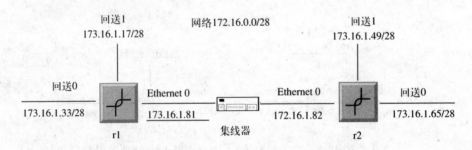

图9-5 IGRP——在整个网络173.16.0.0上使用VLSM

我们回到图9-1中的网络，并检验IGRP配置可用的其他命令。通过键入IGRP配置模式和一个问号，可以列出这些命令。

r1(config)#router igrp 100
r1(config-router)#?
Router configuration commands:
r1(config)#router igrp 100
r1(config-router)#?
Router configuration commands:

default-information	Control distribution of default information
default-metric	Set metric of redistributed routes
distance	Define an administrative distance
distribute-list	Filter networks in routing updates
exit	Exit from routing protocol configuration mode
help	Description of the interactive help system
maximum-paths	Forward packets over multiple paths
metric	Modify IGRP routing metrics and parameters
neighbor	Specify a neighbor router
network	Enable routing on an IP network
no	Negate or set default values of a command
offset-list	Add or subtract offset from IGRP or RIP metrics
passive-interface	Suppress routing updates on an interface

redistribute	Redistribute information from another routing protocol
timers	Adjust routing timers
traffic-share	Algorithm for computing traffic share for alternate routes
validate-update-source	Perform sanity checks against source address of routing updates
variance	Control load balancing variance

命令: default-information

作用: 控制默认信息的分布。

这条命令将在第13章介绍。

命令: default-metric

作用: 路由器可能运行多个IP路由协议（RIP, IGRP, EIGRP或OSPF）。每个路由协议都有不同的度量方法; 例如: RIP有跳跃计数, OSPF有无维成本, IGRP有基于五项度量方式的成本。当从一个路由协议到另一个协议插入路由时, 路由度量方法需要从一个协议到转换为另一个协议的。Default-metric命令则用于执行这个转换。这在第13章详细讲解。

命令: distance

作用: 用于调整路由管理的距离

```
r2(config)#router igrp 100
r2(config-router)#distance?
   <1-255>         Administrative distance
```

管理距离在1-255的范围内。IGRP默认值是100。当在一个路由器上多个路由协议有效时, 我们就使用管理距离。例如, 如果运行IGRP或RIP, 而且, 对相同的网络, 每个协议都具有一个路由, IGRP路由将优先运行, 因为它的管理距离（100）要低于RIP的管理距离（120）。我们能通过设置比RIP 高的管理距离, 而强制IGRP路由不被选择。

```
r2(config-router)#distance 130?
   A.B.C.D      IP Source address
<cr>
```

选择<cr>, 将对来自IGRP的所有路由设置管理的距离为键入的数字（如130）。通过检验IP路由表, 可以看到这个:

```
r2#show ip route
    172.16.0.0/16 is subnetted,5 subnets
C   172.16.4.0 is directly connected,Loopback0
C   172.16.5.0 is directly connected,Loopback1
I   172.16.1.0[130/610] via 172.16.3.1,00:00:50,FastEthernet0/0
I   172.16.2.0[130/610] via 172.16.3.1,00:00:50,FastEthernet0/0
C   172.16.3.0 is directly connected,FastEthernet0/0
```

如果想为一个特定的IP网络调整管理距离, 则使用格式:

```
r2(config-router)#distance 130 172.16.0.0?
   A.B.C.D IP address mask
r2(config-router)#distance 130 172.16.0.0 0.0.255.255?
   <1-99>          IP Standard access list number
   <cr>
```

键入<cr>将只对网络172.16.0.0应用新的管理距离。注意, IP地址掩码是将子网掩码"求反"。这与第7章中讨论的IP访问表具有相同的形式。既然路由器r2只知道来自路由器r1的网络

172.16.0.0，这与对来自IGRP的所有网络应用管理距离具有相同的影响。最终，我们将通过使用IP访问表来选择路由，这些路由具有修改过的管理距离。假设我们想改变到172.16.1.0的路由的管理距离为130，但并不影响到172.16.2.0的路由。首先，我们使用IGRP命令：

```
r2(config-router)#distance 130 172.16.0.0 0.0.255.255?
  <1-99>          IP Standard access list number
  <cr>
r2(config-router)#distance 130 172.16.0.0 0.0.255.255 1?
  <cr>
r2(config-router)#distance 130 172.16.0.0 0.0.255.255 1
r2(config-router)#^Z
```

最终步骤是建立一个IP访问表，此表可告知IGRP去调整172.16.1.0的管理距离，但让172.16.2.0的管理距离设为100。如果没有访问表，但使用上面指出的距离命令，则对于网络172.16.0.0，所有获悉的路由将把自己的管理距离设为130。这是默认行为。

```
r2#clear ip route*
r2#sh ip route
    172.16.0.0/16 is subnetted,5 subnets
C   172.16.4.0 is directly connected,Loopback0
C   172.16.5.0 is directly connected,Loopback1
I   172.16.1.0[130/610] via 172.16.3.1,00:00:01,FastEthernet0/0
I   172.16.2.0[130/610] via 172.16.3.1,00:00:01,FastEthernet0/0
C   172.16.3.0 is directly connected,FastEthernet0/0
```

只需调整网络172.16.1.0的访问表是：

```
r2(config)#access-list 1?
  deny      Specify packets to reject
  permit    Specify packets to forward
r2(config)#access-list 1 permit?
    Hostname or A.B.C.D Address to match
    any       Any source host
    host      A single host address
r2(config)#access-list 1permit 172.16.1.0 0.0.0.225?
  <cr>
r2(config)#access-list 1permit 172.16.1.0 0.0.0.225
r2(config)#^Z
```

注意，在访问表的末尾，不一定要使用permit any语句 。在正规的IP访问表中，总是隐含着有一条deny any语句作为最后一条语句。在这个例子中的确如此，但对于具有匹配的允许语句的路由，只影响管理距离。因此，在这个例子中，访问表中隐含的deny any并没有任何影响。新的IP路由表包括：

```
r2#clear ip route*
r2#sh ip route
    172.16.0.0/16 is subnetted,5 subnets
C   172.16.4.0 is directly connected,Loopback0
C   172.16.5.0 is directly connected,Loopback1
I   172.16.1.0[130/610] via 172.16.3.1,00:00:01,FastEthernet0/0
I   172.16.2.0[100/610] via 172.16.3.1,00:00:01,FastEthernet0/0
```

C   172.16.3.0 is directly connected,FastEthernet0/0

注意，路由172.16.1.0是唯一调整过管理距离的路由。如果我们想把172.16.1.0的管理距离设置为130，而把172.16.2.0的管理距离设为140，能否使用两条带有两个访问表的距离命令？有时是可以的，当我们在RIP配置下键入第二条距离命令，第二条距离命令将覆盖第一条。如果主网不同，我们会有两条距离命令。简而言之，我们可以在相同的主网上设置任何数目的路由管理距离为1-255之间的任意值，但必须为相同的值。在访问表中，只有这些被允许的路由有改变的管理距离。

命令：distribute-list

作用：用于过滤传入或传出的路由更新。

常用于从传入或传出IGRP更新删除路由。假设，路由器r2要删除正被路由器r1宣告的网络172.16.1.0。首先，我们需要在路由器r2上，对IGRP进程指定一个distribute-list（分布表）。我们可以使用标准的或扩展的IP访问表，这给我们提供了多种选择。

1) 使用标准IP访问表阻塞来自任何接口的172.16.1.0路由。

```
r2(config)#router igrp 100
r2(config-router)#distribute-list?
  <1-199>    A standard IP access list number
r2(config-router)#distribute-list 1?
  in            Filter incoming routing updates
  out           Filter outgoing routing updates
r2(config-router)#distribute-list 1 in?
  Ethernet    Ethernet IEEE 802.3
  Loopback    Loopback interface
  Null          Null interface
  <cr>
r2(config-router)#^Z
```

现在，建立访问表以阻塞172.16.1.0路由。

```
access-list 1 deny 172.16.1.0.0.0.0.255
access-list 1 permit any
```

在分布表中，我们需用permit any 语句，否则，在表尾隐含的implicit deny all将过滤出所有接口上的所有路由。现在，路由器r2的路由表包括：

```
r2#clear ip route*
r2#show ip route
    172.16.0.0/16 is subnetted,4 subnets
C   172.16.4.0 is directly connected,Loopback0
C   172.16.5.0 is directly connected,Loopback1
I   172.16.2.0[130/610] via 172.16.3.1,00:00:01,FastEthernet0/0
C   172.16.3.0 is directly connected,FastEthernet0/0
```

注意，来自路由器r1的172.16.1.0路由已经被过滤了。通过列举配置或使用命令show ip protocols，可以查看IGRP配置访问表。

```
r2#show ip protocols
Routing Protocol is "igrp 100"
    Sending updates every 90 seconds,next due in 43 seconds
    Invaild after 270 seconds,hold down 280,flushed after 630
```

```
Outgoing update filter list for all interfaces is not set
```
Incoming update filter list for all interfaces is 1
```
Default networks flagged in outgoing updates
Default networks accepted from incoming updates
IGRP metric weight K1=1,K2=0,K3=1,K4=0,K5=0
IGRP maximum hopcount 100
IGRP maximum metric variance 1
Redistributing: igrp 100
Routing for Networks:
 172.16.0.0
Routing Information Sources:
 Gateway           Distance          Last Update
 172.16.3.1          130             00:00:14
 Distance:(default is 100)
  Address            Wild mask        Distance List
  172.16.0.0         0.0.255.255       130 1
```

2) 使用扩展IP访问表阻塞来自任一接口的172.16.1.0路由。

```
r2(config)#router igrp 100
r2(config-router)#distribute-list?
  <1-199>        A standard IP access list number
r2(config-router)#distribute-list 100?
  in               Filter incoming routing updates
  out              Filter outgoing routing updates
r2(config-router)#distribute-list 1 in?
  Ethernet       Ethernet IEEE 802.3
  Loopback       Loopback interface
  Null           Null interface
  <cr>
r2(config-router)#^Z
access-list 100 deny ip any 172.16.1.0 0.0.0.255
access-list 100 permit ip any any
```

注意，在访问表中，要阻塞的路由作为目标地址列出，而不是作为源地址。

3) 使用标准IP访问表阻塞来自Ethernet接口的172.16.1.0路由。

```
r2(config)#router igrp 100
r2(config-router)#distribute-list 1 in?
  Ethernet       Ethernet IEEE 802.3
  Loopback       Loopback interface
  Null           Null interface
  <cr>
r2(config-router)#distribute-list 1 in Ethernet?
  <0-1>          Ethernet interface number
r2(config-router)#distribute-list 1 in Ethernet 0?
  <cr>
r2(config-router)#distribute-list 1 in Ethernet 0/0
r2(config-rouFter)#^Z
```

我们可以通过特定的接口来过滤路由。如果通过一个不同的接口获悉路由的宣告，则它将不被过滤。

4) 使用扩展IP访问表阻塞来自Ethernet接口的172.16.1.0路由。

```
r2(config)#router igrp 100
r2(config-router)#distribute-list 1 in?
    Ethernet        Ethernet IEEE 802.3
    Loopback        Loopback interface
    Null            Null interface
    <cr>
r2(config-router)#distribute-list 1 in Ethernet?
    <0-1>   Ethernet interface number
r2(config-router)#distribute-list 1 in Ethernet 0?
    <cr>
r2(config-router)#distribute-list 1 in Ethernet 0
r2(config-router)#^Z
```

对于例3和例4，访问表不须从例1和例2中改变。为过滤传出的路由宣告，将分布表作为传出分配表，而不是传入表。这也给我们提供了四种过滤的可能性。例如，假设在图9-1中，路由器r2想阻塞到172.16.4.1的路由，使路由器r1不接收它。

1) 使用标准IP访问表阻塞从任意接口传出的172.16.4.0路由。

```
r2(config)#router igrp 100
r2(config-router)#distribute-list 1?
    in              Filter incoming routing updates
    out             Filter outgoing routing updates
r2(config-router)#distribute-list 1 out?
    Ethernet        Ethernet IEEE 802.3
    Loopback        Loopback interface
    Null            Null interface
    Bgp             Border Gateway Protocol(BGP)
    Connected       Connected
    Egp             Exterior Gateway Protocol(EGP)
    Eigrp           Enhanced Interior Gateway Routing Protocol(EIGRP)
    Igrp            Interior Gateway  Routing Protocol(IGRP)
    Isis            ISO IS-IS
    iso-igrp        IGRP for OSI networks
    ospf            Open Shortest Path First(OSPF)
    rip             Routing Information Protocol(RIP)
    static          Static routes
    <cr>
r2(config-router)#distribute-list 1 out
r2(config-router)#^Z
```

出站过滤比入站过滤有更多的有效选项。这些附加的选项将在第13章介绍。例1的访问表包括:

```
access-list 1 deny 172.16.4.0 0.0.0.255
access-list 1 permit any
```

使用过滤后，路由器r1的路由表将不包括路由172.16.4.0。

```
r1#sh ip route
   172.16.0.0/16 is subnetted,4 subnets
I    172.16.5.0[100/610] via 172.16.3.2,00:00:03, Ethernet0
C    172.16.1.0 is directly connected,Loopback0
C    172.16.2.0 is directly connected,Loopback1
C    172.16.3.0 is directly connected,Ethernet0
```

使用命令show ip protocols，可以显示应用的访问表。

```
r2#show ip protocols
Routing Protocol is "igrp 100"
   Sending updates every 90 seconds,next due in 18 seconds
   Invaild after 270 seconds,hold down 280,flushed after 630
   Outgoing update filter list for all interfaces is 1.
   Incoming update filter list for all interfaces is not set
   Default networks flagged in outgoing updates
   Default networks accepted from incoming updates
   IGRP metric weight K1=1,K2=0,K3=1,K4=0,K5=0
   IGRP maximum hopcount 100
   IGRP maximum metric variance 1
   Redistributing: igrp 100
   Routing for Networks:
      172.16.0.0
   Routing Information Sources:
      Gateway          Distance        Last Update
      172.16.3.1          100            00:00:07
      Distance:(default is 100)
```

2) 使用扩展IP访问表阻塞任何接口传出的路由172.16.4.0。

```
r2(config)#router igrp 100
r2(config-router)#distribute-list 100 out
r2(config-router)#^Z
access-list 100 deny ip any 172.16.4.0 0.0.0.255
access-list 100 permit  ip any any
```

3) 使用标准IP访问表阻塞Ethernet接口传出的路由172.16.4.0。

```
r2(config)#router igrp 100
r2(config-router)#distribute-list 1 out
r2(config-router)#distribute-list 1 out Ethernet 0
r2(config-router)#^Z
access-list 1 deny 172.16.4.0 0.0.0.255
access-list 1 permit any
```

4) 使用扩展IP访问表阻塞Ethernet接口传出的路由172.16.4.0。

```
r2(config)#router igrp 100
r2(config-router)#distribute-list 1 out
r2(config-router)#distribute-list 1 out Ethernet 0
r2(config-router)#^Z
access-list 1 deny 172.16.4.0 0.0.0.255
```

access-list 1 permit any

命令：exit

作用：退出路由器配置模式，并进入全局配置模式。

r2(config)#router igrp 100

r2(config-router)#exit

r2(config)#

命令：help

作用：在help上获得帮助。

r2(config)#router igrp 100

r2(config-router)#help

Help may be requested at any point in a command by entering

A question mark'?'.If nothing matches,the help list will

be empty and you must backup until entering a '?'shows the

available options.

Two styles of help are provided:

1. Full help is available when you are ready to enter a command argument(e.g.'show?')

    and describes each possible argument.

2. Partial help is provided when an abbreviated argument is entered and you want to

    know what arguments match the input (e.g.'show pr?'.)

命令：maximum-paths

作用：在多个路径上转发包。

r1(config-router)#maximum-paths?

　　<1-6> Number of paths

r1(config-router)#maximum-paths 3?

　　<cr>

IGRP可以在至多6条路由上向相同的目标网络分布通信量。利用maximum-paths命令，可以设置路径数量，如果这些路径存在，则路径上的通信量便可以分布到相同的目标网。

命令：neighbor

作用：在一个无广播网络上，指定一个邻居。

对于NBMA网络，例如x.25和帧中继，需要另外的配置信息以传播IGRP路由更新。为了穿过帧中继层，对IGRP更新需要使用neighbor命令。neighbor命令与passive-interface命令结合使用，可用于多路访问网络（Ethernet），这在后面会学到。

命令：network

作用：用于通知IGRP宣告哪一个网络，从哪个接口宣告。任何一个有效的接口都可用于发送和接收IGRP路由更新，但此有效接口应具有包含在network命令中的IP 地址。

命令：no

作用：用于否定配置的命令。

No 命令用于取消以前的配置命令。例如，如果我们确定不宣告一个网络、删除分布表或删除一个管理距离修改量，我们可使用no命令。

r1(config)#router igrp 100

r1(config-router)#no network 172.16.0.0

r1(config-router)#no distribute-list 100 out

r1(config-router)#no distance 130

r1(config-router)#^Z

命令: offset-list

作用: 从IGRP或RIP度量方法中增加或减去一个位移量。

Offset-list命令用于在使用标准IP访问表传入或传出IGRP 更新时调整路由的度量方法。

1) 在路由器r1上，将所有传入IGRP路由的成本增加50。

r1(config)#router igrp 100

r1(config-router)#offset-list?

  <0-99>   Access list of networks to apply offset (0 selects all networks)

r1(config-router)#offset-list 1?

  in   Perform offset on incoming updates

  out   Perform offset on outgoing updates

r1(config-router)#offset-list 1 in?

  <0-2147483647>   Offset

r1(config-router)#offset-list 1 in 50?

  Ethernet   Ethernet IEEE 802.3

  Loopback   Loopback interface

  Null   Null interface

  <cr>

r1(config-router)#offset-list 1 in 50

r1(config-router)#^Z

access-list 1 permit any

r1#clear ip route*

r1#show ip route

  172.16.0.0/16 is subnetted, 5subnets

C 172.16.4.0 is directly connected, Loopback0

C 172.16.5.0 is directly connected, Loopback1

I 172.16.1.0[100/**660**] via 172.16.3.1,00:00:01,Ethernet0

I 172.16.2.0[100/**660**] via 172.16.3.1,00:00:01,Ethernet0

C 172.16.3.0 is directly connected, FastEthernet0/0

使用offset-list 0 in 50的格式，可以得到相同的结果。使用访问表的编号0，将影响对所有路由的位移量的应用。

2) 在路由器r1上，将路由172.16.4.0的成本增加50。

r1(config-router)#offset-list 1 in50

access-list 1 permit 172.16.4.0 0.0.0.255

r1#show ip route

  172.16.0.0/16 is subnetted, 5subnets

I 172.16.4.0[100/**660**] via 172.16.3.2,00:00:04,FastEthernet8/0

I 172.16.5.0[100/**610**] via 172.16.3.2,00:00:04,FastEthernet8/0

C 172.16.1.0 is directly connected, Loopback0

C 172.16.2.0 is directly connected, Loopback1

C 172.16.3.0 is directly connected, FastEthernet8/0

3) 从路由器r1将所有传出IGRP路由的成本增加50。

r1(config)#router igrp

r1(config-router)#offset-list 1 out?

  <0-2147483647>   Offset

r1(config-router)#offset-list 1 out 50?

 Ethernet   Ethernet IEEE 802.3

 Loopback   Loopback interface

 Null   Null interface

 <cr>

r1(config-router)#offset-list 1 out50

r1(config-router)#^Z

access-list 1 permit 172.16.0.0 0.0.255.255

r2#show ip route

  172.16.0.0/16 is subnetted, 5subnets

I 172.16.4.0[100/660] via 172.16.3.2,00:00:01,FastEthernet8/0

I 172.16.5.0[100/660] via 172.16.3.2,00:00:01,FastEthernet8/0

C 172.16.1.0 is directly connected, Loopback0

C 172.16.2.0 is directly connected, Loopback1

C 172.16.3.0 is directly connected, FastEthernet8/0

另一方面，我们可以使用access-list 0对所有路由应用位移值，通过使用show ip protocols命令来检查位移表的应用。

r1#show ip protocols

Routing Protocol is "igrp 100"

  Sending updates every 90 seconds,next due in 24 seconds

  Invalid after 270 seconds,hold down 280,flushed after 630

 Outgoing update filter list for all interfaces is not set

 Incoming update filter list for all interfaces is not set

 Outgoing routes will have 50 added to metric if on list 1

 Default networks flagged in outgoing updates

 Default networks accepted from incoming updates

 IGRP metric weight K1=1,K2=0,K3=1,K4=0,K5=0

 IGRP maximum hopcount 100

 IGRP maximum metric variance 1

 Redistributing:igrp 100

 Routing for Networks:

  172.16.0.0

 Routing Information Sources:

  Gateway   Distance   Last Update

  172.16.3.2   100   00:01:02

 Distance:(default is 100)

4) 对于路由器r1宣告的路由172.16.1.0的度量方法，增加路由器r2的值。

access-list 1 permit 172.16.1.0 0.0.0.255

r2#sh ip route

  172.16.0.0/16 is subnetted, 5 subnets

C 172.16.4.0 is directly connected,Loopback0

C 172.16.5.0 is directly connected,Loopback1

I 172.16.1.0[130/**660**]via 172.16.3.1,00:00:02,Ethernet0

I 172.16.2.0[130/610]via 172.16.3.1,00:00:02,Ethernet0

C 172.16.3.0 is directly connected,Ethernet0

命令：passive-interface

作用：禁止接口上的路由更新

passive-interface 命令用来禁止从接口发送的路由更新，但在被动接口上接收的路由更新，将继续接收和处理。例如，在图9-1中，如果路由器r1的172.16.3.1接口变为被动的，路由器 r2 将不会再接收来自路由器r1的路由更新（因为它们并没有被发送），但路由器r1将继续接收来自路由器r2的路由更新。

r1(config)#router igrp 100

r1(config-router)#passive-interface Ethernet 0

r1(config-router)#^Z

r1#clear ip route*

r1#sh ip route

　172.16.0.0/16 is subnetted,5 subnets

I 172.16.4.0[100/610]via 172.16.3.2,00:00:47,FastEthernet8/0

I 172.16.5.0[100/610]via 172.16.3.2,00:00:47,FastEthernet8/0

C 172.16.1.0 is directly connected,Loopback0

C 172.16.2.0 is directly connected,Loopback1

C 172.16.3.0 is directly connected,FastEthernet8/0

r2#sh ip route

　172.16.0.0/16 is subnetted,3 subnets

C 172.16.4.0 is directly connected,Loopback0

C 172.16.5.0 is directly connected,Loopback1

C 172.16.3.0 is directly connected,Ethernet0

在所有逐级必须处理的Ethernet网络上，IGRP通常以广播的形式来传送路由更新。为了防止广播，可以把passive-interface命令和neighbor命令结合使用。在图9-1中，如果我们想把路由器r1发送的路由改为一个单目地址，可以使用如下配置，

Router igrp 100

　Passive-interface ethernet 0

　Neighbor 172.16.3.2

命令：redistribute

作用：从另一个路由协议再分布信息。本命令将在第13章中介绍。

命令：timers

作用：调整路由计时器。

IGRP计时器可以通过使用show ip protocols命令进行查看。

r2#show ip protocols

Routing Protocol is "igrp 100"

Sending updates every 90 seconds,next due in 32 seconds

Invalid after 270 seconds,hold down 280,flushed after 630

　Outgoing update filter list for all interfaces is not set

Incoming update filter list for all interfaces is not set

Default networks flagged in outgoing updates

Default networks accepted from incoming updates

IGRP metric weight K1=1,K2=0,K3=1,K4=0,K5=0

IGRP maximum hopcount 100

IGRP maximum metric variance 1

Redistributing:igrp 100

Routing for Networks:

　172.16.0.0

Routing Information Sources:

　Gateway　　　　　　Distance　　　　Last Update

　172.16.3.1　　　　　　100　　　　　　00:00:27

　Distance:(default is 100)

更新计时器（Update timer，90s）是指在一个接口发出路由更新之间的时间范围。路由在270s后无效，这意味着，如果在270s内没有接收上次宣告过的一个已知路由，则此路由将被宣布无效。抑制时间（Hold down time）是路由器接收一个新的路由宣告之前，路由在路由表上保留的时间。闪现时间（Flush time）是如果没有收到路由更新，从路由表中删除路由之前，必须等待的时间量。表中没有出现的计时器的值是休眠时间（sleep time）。休眠时间是IGRP路由更新在转送之前延迟的时间量，单位为毫秒。休眠时间参数是可选的，并且默认值为0。在多数情况下，根本不须调整IGRP计时器。协议中会选择它们，以提供最佳性能。然而，如果必须调整，则语法如下：

r2(config)#router igrp 100

r2(config-router)#timers?

　basic Basic routing protocol update timers

r2(config-router)#timers basic?

　<0-4294967295>　　Interval between updates

r2(config-router)#timers basic 91?

　<1-4294967295>　　Invalid

r2(config-router)#timers basic 91 271?

　<0-4294967295>　　Holddown

r2(config-router)#timers basic 91 271 281?

　<1-4294967295>　　Flush

r2(config-router)#timers basic 91 271 281 631?

　<1-4294967295>　　Sleep time, in milliseconds

　<cr>

r2(config-router)#timers basic 91 271 281 631 10?

　<cr>

r2(config-router)#timers basic 91 181 181 241 10?

　<cr>

可以使用show ip protocols命令来验证新的计时器值。

r2#show ip protocols

Routing Protocol is "igrp 100"

Sending updates every 91 seconds,next due in 77 seconds.

Invalid after 271 seconds,hold down 281,flushed after 631

```
Outgoing update filter list for all interfaces is not set
Incoming update filter list for all interfaces is not set
Default networks flagged in outgoing updates
Default networks accepted from incoming updates
IGRP metric weight K1=1,K2=0,K3=1,K4=0,K5=0
IGRP maximum hopcount 100
IGRP maximum metric variance 1
Redistributing:igrp 100
Routing for Networks:
  172.16.0.0
Routing Information Sources:
  Gateway          Distance        Last Update
  172.16.3.1          100            00:01:07
  Distance:(default is 100)
```

命令：traffic-share

作用：对更换路由计算通信共享的算法。

对相同的目标网络，当存在多条不同成本路由时，traffic-share命令可以控制在不同路径之间如何分布包。通信共享有两种可能性：平衡和最小。平衡模式将按照路由度量方式的比例来调整通信量。min traffic-share选项只使用最小成本的路由。traffic-share的默认选择是平衡。

```
r2(config-router)#traffic-share?
  balanced            Share inversely proportional to metric
  min                 All traffic shared among min metric paths
r2(config-router)#traffic-share balanced
or
r2(config-router)#traffic-share min?
```

命令：validate-update-source

作用：针对路由更新的源地址执行安全检查

默认情况下启用此功能。它用于查看源地址是否正确。在图9-1中，通过接口172.16.3.1上的路由器r1接收的IGRP路由更新，将从网络上的IGRP路由器接收。如果源地址不在网络上，那么，将拒绝路由的更新。为了禁止这个功能，我们使用将no命令和validates-update-source命令结合使用。

```
r1(config)#router igrp 100
r1(config-router)#no validate-update-source
```

命令：variance

作用：控制负载平衡的误差。

在路由表上，IGRP至多可以采用六条路由到相同的目标网络。对于到相同目标网络的多个路由，如果它们的成本或度量方法通过了测试，则将在路由表中安装。这将通过图9-6来说明。

在图9-6中，路由器r1有两条路由通往网络172.16.0.0。第一条路由是使用A成本直接到路由器r2。第二条路由是使用B成本通过路由器r2。如果满足下面两个条件，则路由器R1将包括通过路由器r2的路由：

1) 如果成本A比成本C大。

2) 如果误差*A ± B。

不用说，我们将不改变误差！然而，如有必要，命令是，

r2(config-router)#variance?

   <1-128>   Metric variance multiplier

r2(config-router)#variance 2?

   <cr>

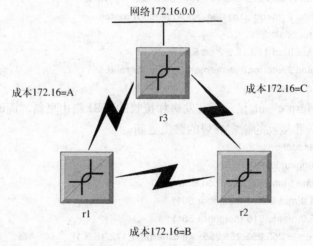

图9-6　IGRP误差数的图示

9.2　IGRP调试

我们使用图9-1中的网络来说明IGRP调试命令。有两条命令可用于IGRP调试，第一条是：

r1#debug ip igrp events

IGRP event debugging is on

控制台传出结果如下：

IGRP:sending update to 255.255.255.255 via Loopback0(172.16.1.1)

IGRP:Update contains 4 interior,0 system,and 0 exterior routes.

IGRP:Total routes in update:4

IGRP:sending update to 255.255.255.255 via Loopback1(172.16.2.1)

IGRP:Update contains 4 interior,0 system,and 0 exterior routes.

IGRP:Total routes in update:4

IGRP:sending update to 172.16.3.2 via FastEthernet8/0(172.16.3.1)

IGRP:Update contains 3 interior,0 system,and 0 exterior routes.

IGRP:Total routes in update:3

IGRP:received update from 172.16.3.2 on FastEthernet8/0

IGRP:Update contains 2 interior,0 system,and 0 exterior routes.

IGRP:Total routes in update:2

r2#debug ip igrp?

  events   IGRP protocol events

  transactions   IGRP protocol transactions

r1#debug ip igrp events?

```
     A.B.C.D                 IP address of neighbor
   <cr>
r1#debug ip igrp events 172.16.3.2?
   <cr>
r1#debug ip igrp events 172.16.3.2
IGRP event debugging is on for address 172.16.3.2
```

控制台传出结果如下:

```
IGRP:sending update to 255.255.255.255 via Ethernet0(172.16.3.1)
IGRP:Update contains 2 interior,0 system,and 0 exterior routes.
IGRP:Total routes in update:2
IGRP:received update from 172.16.3.2 on Ethernet0
iGRP:Update contains 2 interior,0 system,and 0 exterior routes.
IGRP:Total routes in update:2
```

注意，debug ip igrp events显示所有发送和接收的IGRP路由更新，而debug ip igrp events 172.16.3.2只显示发送和接收的指定邻居的路由更新。

```
r1#debug ip igrp transactions
IGRP protocol debugging is on
IGRP:received update from 172.16.3.2 on Ethernet0
    subnet 172.16.4.0,metric 610 (neighbor 501)
    subnet 172.16.5.0,metric 610 (neighbor 501)
IGRP:sending update to 255.255.255.255  via Ethernet0(172.16.3.1)
    subnet 172.16.1.0,metric = 501
    subnet 172.16.2.0,metric = 501
IGRP:sending update to 255.255.255.255  via Loopback0(172.16.1.1)
    subnet 172.16.4.0,metric = 610
    subnet 172.16.5.0,metric = 610
    subnet 172.16.2.0,metric = 501
    subnet 172.16.3.0,metric = 110
IGRP:sending update to 255.255.255.255 via Loopback1(172.16.2.1)
    subnet 172.16.4.0, metric=610
    subnet 172.16.5.0, metric=610
    subnet 172.16.1.0, metric=501
    subnet 172.16.3.0, metric=110


r1#debug ip igrp transactions 172.16.3.2
IGRP protocol debugging is on for address 172.16.3.2
IGRP:sending update to 255.255.255.255  via Ethernet0(172.16.3.1)
    subnet 172.16.1.0,metric = 501
    subnet 172.16.2.0,metric = 501
IGRP:received update from 172.16.3.2 on Ethernet0
    subnet 172.16.4.0,metric 610 (neighbor 501)
    subnet 172.16.5.0,metric 610 (neighbor 501)


r1#debug ip igrp transactions 172.16.3.2 172.16.4.0
IGRP protocol debugging is on for address 172.16.3.2
```

for target route 172.16.4.0

IGRP: received update from 172.16.3.2 on Ethernet0

subnet 172.16.4.0,metric 610(neighbor 501)

IGRP:sending update to 255.255.255.255 via Ethernet0 (172.16.3.1)

debug ip igrp events提供了发送和接收IGRP信息的汇总，并且，debug ip igrp transactions提供了更多详细的信息，诸如发送和接收的实际路由、度量方式和邻居等。如果配置了IGRP网络，但路由表不包括预期的路由，IGRP调试是一个有效的工具，它可以确定协议实际上做了什么，并且能在解决IGRP问题上，给你指出正确的方向。

9.3 小结

下面列出的是重要IGRP命令。所有的IGRP命令都是重要的，但你会发现这些比另一些更有用。

IGRP命令

1) router igrp <process id>

2) network

3) redistribute（见第13章）

4) distribute-list（见第13章）

5) default-metric（见第13章）

6) passive-interface

7) offset-list

8) distance

9) maximum-paths

10) traffic-share

11) 所有其他IGRP命令

第10章 配置EIGRP

　　增强型内部网关路由协议（Gateway Routing Protocol, EIGRP）是Cisco专有的路由协议，此协议以IGRP为基础。EIGRP使用国际SRI创立的扩散更新算法（Diffusing Update Algorithm, DUAL）。EIGRP比IGRP增强了许多新功能，这从名称上便可以看出。EIGRP具有比IGRP更快的聚合时间，因为EIGR存储来自所有邻居的路由表，万一某个路由失败，EIGRP可以选择其他路由。为了克服使用RIP和IGRP时遇到的问题，EIGRP支持VLSM和路由汇总。从上一次路由更新后，即使没有路由改变，RIP和IGRP也定期传送完全的路由表。EIGRP只在路由信息发生改变时才发送这种更新，然后只发送改变路由的信息，这便有效地减少了使用的带宽。RIP和EIGRP不了解它们的邻居，所以，路由的更新是以广播方式来发送和接收的。EIGRP使用一个邻居聚合机制（nerghbor-disconvery）来确定邻居路由的存在。通过使用呼叫协议，来启用发现进程。这样，EIGRP便可以与其邻居交换确认信息，来可靠地发送和接收路由更新。最后，由于EIGRP保存了邻居的路由表，所以，可以确定无回路的路径，这是在RIP和IGRP基础上进行的有效的改进。我们可以通过对中间路由器通信使用多个包类型来支持这些特征。使用呼叫包不仅可以寻找相邻路由器，也可以确认相邻路由器的存在。不带数据的呼叫包被认为是进行确认。使用更新包可以可靠地传送路由信息。当路由信息改变时，更新包可以作为对邻居的单目传送包和多目传送包来传送。把包作为单目或多目进行发送，如果网络上非路由主机需要处理包，则可以减少包的数量。

10.1 EIGRP

　　我们通过图10-1中的网络来说明EIGRP各种配置命令的作用。

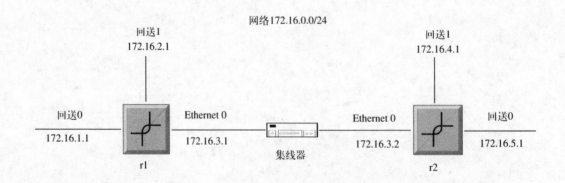

图10-1 EIGRP网络配置例图

Router r1 Configuration	Router r2 Configuration
hostname r1	hostname r2
enable password cisco	enable password cisco
interface Loopback0	interface Loopback0

Router r1 Configuration

ip address 172.16.1.1 255.255.255.0

interface Loopback1

ip address 172.16.2.1 255.255.255.0

interface Ethernet0

ip address 172.16.3.1 255.255.255.0

Router r2 Configuration

ip address 172.16.4.1 255.255.255.0

interface Loopback1

ip address 172.16.5.1 255.255.255.0

interface Ethernet0

ip address 172.16.3.2 255.255.255.0

如图10-1所示，在每个路由器上，我们仅需一个物理接口。下面例子中的其他网络我们将使用回送接口来模拟。EIGRP配置的第一步是启动EIGRP路由进程。这将通过键入配置模式和启用EIGRP进程来实现。

```
r1#configure terminal
Enter configuration commands,one per line.End with CNTL/Z
r1(config)#router eigrp?
  <1-65535>        Autonomous system number
r1(config-router)#router eigrp 100
r1(config-router)#^Z
```

EIGRP路由进程必须由1-65535之间的自治系统编号来标识。由于这个数字不必与自治系统编号相符，所以，实际上，它应称为路由进程编号，多个EIGRP路由进程可以在相同的路由器上运行，但只有具有相同编号的进程才交换路由更新。如同使用IGRP一样，EIGRP需要知道宣告哪一个网络。对路由器r1，我们想宣告网络172.16.1.0，172.16.2.0和172.16.3.0。使用网络命令来告知EIGRP在路由更新中宣告哪个网络。

```
r1(config-router)#network 172.16.1.0
r1(config-router)#network 172.16.2.0
r1(config-router)#network 172.16.3.0
r1(config-router)#^Z
```

现在，可以通过列出当前路由配置来查看基本EIGRP路由进程是如何配置的。

```
router eigrp 100
network 172.16.0.0
```

当我们键入三条网络命令时，为什么只显示一条呢？正如RIP和IGRP一样，网络命令只接收主网数据。既然路由器r1连接的所有网络都属于B类网络172.16.0.0，则EIGRP将宣告这些网络。这个网络命令也确定哪一个接口将发送和接收EIGRP路由更新。由于所有网络都属于172.16.0.0，所以，EIGRP将发送和接收所有接口上的路由更新。路由器r2的配置与路由器r1的配置是一样的。

```
r2(config)#router eigrp 100
r2(config-router)#network 172.16.0.0
r2(config-router)#^Z
```

在这种情况下，EIGRP将宣告多少条路由，一条还是三条？与RIP版本1和IGRP一样，EIGRP将只宣告三类连接的子网，因为在主网172.16.0.0中包括了所有连接的网络。为确定路由器r1和r2是否交换路由更新，可在路由器r1和r2上使用命令show ip route。

```
r1#show ip route
Codes:C-connected,S -static,I-IGRP,R-RIP,M-mobile,B-BGP
    D-EIGRP,EX-EIGRP external,O-OSPF,IA-OSPF inter area
    E1-OSPF external type 1,E2-OSPF external type 2,E-EGP
    i-IS-IS,L1-IS-IS level-1,L2-IS-IS level-2,*-candidate default
```

U-per-user static route

Gateway of last resort is not set

   172.16.0.0/16 is subnetted,5 subnets

D 172.16.4.0[90/156160]via 172.16.3.2,00:13:21,Ethernet0

D 172.16.5.0[90/156160]via 172.16.3.2,00:13:21,Ethernet0

C 172.16.1.0 is directly connected,Loopback0

C 172.16.2.0 is directly connected,Loopback1

C 172.16.3.0 is directly connected,Ethernet0

r2#show ip route

Codes:C-connected,S -static,I-IGRP,R-RIP,M-mobile,B-BGP

   D-EIGRPEX-EIGRP external,O-OSPF,IA-OSPF inter area

   E1-OSPF external type 1,E2-OSPF external type 2,E-EGP

   i-IS-IS,L1-IS-IS level-1,L2-IS-IS level-2,*-candidate default

   U-per-user static route

Gateway of last resort is not set

   172.16.0.0/16 is subnetted,5 subnets

C 172.16.4.0 is directly connected,Loopback0

C 172.16.5.0 is directly connected,Loopback1

D 172.16.1.0[90/156160]via 172.16.3.1,00:14:25,Ethernet0

D 172.16.2.0[90/156160]via 172.16.3.1,00:14:25,Ethernet0

C 172.16.3.0 is directly connected,Ethernet0

注意，路由器r1和r2有三条直接连接的路由和两条来自EIGRP的路由。路由表的每一项都包括了以下信息。

1) 如何获悉路由器（C-直接连接；D-来自EIGRP）。

2) 目标网络。

3) 管理距离和来自EIGRP或直接连接的路由的成本[90/156160]。

4) EIGRP传输网络（经由172.16.3.1）。

5) 路由的时效——00:14:25。EIGRP并不周期性地传送路由表。如果发生改变，EIGRP只传送路由更新，这使得EIGRP比RIP或IGRP有一个较"稳定"的协议。本项表明路由的上一次更新多长时间消逝。

6) 向目标网络发送一个包时，使用哪个接口。

这是启动EIGRP需要的最小配置。IP路由表包括了每个路由器确定如何向目标网络路由一个包时所必须的信息。对于已连接的网络，路由器仅需转发目标为直接连接接口外的网络主机的包。对于目标不是直接连接接口上的网络，路由器必须确定应当使用哪一个接口来转发包。

如果子网掩码不相同，又会如何呢？假设在路由器r1上的两个网络，Ethernet 0和Ethernet 1，每个网络的主机不超过14个。我们能使用VLSM技术，将子网172.16.1.0细分为使用28位子网掩码的两个网络。如图10-2所示。

Router r1 configuration changes

interface Loopback0

ip address 172.16.1.17 255.255.255.240

interface Loopback1

ip address 172.16.1.33 255.255.255.240

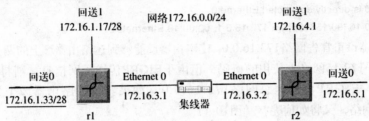

图10-2 EIGRP——在相同主网上使用路由器r1的VLSM

这将如何影响EIGRP的更新呢？如果我们测试路由器r2的路由表，就会发现，新细分的子网路由及其关联的子网掩码一起出现了。

```
r2#show ip route
    172.16.0.0/16 is  variably subnetted,5 subnets,2 masks
D   172.16.1.32/28[90/156160]via 172.16.3.1,00:00:01,FastEthernet0/0
D   172.16.1.16/28[90/156160]via 172.16.3.1,00:00:01,FastEthernet0/0
C   172.16.4.0/24 is directly connected,Loopback0
C   172.16.5.0/24 is directly connected,Loopback1
C   172.16.3.0/24 is directly connected,FastEthernet0/0
```

在路由更新中，EIGRP携带着子网掩码信息，因此，路由器r1将从网络172.16.3.0宣告网络172.16.1.16和172.16.1.32。本例中，主网编号是172.16.0.0。如果这些细分的子网使用不同的主子网编号173.16.0.0，那将如何？请参看图10-3。

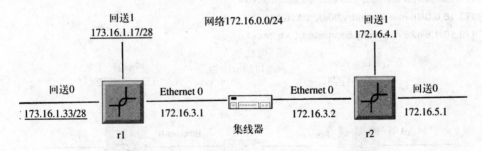

图10-3 EIGRP——在不同主网的路由器r1上使用VLSM

Router r1 configuration changes

interface Loopback0

ip address 173.16.1.17 255.255.255.240

interface Loopback1

ip address 173.16.1.33 255.255.255.240

router eigrp 100

network 172.16.0.0

network 173.16.0.0

r2#clear ip route*

r2#show ip route

```
   172.16.0.0/16 is subnetted, 3 subnets
C  172.16.4.0 is directly connected,Loopback0
C  172.16.5.0 is directly connected,Loopback1
C  172.16.3.0 is directly connected,Ethernet0
D  173.16.0.0/16 [90/156160] via 172.16.3.1, 00:00:18,Ethernet0
```

注意，路由器r1正宣告网络173.16.0.0，使路由器r2能够到达路由器r1上的两个173.16网络。子网掩码不同于172.16网络上使用的掩码，但由于EIGRP传送子网信息，则将宣告路由。同时也应注意到，EIGRP自动汇总网络173.16.0.0。如果我们在路由器r2上为细分的子网173.16.0.0指定网络，又将如何呢？（图10-4）

```
Router r2 configuration changes
interface Loopback0
ip address 173.16.1.49 255.255.255.240
interface Loopback1
ip address 173.16.1.65 255.255.255.240
router eigrp 100
network 172.16.0.0
network 173.16.0.0
```

现在路由器r2的路由表包括：

```
r2#clear ip route*
r2#show ip route
   172.16.0.0/16 is variably subnetted,2 subnets,2 masks
D  172.16.0.0/16 is a summary,00:00:03,Null0
C  172.16.3.0/24 is directly connected,Ethernet0
   173.16.0.0/16 is variably subnetted,3 subnets,2 masks
C  173.16.1.48/28 is directly connected,Loopback0
D  173.16.0.0/16 is a summary,00:00:03,Null0
C  173.16.1.64/28 is directly connected,Loopback1
```

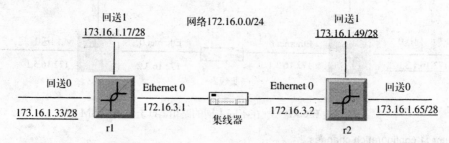

图10-4　EIGRP——在不同主网的路由器r1和r2上使用VLSM

到173.16.1.16和173.16.1.32的路由在哪里？我们会对EIGRP产生混淆。EIGRP在路由更新中自动汇总网络。路由器r1和路由器r2都宣告它们能够到达网络173.16.0.0，哪一个正确呢？都正确。当我们在不同路由器上都具有相同网络的子网，并且EIGRP是自动汇总路由时，将会演示EIGRP的行为。对于这种行为方案，我们需要禁用自动路由汇总。这是介绍EIGRP路由命令的好时机，因此第一条是处理路由汇总。键入EIGRP配置模式和一个问号，可以列出这些命令。

```
r1(config)#router eigrp 100
```

```
r1(config-router)#?
Router configuration commands:

  auto-summary         Enable automatic network number summarization
  default-information  Control distribution of default information
  default-metric       Set metric of redistributed routes
  distance             Define an administrative distance
  distribute-list      Filter networks in routing updates
  eigrp                EIGRP specific commands
  exit                 Exit from routing protocol configuration mode
  help                 Description of the interactive help system
  maximum-paths        Forward packets over multiple paths
  metric               Modify IGRP routing metrics and parameters
  neighbor             Specify a neighbor router
  network              Enable routing on an IP network
  no                   Negate or set default values of a command
  passive-interface    Suppress routing updates on an interface
  redistribute         Redistribute information from another routing protocol
  timers               Adjust routing timers
  traffic-share        Algorithm for computing traffic share for alternate routes
  variance             Control load balancing variance
```

命令: auto-summary

作用: 启动自动网络编号汇总。

在图10-4中, EIGRP的默认特征引发了一些网络问题。在路由器配置模式中, 可以通过使用命令auto-summary, 来禁用路由器r1和r2上的自动路由汇总。

```
r1(config)#router eigrp 100
r1(config-router)#no auto-summary
r1(config-router)#^Z

r2(config)#router eigrp 100
r2(config-router)#no auto-summary
r2(config-router)#^Z
```

随着自动路由汇总的禁用, 路由器r1和r2的路由表包括了到所有子网的路由。

```
r1#show ip route
   172.16.0.0/16 is subnetted,1 subnets
C   172.16.3.0 is directly connected,FastEthernet8/0
   173.16.0.0/16 is subnetted,4 subnets
D   173.16.1.48[90/156160] via 172.16.3.2,00:00:13,Ethernet0
C   173.16.1.32 is directly connected,Loopback1
C   173.16.1.16 is directly connected,Loopback0
D   173.16.1.64[90/156160] via 172.16.3.2,00:00:13,Ethernet0


r2#sh ip route
   172.16.0.0/16 is subnetted,1 subnets
C   172.16.3.0 is directly connected,FastEthernet0/0
   173.16.0.0/16 is subnetted,4 subnets
```

C　173.16.1.48 is directly connected,Loopback0

D　173.16.1.32[90/156160] via 172.16.3.1,00:01:02,FastEthernet0/0

D　173.16.1.16[90/156160] via 172.16.3.1,00:01:02,FastEthernet0/0

C　173.16.1.64 is directly connected,Loopback1

　　路由汇总是有益的，因为减少了路由更新的尺寸，从而减少了带宽的需求，但正如我们所见，路由汇总不会对所有方案产生预期的结果。我们使用图10-1中的网络配置来说明其余的EIGRP命令。

　　命令：default-information

　　作用：控制默认信息的分布。

　　这条命令将在第13章介绍。

　　命令：default-metric

　　作用：路由器可能运行多个IP路由协议（RIP，IGRP，EIGRP或OSPF）。每个路由协议都有不同的度量方法；RIP有跳跃计数，OSPF有无维成本，EIGRP有基于五个度量方式的成本。当从一个路由协议向另一个协议插入路由时，路由度量方法也需要从一个协议到另一个协议进行转换。default-metric命令则用于执行这个转换。在第13章详细讲解。

　　命令：distance

　　作用：用于调整路由管理的距离。

r2(config)#router eigrp 100

r2(config-router)#distance?

　<1-255>　　　　　　　Administrative distance

eigrp IP-EIGRP distance

　　管理距离在1-255的范围内。EIGRP默认值是90。当在一个路由器上有多个路由协议有效时，我们就使用管理距离。例如，如果我们运行EIGRP和RIP，而且对相同的网络，每个协议都有一个路由时，EIGRP路由将优先运行，因为它的管理距离（90）比RIP的管理距离（120）要低。我们能通过设置比RIP 高的管理距离，而强制不选择EIGRP路由。

r2(config-router)#distance 130?

　A.B.C.D IP Source address

(Notice that we don't have the <cr> option that we had with RIP and IGRP)

r2(config-router)#distance130 172.16.0.0?

　A.B.C.D IP address mask

r2(config-router)#distance130 172.16.0.0 0.0.255.255?

　<1-99> IP Standard access list number

eigrp IP-EIGRP distance

　<cr>

　　键入<cr>将只对网络172.16.0.0应用新的管理距离。注意，IP地址掩码是对所使用的子网掩码"求反"得到的。这与第7章中讨论的IP访问表具有相同的形式。既然路由器r2只知道来自路由器r1的网络172.16.0.0，这与对从EIGRP获悉的所有网络应用管理距离具有相同的影响。

r2#show ip route

　172.16.0.0/16 is subnetted,5 subnets

C　172.16.4.0 is directly connected,Loopback0

C　172.16.5.0 is directly connected,Loopback1

D　172.16.1.0[**130**/156160] via 172.16.3.1,00:00:02, Ethernet0

```
D   172.16.2.0[130/156160] via 172.16.3.1,00:00:02, Ethernet0
C   172.16.3.0 is directly connected,Ethernet0
```

最终，我们将通过一个IP访问表来选择路由，这些路由具有已修改过的管理距离。假设我们想改变到172.16.1.0的路由管理距离为130，则并不影响到172.16.2.0的路由。首先，我们使用EIGRP命令：

```
r2(config-router)#distance 130 172.16.0.0 0.0.255.255?
  <1-99>          IP Standard access list number
eigrp           IP-EIGRP distance
  <cr>
r2(config-router)#distance 130 172.16.0.0 0.0.255.255 1?
  <cr>
r2(config-router)#distance 130 172.16.0.0 0.0.255.255 1
r2(config-router)#^Z
```

最终步骤是建立一个IP访问表，此表可告知EIGRP去调整172.16.1.0的管理距离，但让172.16.2.0的管理距离设为90。如果没有访问表，但使用上面指出的距离命令，则网络172.16.0.0的所有路由将把自己的管理距离设为130。这是默认行为。

```
r2#clear ip route*
r2#show ip route
  172.16.0.0/16 is subnetted,5 subnets
C   172.16.4.0 is directly connected,Loopback0
C   172.16.5.0 is directly connected,Loopback1
D   172.16.1.0[130/156160] via 172.16.3.1,00:00:01, FastEthernet0/0
D   172.16.2.0[130/156160] via 172.16.3.1,00:00:01, FastEthernet0/0
C   172.16.3.0 is directly connected,FastEthernet0/0
```

只须调整172.16.1.0的管理距离的访问表是

```
r2(config)#access-list 1?
  deny            Specify packets to reject
  permit          Specify packets to forward
r2(config)#access-list 1 permit?
  Hostname or A.B.C.D Address to match
  any             Any source host
  host            A single host address
r2(config)#access-list 1 permit 172.16.1.0 0.0.0.225?
  <cr>
r2(config)#access-list 1 permit 172.16.1.0 0.0.0.225?
r2(config)#^Z
```

注意，在访问表的末尾，不一定要使用permit any语句。在正规的IP访问表中，总是隐含着一条deny any语句作为最后一条语句。在这个例子中的确如此，但对于具有符合允许语句的路由，将只影响其管理距离，因此，在这个例子中，访问表中隐含的deny any语句并没有受影响。新的IP路由表包括：

```
r2#clear ip route*
r2#sh ip route
  172.16.0.0/16 is subnetted,5 subnets
C   172.16.4.0 is directly connected,Loopback0
```

C 172.16.5.0 is directly connected,Loopback1

D 172.16.1.0[**130**/156160] via 172.16.3.1,00:00:01, FastEthernet0/0

D 172.16.2.0[**90**/156160] via 172.16.3.1,00:00:01, FastEthernet0/0

C 172.16.3.0 is directly connected,FastEthernet0/0

注意，路由172.16.1.0是唯一调整过管理距离的路由。如果我们想把172.16.1.0的管理距离设置为130，把172.16.2.0的管理距离设为140，我们能否使用两个带有两个访问表的距离命令？有时是可以的，当我们在EIGRP配置下键入第二条距离命令时，则第二条距离命令将覆盖第一条。如果主网不同，我们会有两条距离命令。简而言之，我们可以在相同的主网上把任何编号的路由管理距离设置为1-255之间的任意值，但必须为相同的值。在访问表中，只有这些被允许的路由有改变的管理距离。

EIGRP距离命令的另一种形式是用于调整内部和外部的路由。如下所示：

```
r2(config-router)#distance?
  <1-255>          Administrative distance
eigrp            IP-EIGRP distance
r2(config-router)#distance eigrp?
  <1-255>           Distance for internal routes
r2(config-router)#distance eigrp 130?
  <1-255>          Distance for external routes
r2(config-router)#distance eigrp 130 90?
  <cr>
r2(config-router)#distance eigrp 130 90
```

外部路由的距离命令的格式将在第13章介绍。这种格式也可用于调整内部路由的距离，使用如下命令：

```
r2(config-router)#distance eigrp 130 90
```

这将把所有路由的距离设置为130，因为我们所有的路由都是内部的。

前面使用访问表的距离命令的格式是相当灵活的，因为它们可以用于调整特定的路由。如果我们使用距离命令的两种格式，第一种格式优先接收distance eigrp命令。例如，假设我们在路由器r2上有如下配置：

```
router eigrp 100
  network 172.16.0.0
  distance eigrp 115 62
  distance 130 172.16.0.0 0.0.255.255
```

路由器r2的路由表将包括：

```
r2#show ip route
  172.16.0.0/16 is subnetted,5 subnets
C 172.16.4.0 is directly connected,Loopback0
C 172.16.5.0 is directly connected,Loopback1
D 172.16.1.0[130/156160] via 172.16.3.1,00:00:01, FastEthernet0/0
D 172.16.2.0[130/156160] via 172.16.3.1,00:00:01, FastEthernet0/0
C 172.16.3.0 is directly connected,FastEthernet0/0
```

命令：distribute-list

作用：用于过滤传入或传出的路由更新。

此命令常用于从传入或传出的EIGRP更新删除路由。假设路由器r2要删除正被路由器r1宣告的网络172.16.1.0。首先，我们需要在路由器r2上对EIGRP进程指定一个distribute-list。我们可以使用标准的或扩展的IP访问表，这给我们提供许多可能性。

1) 使用标准IP访问表阻塞来自任何接口的172.16.1.0路由。

```
r2(config)#router eigrp 100
r2(config-router)#distribute-list?
  <1-199>            A standard IP access list number
r2(config-router)#distribute-list 1?
  in                Filter incoming routing updates
  out               Filter outgoing routing updates
r2(config-router)#distribute-list 1 in?
  Ethernet          Ethernet IEEE 802.3
  Loopback          Loopback interface
  Null              Null interface
  <cr>
r2(config-router)#^Z
```

现在建立访问表以阻塞172.16.1.0路由。

```
access-list 1 deny        172.16.1.0 0.0.0.255
access-list 1 permit any
```

在分布表中，需用permit any 语句，否则，表尾的implicit deny all将过滤出从所有接口获悉的所有路由。现在，r2的路由表包括：

```
r2#clear ip route*
r2#show ip route
    172.16.0.0/16 is subnetted,4 subnets
C   172.16.4.0 is directly connected,Loopback0
C   172.16.5.0 is directly connected,Loopback1
D   172.16.2.0[90/156160] via 172.16.3.1,00:00:01, Ethernet0
C   172.16.3.0 is directly connected,Ethernet0
```

注意，路由器r1的172.16.1.0路由已经被过滤了。通过列举配置或使用命令show ip protocols，可以查看EIGRP配置访问表。

```
r2#show ip protocols
Routing Protocol is "eigrp 100"
  Outgoing update filter list for all interfaces is not set
  Incoming update filter list for all interfaces is 1
  Default networks flagged in outgoing updates
  Default networks accepted from incoming updates
  EIGRP metric weight K1=1,K2=0,K3=1,K4=0,K5=0
  EIGRP maximum hopcount 100
  EIGRP maximum metric variance 1
  Redistributing eigrp 100,igrp 100
  Automatic network summarization is in effect
  Routing for Networks:
    172.16.0.0
  Routing Information Sources:
    Gateway           Distance          Last Update
```

```
    172.16.3.1                90              00:01:00
    Distance:internal 90 external 170
```

2) 使用扩展IP访问表阻塞来自任一接口的172.16.1.0路由。

```
r2(config)#router eigrp 100
r2(config-router)#distribute-list?
  <1-199>          A standard IP access list number
r2(config-router)#distribute-list 100?
  in               Filter incoming routing updates
  out              Filter outgoing routing updates
r2(config-router)#distribute-list 1 in?
  Ethernet         Ethernet IEEE 802.3
  Loopback         Loopback interface
  Null             Null interface
  <cr>
r2(config-router)#^Z
access-list 100 deny        ip any 172.16.1.0 0.0.0.255
access-list 100 permit      ip any any
```

注意，要阻塞的路由在访问表中作为目标地址，而不是源地址列出。

3) 使用标准IP访问表阻塞来自Ethernet接口的172.16.1.0路由。

```
r2(config)#router eigrp 100
r2(config-router)#distribute-list 1 in?
  Ethernet         Ethernet IEEE 802.3
  Loopback         Loopback interface
  Null             Null interface
  <cr>
r2(config-router)#distribute-list 1 in Ethernet?
  <0-1>            Ethernet interface number
r2(config-router)#distribute-list 1 in Ethernet 0?
  <cr>
r2(config-router)#distribute-list 1 in Ethernet 0/0
r2(config-router)#^Z
```

我们可以通过一个特定的接口来过滤路由。如果通过不同的接口获悉路由的宣告，则它将不被过滤。

4) 使用扩展IP访问表阻塞来自Ethernet接口的172.16.1.0路由。

```
r2(config)#router eigrp 100
r2(config-router)#distribute-list 1 in?
  Ethernet         Ethernet IEEE 802.3
  Loopback         Loopback interface
  Null             Null interface
  <cr>
r2(config-router)#distribute-list 1 in Ethernet?
  <0-1>            Ethernet interface number
  r2(config-router)#distribute-list 1 in Ethernet 0?
  <cr>
```

```
r2(config-router)#distribute-list 1 in Ethernet 0
r2(config-router)#^Z
```

对于例3和例4，访问表不须从例1和例2中修改。为过滤传出路由宣告，分布表将作为传出表而不是传入表。这给我们提供了四种过滤的可能性。例如，假设在图10-1中路由器r2想阻塞到172.16.4.1的路由，使路由器r1不接收它。

1) 使用标准IP访问表阻塞从任意接口传出的172.16.4.0路由。

```
r2(config)#router eigrp 100
r2(config-router)#distribute-list 1?
  in                Filter incoming routing updates
  out               Filter outgoing routing updates
r2(config-router)#distribute-list 1 out?
  Ethernet          Ethernet IEEE 802.3
  Loopback          Loopback interface
  Null              Null interface
  Bgp               Border Gateway Protocol (BGP)
  Connected         Connected
  Egp               Exterior Gateway Protocol(EGP)
  Eigrp             Enhanced Interior Gateway Routing Protocol (EIGRP)
  Igrp              Interior Gateway Routing Protocol (IGRP)
  Isis              ISO IS-IS
  iso-igrp          IGRP for OSI networks
  ospf              Open Shortest Path First (OSPF)
  rip               Routing Information Protocol (RIP)
  static            Static routes
  <cr>
r2(config-router)#distribute-list 1 out
r2(config-router)#^Z
```

出站过滤器比入站过滤器有更多的有效选项。这些附加选项将在第13章介绍。例1的访问表包括：

```
access-list 1 deny        172.16.4.0 0.0.0.255
access-list 1 permit any
```

使用过滤器后，路由器r1的路由表将不包括路由172.16.4.0。

```
r1#sh ip route
    172.16.0.0/16 is subnetted,4 subnets
D   172.16.5.0[90/156160] via 172.16.3.2,00:00:42, FastEthernet8/0
C   172.16.1.0 is directly connected,Loopback0
C   172.16.2.0 is directly connected,Loopback1
C   172.16.3.0 is directly connected,FastEthernet8/0
```

使用命令show ip protocols可以显示应用的访问表。

```
r2#show ip protocols
Routing Protocol is "eigrp 100"
  Outgoing update filter list for all interfaces is 1
  Incoming update filter list for all interfaces is not set
  Default networks flagged in outgoing updates
```

```
Default networks accepted from incoming updates
EIGRP metric weight K1=1,K2=0,K3=1,K4=0,K5=0
EIGRP maximum hopcount 100
EIGRP maximum metric variance 1
Redistributing: eigrp 100,igrp 100
Automatic network summarization is in effect
Routing for Networks:
  172.16.0.0
Routing Information Sources:
  Gateway          Distance        Last Update
  172.16.3.1          90           00:01:19
Distance:internal 90 external 170
```

2) 使用扩展IP访问表阻塞从任何接口传出的172.16.4.0路由。

```
r2(config)#router eigrp 100
r2(config-router)#distribute-list 100 out
r2(config-router)#^Z
access-list 100 deny ip any 172.16.4.0 0.0.0.255
access-list 100 permit  ip any any
```

3) 使用标准IP访问表阻塞从Ethernet接口传出的172.16.4.0路由。

```
r2(config)#router eigrp 100
r2(config-router)#distribute-list 1 out
r2(config-router)#distribute-list 1 out Ethernet 0
r2(config-router)#^Z
access-list 1 deny 172.16.4.0 0.0.0.255
access-list 1 permit any
```

4) 使用扩展IP访问表阻塞从Ethernet接口传出的172.16.4.0路由。

```
r2(config)#router eigrp 100
r2(config-router)#distribute-list 1 out
r2(config-router)#distribute-list 1 out Ethernet 0
r2(config-router)#^Z
access-list 1 deny 172.16.4.0 0.0.0.255
access-list 1 permit any
```

命令：exit

作用：退出路由器配置模式，进入全局配置模式。

```
r2(config)#router eigrp 100
r2(config-router)#exit
r2(config)#
```

命令：help

作用：获得帮助。

```
r2(config)#router eigrp 100
r2(config-router)#help
```

```
Help may be requested at any point in a  command by entering a question mark'?'.lf
nothing matches,the help list will be empty and you must backup until entering a '?'
shows the available options.
```

Two styles of help are provided:

1. Full help is available when you are ready to enter a command argument(e.g.'show?')
   and describes each possible argument.
2. Partial help is provided when an abbreviated argument is entered and you want to
   know what arguments match the input (e.g.'show pr?'.)

命令：maximum-paths

作用：在多个路径上转发包。

EIGRP至多可以在六条不同的路径上分配通信量。更详细的说明请参看Traffic-share命令。

```
r2(config)#router eigrp 100
r2(config-router)#max
r2(config-router)#maximum-paths?
 <1-6>          Number of paths
r2(config-router)#maximum-paths 3?
 <cr>
```

命令：neighbor

作用：在无广播网络上指定一个邻居。

对于NBMA网络，例如X.25和帧中继，需要另外的配置信息以传播EIGRP路由更新。为了穿过帧中继层，EIGRP的更新需要使用neighbor命令。

命令：network

作用：用于通知IGRP宣告哪一个网络，从哪个接口宣告。在network命令中包含有IP地址的任何一个有效接口，都可用于发送和接收EIGRP路由更新。

命令：no

作用：用于否定配置的命令。

No命令用于取消以前的配置命令。例如，如果我们确定不宣告一个网络，删除分布表，或删除管理距离修改量，可使用no命令。

```
r1(config)#router eigrp 100
r1(config-router)#no network 172.16.0.0
r1(config-router)#no distribute-list 100 out
r1(config-router)#no distance 130
r1(config-router)#^Z
```

命令：passive-interface

作用：清除接口上的路由更新

passive-interface命令用于终止某一接口上发送或接收的路由更新，使用show ip protocols命令，可以显示那些被动配置的接口。

```
r1#show ip protocols
Routing Protocol is "eigrp 100"
  Outgoing update filter list for all interfaces is not set
  Incoming update filter list for all interfaces is not set
  Default networks flagged in outgoing updates
  Default networks accepted from incoming updates
  EIGRP metric weight K1=1,K2=0,K3=1,K4=0,K5=0
  EIGRP maximum hopcount 100
  EIGRP maximum metric variance 1
```

```
Redistributing eigrp 100
Automatic network summarization is in effect
Routing for Networks:
  172.16.0.0
Passive Interface(s):
  Ethernet0
Routing Information Sources:
  Gateway          Distance      Last Update
  (this router)         5         00:05:25
  172.16.3.2           90          00:05:18
  Distance:internal 90 external 170
```

因为EIGRP不能用广播形式发送路由更新，所以，passive-interface命令与neighbor 命令结合使用，将不允许EIGRP像RIP和IGRP那样接收路由更新。使一个接口成为被动接口，可以阻塞EIGRP呼叫协议，防止接口上建立的邻居关系。这将阻塞传入的路由更新，因为它们只对邻居发送。

命令：redistribute

作用：从另一个路由协议再分布信息。

本命令将在第13章中介绍。

命令：timers

作用：调整路由计时器。

EIGRP计时器可以通过使用show ip protocols命令进行查看。

```
r2(config)#router eigrp 100
r2(config-router)#timers?
  active-time EIGRP time limit for active state
r2(config-router)#timers active-time?
  <1-4294967295>        EIGRP active-state time limit in minutes
  disabled              disable EIGRP time limit for active state
  <cr>
r2(config-router)#timers active-time 100?
  <cr>
r2(config-router)#timers active-time disabled?
  <cr>
```

命令：traffic-share

作用：对另一个路由计算通信共享的算法.

对相同目标网络，在存在多条不同成本的路由时，traffic-share命令在不同路径之间如何分布包呢？通信共享有两种方式：平衡和最小。在平衡方式中，按照路由度量方法的比例来调整通信量。min traffic-share选项仅使用最小成本的路由。traffic-share的默认状态是平衡方式。

```
r2(config-router)#traffic-share?
  balanced      Share inversely proportional to metric
  min           All traffic shared among min metric paths

r2(config-router)#traffic-share balanced
```

or

r2(config-router)#traffic-share min?

命令: variance

作用: 控制操作平衡的误差。

在路由表上, EIGRP至多可以采用六条路由到相同的目标。到相同目标的多条路由如果其成本或度量方法通过了测试, 则将在路由表中安装。这将通过图10-5来说明。

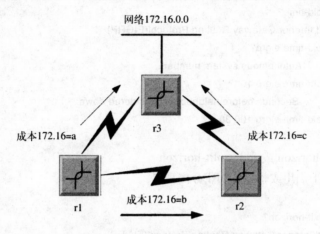

图10-5 EIGRP误差参数的说明

在图10-5中, 路由器r1有两条路由通往网络172.16.0.0。第一条路由是使用A 成本直接到路由器r2。第二条路由是使用B成本通过路由器r2。如果满足下面的两个条件, 则路由器R1将包括通过路由器r2的路由:

1) 如果成本A比成本C大。

2) 如果 (variance*A) >=B。

不用说, 我们不会改变误差的! 然而, 如有必要, 改变的命令是:

r2(config-router)#variance?

  <1-128>   Metric variance multiplier

r2(config-router)#variance 2?

  <cr>

10.2 EIGRP接口命令

命令: in-hello-interval eigrp

作用: 调整接口上的EIGRP呼叫协议的时间间隔。

默认: 对于NBMA网络, 是60秒。

      对于其他网络, 是5秒。

r1(config)#interface Ethernet 0

r1(config-if)#ip hello-interval?

  eigrp Enhanced Interior Gateway Routing Protocol(EIGRP)

r1(config-if)#ip hello-interval eigrp?

  <1-65535>   Autonomous system number

r1(config-if)#ip hello-interval eigrp 100?

  <1-65535>   Seconds between hello transmissions

r1(config-if)#ip hello-interval eigrp 100 10?
  <cr>

命令：ip hold-time eigrp

作用：调整接口上EIGRP的持续时间。

默认：对于NBAM网络，是180秒。

      对于其他网络，是15秒。

r1(config-if)#ip hold-time?
  eigrp Enhanced Interior Gateway Routing Protocol(EIGRP)

r1(config-if)#ip hold-time eigrp?
  <1-65535>   Autonomous system number

r1(config-if)#ip hold-time eigrp 100?
  <1-65535>   Seconds before neighbor is considered down

r1(config-if)#ip hold-time eigrp 100 30
  <cr>

命令：ip split-horizon 或no ip split-horizon

作用：在接口上启用或禁用EIGRP分离视界。

默认：启用。

r1(config-if)#ip split-horizon?
  eigrp Enhanced Interior Gateway Routing Protocol(EIGRP)
  <cr>

r1(config-if)#ip split-horizon eigrp?
  <1-65535>   Autonomous system number

r1(config-if)#ip split-horizon eigrp 100?
  <cr>

EIGRP show命令汇总

r1#show ip eigrp?
  neighbors IP-EIGRP Neighbors
  topology IP-EIGRP Topology Table
  traffic IP-EIGRP Traffic Statistics

r1#show ip eigrp neighbors?
  <1-65535>   AS Number
  Ethernet   Ethernet IEEE 802.3
  Loopback   Loopback interface
  Null   Null interface
  detail   Show detailed peer information
  <cr>

r1#show ip eigrp neighbors
IP-EIGRP Neighbors for process 100

H	Address	Interface	Hold (sec)	Uptime (ms)	SRTT (ms)	RTQ Cnt	Q Num	Seq
2	172.16.3.2	E0	14	00:41:26	4	20	0	21
1	172.16.2.1	Lo1	12	00:41:28	2	20	0	68

```
0      172.16.1.1     Lo0        12       00:41:28    2      20       0       67
```

HOLD——在声明宣布一个邻居下网络之前，EIGRP将等待的时间长度。

UPTIME——上次从邻居听到占用的时间量。

Q CNT——等待发送的包数。

SRTT——平滑的往返时间，也就是发送一个包给邻居，并接收到确认信息所需的时间。

RTO——重新传送的时间。

```
r1#show ip eigrp topology?
  <1-65535>          AS Number
  A.B.C.D            Network to display information about
  active             Show only active entries
  all-links          Show all links in topology table
  zero-successors    Show only zero successor entries
  <cr>


IP-EIGRP Topology Table for process 100
Codes:P-Passive,A-Active,U-Update,Q-Query,R-Reply,
  r-Reply status
P 172.16.4.0/24,1 successors,FD is 156160
  via 172.16.3.2(156160/128256),Ethernet0
P 172.16.5.0/24,1 successors,FD is 156160
  via 172.16.3.2(156160/128256),Ethernet0
P 172.16.1.0/24,1 successors,FD is 128256
  via Connected,Loopback0
P 172.16.2.0/24,1 successors,FD is 128256
  via Connected,Loopback1
P 172.16.3.0/24,1 successors,FD is 28160
  via Connected,Ethernet0


r1#show ip eigrp traffic
IP-EIGRP Traffic Statistics for process 100
  Hellos sent/received:4303/4899
  Updates sent/received:47/54
  Queries sent/received:11/10
  Replies sent/received:10/12
  Acks sent/received:67/63
```

10.3 EIGRP调试

我们使用图10-1中的网络来说明EIGRP调试命令。有多条命令可用于EIGRP的调试，下面列出了它们的汇总信息。

```
#debug ip eigrp?
  <1-65535>         AS number
  neighbor          IP-EIGRP neighbor debugging
  notifications     IP-EIGRP event notifications
  summary           IP-EIGRP summary route processing
```

```
  <cr>

r1#debug ip eigrp 100 ?
  A.B.C.D IP address
  <cr>

r1#debug ip eigrp 100 172.16.0.0?
  A.B.C.D IP mask
  <cr>

r1#debug ip eigrp 100 172.16.0.0 0.0.255.255?
  <cr>

r1#debug ip eigrp 100 172.16.0.0 0.0.255.255
IP Target enabled on AS 100 for 172.16.0.0 0xFFFF

r1#debug ip eigrp?
  <1-65535>      AS number
  neighbor       IP-EIGRP neighbor debugging
  notifications  IP-EIGRP event notifications
  summary        IP-EIGRP summary route processing
  <cr>

r1#debug ip eigrp nei
r1#debug ip eigrp neighbor?
  <1-65535>          AS number

r1#debug ip eigrp neighbor 100?
  A.B.C.D IP address

r1#debug ip eigrp neighbor 100 172.16.0.0 ?
  <cr>

r1#debug ip eigrp neighbor 100 172.16.0.0
IP Neighbor target enabled on AS 100 for 172.16.0.0

r1#debug ip eigrp?
  <1-65535>      AS number
  neighbor       IP-EIGRP neighbor debugging
  notifications  IP-EIGRP event notifications
  summary        IP-EIGRP summary route processing
  <cr>

r1#debug ip eigrp notifications?
  <cr>
```

```
r1#debug ip eigrp notifications
IP-EIGRP Event notification debugging is on

r1#debug ip eigrp?
  <1-65535>     AS number
  neighbor      IP-EIGRP neighbor debugging
  notifications IP-EIGRP event notifications
  summary       IP-EIGRP summary route processing
  <cr>

r1#debug ip eigrp summary?
  <cr>

r1#debug ip eigrp summary
IP-EIGRP Summary route processing debugging is on
```

10.4 小结

下面列出了重要的EIGRP命令，所有EIGRP命令都很重要，但你会发现下面这些比另一些更有用。

EIGRP命令:

1) router eigrp <process id>

2) network

3) redistribute（见第13章）

4) distribute-list（见第13章）

5) default-metric（见第13章）

6) passive-interface

7) offset-list

8) distance

9) maximum-paths

10) traffic-share

11) 所有其他EIGRP命令。

第11章 基本OSPF配置

在第6章我们介绍过，开放式最短路径优先（Open OSPF）是非常复杂的IP路由协议。为了设计和维护网络的有效性和坚固性，对于任何网络设计者来说，掌握OSPF的概念和属性都是非常必要的。本章几乎讨论了每一个路由器配置命令，只有那些在帧中继、X.25和ISDN网中为路由器重新分配和实现OSPF而使用的命令除外。本章没有涉及到的命令将要在第12章和第13章介绍。

11.1 OSPF

我们将从图11-1开始，来说明基本的OSPF配置命令。

Router r1 Configuration	Router r2 Configuration
hostname r1	hostname r2
enable password cisco	enable password cisco
interface Loopback0	interface Loopback0
ip address 172.16.1.1 255.255.255.0	ip address 172.16.4.1 255.255.255.0
interface Loopback1	interface Loopback1
ip address 172.16.2.1 255.255.255.0	ip address 172.16.5.1 255.255.255.0
interface Ethernet0	interface Ethernet0
ip address 172.16.3.1 255.255.255.0	ip address 172.16.3.2. 255.255.255.0

配置OSPF的第一步与那些已经探讨过的其他路由协议类似。OSPF 路由进程需要被启动，而且，需要告诉OSPF进程必须宣告哪些网络。因为OSPF是分层路由结构，所以，启动OSPF进程需要附加信息，而且，那些信息是区域参数。图11-1中的网络只用了一个区域，0区，也就是主干网。这将是基本OSPF配置的起点。

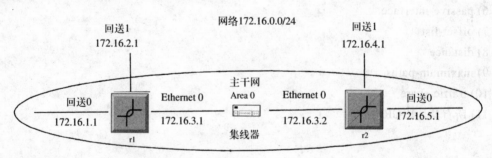

图11-1 基本OSPF网络配置示例

与IGRP和EIGRP相似，启动OSPF路由进程需要一个进程ID，而IGRP和EIGRP需要一个自治系统号（我们发现，这不是真正的自治系统号，它也正好是一个进程ID！）。不同的是，IGRP或EIGRP进程能与另一个IGRP或EIGRP进程通信，在初期配置路由进程时，自治系统号必须相同。为了OSPF进程能进行通信，OSPF进程ID 只有本地含义，不必与其他路由器上的OSPF进程ID相匹配。

　　r1#configure terminal

```
Enter configuration commands, one per line.End with CNTL/Z.
r1(config)#router ospf?
<1-65535>          Process ID
r1(config-router)#router ospf 10
r1(config-router)#^Z
```

OSPF路由进程必须指定范围在1-65535之间的进程ID。多个OSPF进程可以在同一个路由器上配置，但我们不推荐这样配置。多个OSPF进程需要多个OSPF数据库的副本，必须运行多个最短路径算法的副本。这将给路由器增加额外的负担。一般情况下，多个OSPF进程的运行完全是从策略上考虑的。如同争夺地盘一样，一组进程想控制一套路由器，而另外一组进程想控制另外一套路由器。这是一些组织的策略，但是，你的工作是使主管领导确信运行多个OSPF进程不是最有效的或最佳的解决办法。对于路由器r1，我们想宣告网络172.16.1.0,172.16.2.0和172.16.3.0。使用网络命令告诉OSPF在路由更新时宣告哪些网络，它比RIP，IGRP和EIGRP网络命令更明确。 RIP，IGRP和EIGRP网络命令仅允许输入一个主网号。OSPF网络命令由三部分组成，即网络号、网络掩码和网络所属的区域。这些命令组件允许在OSPF路由进程中涉及到的网络规范中采用多种格式 。第一种格式是应用带有网络掩码0.0.0.0接口的实际IP地址 。这个掩码叫做OSPF 通配位（wild-card），与访问表中的相似，它是网络掩码的反码。通配位里的0指的是匹配网络号中的对应位。应用这种格式，路由器r1的配置如下：

```
r1(config-router)#network?
A.B.C.D Network number
r1(config-fouter)#network 172.16.1.1?
A.B.C.D OSPF wild card bits
r1(config-fouter)#network 172.16.1.1 0.0.0.0?
area Set the OSPF area ID
r1(config-router)#network 172.16.1.1 0.0.0.0 area 0
  <0-4294967295>   OSPF area ID as a decimal value
  A.B.C.D        OSPF area ID in IP address format
or
r1(config-router)#network 172.16.1.1 0.0.0.0 area 0.0.0.0
```

注意，输入的网络区域ID可以是范围在0-4294967295内的十进制数,也可以是带有IP地址格式的数x.x.x.x。两种格式的优点是一样的，但是，采用十进制格式可以少键入字符。而且，十进制格式具有一个无符号32位数的IP地址范围，它的IP地址长度更精确，以位为单位。其余网络可以使用相似的格式输入，格式如下

```
r1（config-router）#network 172.16.2.1 0.0.0.0 area 0
r1（config-router）#network 172.16.3.1 0.0.0.0 area 0
```

应用这种格式，配置路由器r2：

```
router ospf 100
  network 172.16.3.2 0.0.0.0 area 0
  network 172.16.4.1 0.0.0.0 area 0
  network 172.16.5.1 0.0.0.0 area 0
```

现在，OSPF正在路由器r1和路由器r2上运行，可以通过列出路由表来进行验证。

```
r2#show ip route
Codes: C-connected, S-static, I-IGRP, R-RIP, M-mobile, B-BGP
```

D-EIGRP, EX-EIGRP external, **O-OSPF**, IA-OSPF inter area

N1-OSPF NSSA external type 1, N2-OSPF NSSA external type 2

EI-OSPF external type 1,E2-OSPF external type 2, E-EGP

i-IS-IS, L1-IS-IS level-1, L2-IS-IS level-2,*-candidate default

U-per-user static route, o-ODR

Gateway of last resort is not set

  172.16.0.0/16 is variably subnetted, 5 subnets, 2 masks

C 172.16.4.0/24 is directly connected, Loopback0

C 172.16.5.0/24 is directly connected Loopback1

O 172.16.1.1/32 [110/2]via 172.16.3.1,00:02:49,FastEthernet0/0

O 172.16.2.1/32 [110/2]via 172.16.3.1,00:02:49,FastEthernet0/0

C 172.16.3.0/24 is directly connected FastEthernet0/0

r1#show ip route

Codes: C-connected, S-static, I-IGRP, R-RIP, M-mobile, B-BGP

  D-EIGRP, EX-EIGRP external, **O-OSPF,** IA-OSPF inter area

  N1-OSPF NSSA external type 1, N2-OSPF NSSA external type 2

  EI-OSPF external type 1,E2-OSPF external type 2, E-EGP

  i-IS-IS, L1-IS-IS level-1, L2-IS-IS level-2,*-candidate default

  U-per-user static route, o-ODR

Gateway of last resort is not set

  172.16.0.0/16 is variably subnetted, 5 subnets, 2 masks

O 172.16.5.1/32 [110/2]via 172.16.3.2,00:03:40,FastEthernet8/1

O 172.16.4.1/32 [110/2]via 172.16.3.2,00:03:40,FastEthernet8/1

C 172.16.1.0/24 is directly connected, Loopback0

C 172.16.2.0/24 is directly connected Loopback1

C 172.16.3.0/24 is directly connected FastEthernet 8/1

注意，路由器r1和r2有三个直接连接的路由，及两个从OSPF获取的路由。路由表里的每项都包含下列信息：

1) 路由是如何获取的（C-直接连接；O-从OSPF获取的）。

2) 目标网络。

3) OSPF或直接连接的管理距离和路由成本[110/2]。

4) OSPF传送网络（通过172.16.3.1）。

5) 路由的时效-00:02:49，OSPF不定期地传送路由表。如果发生变化，将传送路由更新，使得OSPF成为比RIP和IGRP更"安静"的协议。从这个项可以看出这条路由自从上次更新以来又经过了多长时间。

6) 当向目标网络传送包时使用的接口。

OSPF网络的成本是通过用100,000,000除以网络带宽来计算的。快速Ethernet连接有一个100,000,000的带宽，这可以通过检测接口看出来。

r1#show interface fastEthernet8/1

FastEthernet8/1 is up, line protocol is up

  Hardware is cyBus FastEthernet Interface, address is 0000.0ca5.d402(bia 0000.0ca5.d402)

  Internet address is 172.16.3.1/24

  MTU 1500 bytes, **BW 100000 Kbit,** DLY 100 usec, rely 255/255, load 1/255

Encapsulation ARPA, loopback not set, keepalive set(10 sec)

Half-duplex, 100Mb/s, 100Base TX/FX

ARP type: ARPA, ARP Timeout 04:00:00

Last input 00:00:07, output 00:00:02, out put hang never

Last clearing of"show interface"counters never

Queueing strategy: fifo

Output queue 0/40, 0 drops; input queue 0/75, 0 drops

5 minute input rate 0 bits/sec, 0 packets/sec

5 minute output rate 0 bits/sec, 0 packets/sec

  27021 packets input, 2443141 bytes, 0 no buffer

  Received 14795 broadcasts, 0 runts, 0 giants, 0 throttles

  1 input errors, 1 CRC, 0 frame, 0 overrun, 0 ignored, 0 abort

  0 watchdog, 1 multicast

  0 input packets with dribble condition detected

  28489 packets output, 2502377 bytes, 0 underruns

  22 output errors, 1 collisions, 54 interface resets

  0 babbles, 0 late collision, 0 deferred

  22 lost carrier, 22 no carrier

  0 output buffer failures, 0 output buffers swapped out

带宽用于回送接口时值为80,000,000，请看下列代码：

r1#show interfaces loopback 0

Loopback0 is up, line protocol is up

  Hardware is Loopback

  Internet address is 172.16.1.1/24

  MTU 1514 bytes **BW 8000000 Kbit,** DLY 5000 usec, rely 255/255, load 1/255

  Encapsulation LOOPBACK, Loopback not set, keepalive set(10 sec)

  Last input 02:29:05, output never, output hang never

  Last clearing of "show interface"counters never

  Queueing strategy: fifo

  Output queue 0/0, 0 drops; input queue 0/75, 0 drops

  5 minute input rate 0 bits/sec, 0 packets/sec

  5 minute output rate 0 bits/sec, 0 packets/sec

   0 packets input, 0 bytes, 0 no buffer

   Received 0 broadcasts, 0 runts, 0 giants, 0 throttles

   0 input errors,0 CRC,0 frame, 0 overrun, 0 ignored, 0 abort

   5904 packets output, 0 bytes 0 underruns

   0 output errors, 0 collisions, 0 interface resets

   0 output buffer failures, 0 output buffers swapped out

在路由器r1(回送0)上，从路由器r2到网络172.16.1.0的成本或度量方法是，快速Ethernet接口与回送接口相加，将这个和再除以100,1000,000。

$$\frac{100,000,000+80,000,000}{100,000,000} = 1.8 \ 近似为2$$

网络命令的第二种格式是，输入网络以及通配位，这个通配位与接口上输入IP地址的格式相同，OSPF通配位是接口网络掩码的反码。利用这种格式，路由器配置如下：

```
Router r1 configuration
router ospf 100
    network 172.16.1.0 0.0.0.255 area 0
    network 172.16.2.0 0.0.0.255 area 0
    network 172.16.3.0 0.0.0.255 area 0


Router r 2configuration
router ospf 100
    network 172.16.30 0.0.0.255 area 0
    network 172.16.40 0.0.0.255 area 0
    network 172.16.50 0.0.0.255 area 0
```

通过检查路由器r1的路由表，可以看出，这种配置格式与第一种格式效果是一样的。

```
r1#show ip route
    172.16.0.0/16 is variably subnetted, 5 subnets, 2 masks
O   172.16.5.1/32[110/2]via 172.16.3.2,00:01:25,FastEthernet8/1
O   172.16.4.1/32[110/2]via 172.16.3.2,00:01:25,FastEthernet8/1
C   172.16.1.0/24 is directly connected,Loopback0
C   172.16.2.0/24 is directly connected,Loopback1
C   172.16.3.0/24 is directly connected,FastEthernet8/1
```

第三种网络命令格式几乎与RIP、IGRP和EIGRP使用的格式相同，只需输入一个主网号。对于图11-1中的网络，网络号是172.16.0.0，路由器r1和r2的OSPF配置将是相同的。

```
router ospf 100
    network 172.16.0.0 0.0.255.255 area 0
```

必须小心使用上述格式，因为 172.16.0.0 的所有子网都要放入区域0。如果使用上述命令后，想把网络172.16.1.0放入51区域，则路由器将阻止这种事情发生。

```
r1(config)#router ospf 100
r1(config-router)#net 172.16.0.0 0.0.255.255 area 0
r1(config-router)#net 172.16.1.0 0.0.0.255 area 51
```

%OSPF:"network 172.16.1.0 0.0.0.255 area 51"is ignored.It is subset of a previous entry.

第二个网络语句试图把网络172.16.1.0放入51区域，但是，这个网络已经被第一个网络命令放入了0区域。可以先把网络172.16.1.0放入51区域，然后，把172.16.0.0的其余子网放入0区域。

```
r1(config)#router ospf 100
r1(config-router)#net 172.16.1.0 0.0.0.255 area 51
r1(config-router)#net 172.16.0.0 0.0.255.255 area 0
```

尽管这种方法可行，但是，对于依赖于命令输入的顺序而以不同方式运作的命令格式，我建议不使用它。

最后一种格式使用分类内部域路由（Classes Inter-Domain Routing,CIDR）或超级网络。对于B类地址，正常的子网掩码是255.255.0.0。当作为一个标准子网掩码使用时，开始两个8位总是255.255。对于CIDR，我们能修改正常的掩码，而实际使用一个较小的掩码。例如，如果成对使用网络和通配位172.0.0.0/0.255.255.255，则OSPF将宣告属于B类家族172.x.x.x的每一个接口。

```
router ospf 100
network 172.0.0.0 0.255.255.255 area 0
```

这种格式与前面我们探讨过的两种格式有相同的效果，但它可能带来一些问题。如在路由器r1上增加另一个回送接口，如图11-2所示。

```
interface Loopback2
  ip address 172.17.6.1 255.255.255.0
```

不必为OSPF进程增加参数，就能使OSPF宣告这条路由。所使用的网络语句包含这个接口，所以，网络将被宣告。通过检查路由器r2的路由表，可以看到这些。

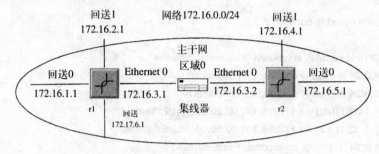

图11-2 多个OSPF进程用一个网络命令进行宣告

```
r2#show ip route
  172.16.0.0/16 is variably subnetted,5 subnets,2 masks
C  172.16.4.0/24 is directly connected,Loopback0
C  172.16.5.0/24 is directly connected,Loopback1
O  172.16.1.1/32[110/2]via 172.16.3.1,00:02:55,FastEthernet0/0
O  172.16.2.1/32[110/2]via 172.16.3.1,00:02:55,FastEthernet0/0
C  172.16.3.0/24 is directly connected,FastEthernet0/0
  172.17.0.0/32 is subnetted,1 subnets
O  172.17.6.1[110/2]via 172.16.3.1,00:02:55,FastEthernet0/0
```

网络172.17.6.0在哪一区域？如下网络命令：

```
network 172.0.0.0 0.255.255.255 area 0
```

将自动把172.17.6.0放入0区域。我们想把网络172.17.0.0放入不同的区域时，应当怎么办？如果我们不小心，这是网络命令格式给我们带来的问题。应用路由器r1上目前的配置，在OSPF路由器配置模式下使用下列网络语句：

```
r1(config-router)#network 172.17.6.0 0.0.0.255 area 1
r1(config-router)#
```

```
%OSPF: "network 172.17.6.0 0.0.0.255 area 1" is ignored. It is a subset of a previous entry.
```

发生了什么事？网络172.17.6.0 已经被第一个网络命令放进了0区域，所以，OSPF要忽略它。我们可以通过颠倒输入网络命令的顺序来解决这个问题。利用命令的no 格式来删除路由器r1上的OSPF网络项：

```
r1(config-router)#no network 172.0.0.0 0.255.255.255 area 0
```

现在，以相反的顺序输入网络命令：

```
r1(config-router)#network 172.17.6.0 0.0.0.255 area 1
r1(config-router)#network 172.0.0.0 0.255.255.255 area 0
```

现在，OSPF就很恰当了，因为我们在把其余的网络放入0区域之前，先把网络172.17.6.0

放入了1区域。如果检查路由器r2的路由表，我们可以发现表里有一个变化。

```
r2#show ip route
Codes:C-connected,S-static,I-IGRP,R-RIP,M-mobile,B-BGP
    D-EIGRP,EX-EIGRP external,O-OSPF,IA-OSPF inter area
    N1-OSPF NSSA external type 1, N2-OSPF NSSA external type2
    E1-OSPF external type 1, E2-OSPF external type 2, E-EGP
    i-IS-IS, L1-IS-IS level-1, L2-IS-IS level-2,*-candidate default
    U-per-user static route, 0-ODR

Gateway of last resort is not set

    172.16.0.0/16 is variably subnetted, 5 subnets, 2 masks
C   172.16.4.0/24 is directly connected, Loopback0
C   172.16.5.0/24 is directly connected, Loopback1
O   172.16.1.1/32[110/2] via 172.16.3.1, 00:00:00, FastEthernet0/0
O   172.16.2.1/32[110/2] via 172.16.3.1, 00:00:00, FastEthernet0/0
C   172.16.3.0/24 is directly connected, FastEthernet0/0
    172.17.0.0/32 is subnetted, 1 subnets
OIA 172.17.6.1 [110/2] via 172.16.3.1, 00:00:00, FastEthernet0/0
```

注意，网络172.17.6.0的项是一个内部区域(IA)路由。应该使用哪种格式呢？我们已发现，使用CIDR的最后一种格式相当不错，但是，也给我们带来一些问题。我们需要做的最后事情就是处理问题。我们要介绍的是与网络接口相同的使用格式，因为我们能精确地看到为OSPF配置什么网络，而且它不会引起任何混乱。

在图11-1的网络中，每一个接口都在0区域。在一个OSPF网络中，当正在使用一个区域时，任何有效的区域号都可以使用。当使用多个区域时，其中必须有一个0区域或主干区域。我们可以看到上述现象，方法是重新配置OSPF进程，以使1区域代替0区域，并通过检查路由表，来验证那个路由仍然出现。

```
Router r1 OSPF configuration
router ospf 100
    network 172.16.1.0 0.0.0.255 area 1
    network 172.16.2.0 0.0.0.255 area 1
    network 172.16.3.0 0.0.0.255 area 1
Router r2 OSPF configuration
router ospf 100
    network 172.16.3.0 0.0.0.255 area 0.0.0.1
    network 172.16.4.0 0.0.0.255 area 0.0.0.1
    network 172.16.5.0 0.0.0.255 area 0.0.0.1

r1#show ip route

O   172.16.5.1/32[110/2] via 172.16.3.2, 00:12:07, FastEthernet8/1
O   172.16.4.1/32[110/2] via 172.16.3.2, 00:12:07, FastEthernet8/1
C   172.16.1.0./24 is directly connected, Loopback0
C   172.16.2.0./24 is directly connected, Loopback1
```

```
C   172.16.3.0./24 is directly connected, FastEthernet8/1
r2#show ip route
C   172.16.4.0/24 is directly connected, Loopback0
C   172.16.5.0/24 is directly connected, Loopback1
O   172.16.1.1/32[110/2] via 172.16.3.1, 00:12:45, FastEthernet0/0
O   172.16.2.1/32[110/2] via 172.16.3.1, 00:12:45, FastEthernet0/0
C   172.16.3.0/24 is directly connected, FastEthernet0/0
```

如果子网掩码不相同，会怎样呢？假设路由器r1上有两个网络，Loopback 0和Loopback 1，每个网络不超过14台主机。我们能利用VLSM技术，通过使用28位网络掩码，把网络172.16.1.0再分为两个二级子网。如图11-3所示。

我们需要为路由器r1上的回送接口修改OSPF网络命令。首先，用网络命令的no格式从回送接口删除原来的网络命令：

```
r1(config)#router ospf 100
r1(config-router)#no network 172.16.1.0 0.0.0.255 area 1
r1(config-router)#no network 172.16.2.0 0.0.0.255 area 1
```

现在，为回送接口修改IP地址和子网掩码：

```
r1(config)#interface loopback 0
r1(config-if)#ip address 172.16.1.17 255.255.255.240
r1(config-if)#exit
r1(config)#interface loopback 1
r1(config-if)#ip address 172.16.1.33 255.255.255.240
r1)(config-if)#^Z
```

最后，使用OSPF网络命令向OSPF路由进程中增加回送：

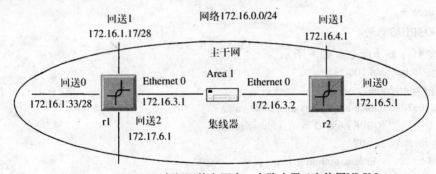

图11-3 OSPF——在相同的主网中，在路由器r1上使用VLSM

```
r1(config)#router ospf 100
r1(config-router)#network 172.16.1.16 0.0.0.15 area 1
r1(config-router)#network 172.16.1.32 0.0.0.15 area 1
r1(config-router)#^Z
```

注意，子网掩码255.255.255.240的反码是0.0.0.15。如果我们检查路由器r2的路由表，可以发现，新网络正在使用VLSM的同时，OSPF没有任何问题。事实上，我们看到，当使用OSPF时，用RIP、IGRP和EIGRP使用VLSM的所有情况都能正常工作。

```
r2#show ip route
    172.16.0.0/16 is variably subnetted, 5 subnets, 2 masks
O   172.16.1.33/32[110/2] via 172.16.3.1,00:00:49, FastEthernet0/0
```

O **172.16.1.17/32**[110/2] via 172.16.3.1,00:00:49, FastEthernet0/0
C 172.16.4.0/24 is directly connected, Loopback0
C 172.16.5.0/24 is directly connected, Loopback1
C 172.16.3 0/24 is directly connected, FastEthernet0/0

其他OSPF配置命令可以通过输入路由器配置模式和键入问号来进行查看。

r1(config)#router ospf 100

r1(config-router)#?

Router configuration commands:

area	OSPF area parameters
default-information	Control distribution of default information
default-metric	Set metric of redistributed routes
distance	Define an administrative distance
distribute-list	Filter networks in routing updates
exit	Exit from routing protocol configuration mode
help	Description of the interactive help system
maximum-paths	Forward packets over multiple paths
neighbor	Specify a neighbor router
network	Enable routing on an IP network
no	Negate a command or set its defaults
ospf	OSPF specific commands
passive-interface	Suppress routing updates on an interface
redistribute	Redistribute information from another routing protocol
summary-address	Configure IP address summaries
timers	Adjust routing timers

命令: area

作用: OSPF域参数。

area命令有许多子命令, 如下所示。

r1(config)#router ospf 100

r1(config-router)#area?

<0-4294967295>	OSPF area ID as a decimal value
A.B.C.D	OSPF area ID in IP address format

r1(config-router)#area 0?

authentication	Enable authentication
default-cost	Set the summary default-cost of a NSSA/stub area
nssa	Specify a NSSA area
range	Summarize routes matching address/mask(border routers only)
stub	Specify a stub area
virtual-link	Define a virtual link and its parameters

area命令为用第一个参数选择的特定区域提供参数, 区域ID既可以是十进制数, 也可以使用IP地址格式。现在, 我们讨论每个area命令。

命令:area

子命令:authentication

作用:为一个区域启用身份验证功能。

默认情况下, OSPF不使用区域身份验证。用下列两种方法之一可启用身份验证功能。

```
r1(config-router)#area 0 authentication?
  message-digest       Use message-digest authentication
  <cr>
```

第一种方法是用命令area 0 authentication，选择一个<cr>，来使用纯文本身份验证口令。传送的身份验证口令为纯文本，使它能够被网络探测器(sniffer)确定，所以，这种方法实际上不是很安全。使用身份验证时，区域里所有带有接口的路由器必须使用相同的身份验证方法。为启用纯文本身份验证，我们还必须在路由器接口配置模式下，为区域里的每个路由器接口配置口令。对于图11-1中的网络，我们将用口令cisco在0区域中使用简单的纯文本身份验证。

现在，使用纯文本口令cisco，能鉴别到路由器r1和路由器r2之间的链路状态信息的交换。

```
Router r1 configuration
interface FastEthernet8/1
  ip address 172.16.3.1 255.255.255.0
  ip ospf authentication-key cisco

router ospf 100
  network 172.16.1.0 0.0.0.255 area 0
  network 172.16.2.0 0.0.0.255 area 0
  network 172.16.3.0 0.0.0.255 area 0
  area 0 authentication
Router 2 configuration
interface FastEthernet0/0
  ip address 172.16.3.2 255.255.255.0
  ip ospf authentication-key cisco

router ospf 100
  network 172.16.3.0 0.0.0.255 area 0
  network 172.16.4.0 0.0.0.255 area 0
  network 172.16.5.0 0.0.0.255 area 0
  area 0 authentication
```

第二种方法是使用消息摘要（md5）身份验证。如果要使用身份验证，这是要优先考虑的方法，因为md5在传输身份验证口令之前，要对它进行加密。为md5配置身份验证如下所示。消息摘要关键字是一个范围在1~255之间的数，cisco是身份验证口令。

```
Router r1 configuration
interface FastEthernet8/1
  ip address 172.16.3.1 255.255.255.0
  ip ospf message-digest-key 1 md5 cisco
  !
router ospf 100
  network 172.16.3.0 0.0.0.255 area 0
  network 172.16.1.16 0.0.0.15 area 0
  network 172.16.1.32 0.0.0.15 area 0
  area 0 authentication message-digest

Router r2 configuration
```

```
interface FastEthernet0/0
  ip address 172.16.3.2 255.255.255.0
  ip ospf message-digest-key 1 md5 cisco

router ospf 100
  network 172.16.3.0 0.0.0.255 area 0
  network 172.16.4.0 0.0.0.255 area 0
  network 172.16.5.0 0.0.0.255 area 0
  area 0 authentication message-digest
```

像纯文本身份验证一样，区域里所有带有接口的路由器需要配置相同的身份验证方法、关键字及口令。通常，安全的作法是定期改变口令。如果是这种情况，当我们改变一个路由器上的身份验证关键字，但不改变其他路由器上的关键字，会怎么样呢？如果配置一个新关键字，路由器将要发送数据包的多个副本，一个带有以前的关键字，一个带有新关键字。这种情况将持续下去，一直到路由器检测到每个成员都使用新关键字为止，然后，只发送包的一个副本。这将给你提供用新关键字配置其他路由器的时间。我们可以用全局命令查看所使用的身份验证方法：

```
r1#show ip ospf interface f8/1.
FastEthernet8/1 is up, line protocol is up
  Internet Address 172.16.3.1/24, Area 0
  Process ID 100, Router ID 172.16.1.33, Network Type BROADCAST, Cost:1
  Transmit Delay is 1 sec, State BDR, Priority 1
  Designated Router(ID) 172.16.5.1, Interface address 172.16.3.2
  Backup Designated router(ID) 172.16.1.33, Interface address 172.16.3.1
  Timer intervals configured, Hello 10, Dead 40, Wait 40, Retransmit 5
    Hello due in 00:00:08
  Neighbor Count is 1, Adjacent neighbor count is 1
  Adjacent with neighbor 172.16.5.1(Designated Router)
  Suppress hello for 0 neighbor(s)
  Message digest authentication enabled
    Youngest key id is 1
```

如果我们在路由器r1上改变md5关键字和口令，但是，在路由器r2不改变，我们发现使用了两个关键字。

```
r1(config)#interface fastEthernet 8/1
r1(config-if)#ip ospf message-digest-key 2 md5 secret

r1#sh ip ospf int f8/1
  Message digest authentication enabled
    Youngest key id is 2
    Rollover in progress. 1 neighbor(s) using the old key(s):
```

紧接着，在路由器r2的快速Ethernet接口上应用新关键字。当用新关键字配置完所有路由器时，用命令的no格式从每个接口删除旧的关键字。

```
r1(config)#interface fastEthernet 8/1
r1(config-if)#no ip ospf message-digest-key 1 md5 cisco
```

命令：area

子命令：default-cost

作用:设置一个NSSA或存根区域的汇总路由默认成本。

OSPF存根区域（stub area）是具有一个出口点的区域，或者是具有多个出口点的区域，但这个区域的传出路由不必获得最短路径。这个命令用来设置被送到一个存根区域的默认汇总路由的成本。默认成本是1，可以用这个命令进行修改。

r1(config-router)#area 51 stub

r1(config-router)#area 51 default-cost?

  <0-16777215> Stub's advertised external route metric

r1(config-router)#area 51 default-cost 5?

  <cr>

命令:area

子命令:nssa

作用:指定一个NSSA区域。

NSSA区域类型已在第6章介绍。NASS区域的规范是使用如下命令实现的。

r1(config-router)#area 51 nssa?

  default-information-originate   Originate Type 7 default into NSSA area

  no-redistribution   No redistribution into this NSSA area

  no-summary   Do not send summary LSA into NSSA

  <cr>

子命令default-information-originate是可选的，用来生成一个类型7 LSA放入NSSA区域，而且，应只用在一个NSSA ABR上。如果你正重新分配路由，但又不想重新分配加入到NSSA区域的路由，则使用子命令no-redistribution。最后，子命令no-summary将防止汇总LSA加入到NSSA区域。

命令:area

子命令:range

作用:汇总与地址/掩码匹配的路由（只对边界路由器）。

要记住，区域范围命令只能用于区域边界路由器（ABR）上。区域边界路由器在多个区域上都有接口。图11-1中的网络只有一个区域，所以，没有一个路由器是区域边界路由器。我们能在非区域边界路由器上使用这条命令，但它没有什么效果。区域范围命令的用途是把进入一个区域的多条路由减少到一条路由。这个功能叫做路由汇总（route summarization）。例如，假设我们有两个网络，每个网络在网络200.16.10.0（C类）上最多带有30台主机。我们可以用一个28位的子网掩码来描述这些网络，并且能从下列子网里进行选择。

200.16.10.0（假设我们能用命令ip subnet-zero提供这个子网）

200.16.10.32

200.16.10.64

200.16.10.96

200.16.10.128

200.16.10.160

200.16.10.192

200.16.10.224

我们将选择网络200.16.10.32和200.16.10.64，在路由器r1 上，指定它们到回送2和回送3接口，并把它们添加到51区域中的OSPF进程里。

Router r1 configuration

```
interface Loopback2
  ip address 200.16.10.33 255.255.255.224
interface Loopback3
  ip address 200.16.10.65 255.255.255.224
router ospf 100
  network 172.16.3.0 0.0.0.255 area 0
  network 172.16.1.16 0.0.0.15 area 0
  network 172.16.1.32 0.0.0.15 area 0
  network 200.16.10.32 0.0.0.31 area 51
  network 200.16.10.64 0.0.0.31 area 51
```

现在，路由器r2的路由表里包含两条新路由。

```
r2#show ip route
O    172.16.1.33/32[110/2] via 172.16.3.1, 00:36:33, FastEthernet0/0
O    172.16.1.17/32[110/2] via 172.16.3.1, 00:36:33, FastEthernet0/0
C    172.16.4.0/24 is directly connected, Loopback0
C    172.16.5.0/24 is directly connected, Loopback1
C    172.16.3.0/24 is directly connected, FastEthernet0/0
     200.16.10.0/32 is subnetted, 2 subnets
O IA 200.16.10.65 [110/2] via 172.16.3.1, 00:01:46, FastEthernet0/0
O IA 200.16.10.33 [110/2] via 172.16.3.1, 00:01:56, FastEthernet0/0
```

我们真的需要这两条路由吗？到达这两个网络的路径是相同的，我们所需要的是到达网络200.16.10.0的一条路由，因为它将包含全部的两个子网。换句话说，我们想把这两条路由汇总到一条路由里。这用区域范围命令很容易作到。

```
r1(config-router)#area 51 range?
  A.B.C.D   IP address to match
r1(config-router)#area 51 range 200.16.10.0?
  A.B.C.D   IP mask for address
r1(config-router)#area 51 range 200.16.10.0 255.255.255.0?
  <cr>
r1(config-router)#area 51 range 200.16.10.0 255.255.255.0
```

区域范围命令的第一个参数是被汇总的区域，即51区域。后边的参数是包含两个子网的一对IP地址和掩码。掩码用的是用于网络接口的标准子网掩码格式。使用一对地址/掩码16.10.0/255.255.255.0，将使路由器r1宣告到达网络200.16.10.0的一条路由。如果检查路由器r2的路由表，我们能看见这条汇总路由。

```
r2#show ip route
O    172.16.1.33/32[110/2] via 172.16.3.1, 00:42:49, FastEthernet0/0
O    172.16.1.17/32[110/2] via 172.16.3.1, 00:42:49, FastEthernet0/0
C    172.16.4.0/24 is directly connected, Loopback0
C    172.16.5.0/24 is directly connected, Loopback1
C    172.16.3.0/24 is directly connected, FastEthernet0/0
O IA 200.16.10.0/24[110/2] via 172.16.3.1, 00:03:22, FastEthernet0/0
```

现在，路由200.16.10.32和200.16.10.64已经被汇总到一条路由200.16.10.0里了。这并不是最好的解决办法。试想一下，如果我们想把两个以上的200.16.10.0的子网放入不同区域的不同接口里，该怎么办呢？应用我们正使用的命令area range 不能做到这一点。例如，假设为我们的新网络选择网络200.16.10.96和200.16.10.160，并且把它们放入路由器r2上端连接的8区域，请试着做一下，并观察结果如何。

Router r2 configuration
```
interface Loopback2
  ip address 200.16.10.97 255.255.255 224
interface Loopback3
  ip address 200.16.10.129 255.255.255.224
router ospf 100
  network 172.16.3.0 0.0.0.255 area 0
  network 172.16.4.0 0.0.0.255 area 0
  network 172.16.5.0 0.0.0.255 area 0
  network 200.16.10.96 0.0.0.31 area 8
  network 200.16.10.160 0.0.0.31 area 8
  area 0 authentication message-digest
  area 8 range 200.16.10.0 255.255.255.0
```

如果检查路由器r1和r2的路由表，我们看不到到达新网络的路由。为什么呢？两个路由器都在宣告到达网络200.16.10.0的汇总路由。到达这个网络的最好路由是通过连接的路由器，因为它到达这个网络的成本较低。所以，路由器r1要忽略路由器r2的汇总宣告，而路由器r2要忽略路由器r1的汇总宣告。问题是，当我们选择网络号时，并不能方方面面都考虑周全。为了所有的路由都能通过两个路由器看到，我们需要用更精确的area range 命令。考虑这个问题的最好方法是检查网络200.16.10.0的子网的最后八位（h代表主机标志位）。

网络0 200.16.10.0 最后八位=0 0 0 h h h h h

网络1 200.16.10.32 最后八位=0 0 1 h h h h h

网络0 200.16.10.64 最后八位=0 1 0 h h h h h

网络0 200.16.10.96 最后八位=0 1 1 h h h h h

网络0 200.16.10.128 最后八位=1 0 0 h h h h h

网络0 200.16.10.160 最后八位=1 0 1 h h h h h

网络0 200.16.10.192 最后八位=1 1 0 h h h h h

网络0 200.16.10.224 最后八位=1 1 1 h h h h h

通过这个子网位样式表，我们能很容易地为区域范围命令选择如下的最佳一对网络/掩码。为想要汇总的网络列出子网掩码的位样式。第一对网络是：

200.16.10.32　　　0 0 1 h h h h h

200.16.10.64　　　0 1 0 h h h h h

命令range 必须"包括"在两个子网掩码之间的所有不同的位。考虑这个问题的另外一个办法是，假设那些位是不同的，而且是主机地址的一部分，如果的确如此，则确定子网掩码。这将给我们一个255.255.255.128的子网掩码。使用的IP地址是作为主机位将要用到的最低网络位地址。如果我们再次观察子网，可以看见子网中较低的两位正在变化，而最重要的位总是0。用于这些位样式的最低子网是200.16.10.0。

网络0 200.16.10.0 最后八位=**0 0 0** h h h h h 最低子网

网络1 200.16.10.32 最后八位=**0 0** 1 h h h h h

网络0 200.16.10.64 最后八位=**0** 1 0 h h h h h

网络0 200.16.10.96 最后八位=**0** 1 1 h h h h h

r1(config-router)#area 51 range 200.16.10.0 255.255.255.128

对于第二对网络:

200.16.10.96 0 1 1 h h h h h

200.16.10.160 1 0 1 h h h h h

因为左边的最高位不同,我们需要在主机部分中包含它们。因为所有子网的三个位都在发生变化,故用于这些位样式的最低子网也是200.16.10.0。

网络0 200.16.10.96 最后八位=0 1 1 h h h h h

网络0 200.16.10.128 最后八位=1 0 0 h h h h h

网络0 200.16.10.160 最后八位=1 0 1 h h h h h

网络0 200.16.10.192 最后八位=1 1 0 h h h h h

网络0 200.16.10.224 最后八位=1 1 1 h h h h h

然后,汇总命令为:

area 8 range 200.16.10.0 255. 255.255.0

r1#show ip route

C   172.16.1.32/28 is directly connected, Loopback1

C   172.16.1.16/28 is directly connected, Loopback0

O   172.16.5.1/32[110/2] via 172.16.3.2, 00:15:42, FastEthernet8/1

O   172.16.4.1/32[110/2] via 172.16.3.2, 00:15:42, FastEthernet8/1

C   172.16.3.0/24 is directly connected, FastEthernet8/1

    200.16.10.0/24 is variably subnetted, 3 subnets, 2 masks

C   200.16.10.64/27 is directly connected, Loopback3

O   **IA 200.16.10.0/24**[110/2] via 172.16.3.2, 00:15:42,FastEthernet8/1

C   200.16.10.32/27 is directly connected, Loopback2

r2#show ip route

O   172.16.1.33/32[110/2] via 172.16.3.1, 00:01:41, FastEthernet0/0

O   172.16.1.17/32[110/2] via 172.16.3.1, 00:01:41, FastEthernet0/0

C   172.16.4.0/24 is directly connected, Loopback0

C   172.16.5.0/24 is directly connected, Loopback1

C   172.16.3.0/24 is directly connected, FastEthernet 0/0

    200.16.10.0/24 is variably subnetted, 3 subnets, 2 masks

C   200.16.10 160/27 is directly connected, Loopback3

C   200.16.10 96/27 is directly connected, Loopback2

O   **IA 200.16.10.0/25**[110/2] via 172.16.3.1, 00:01:41, FastEthernet0/0

用我们已经选择的网络和范围仍然有一个问题。第一对网络200.16.10.32和200.16.10.64,实际上"用完了"网络。范围命令为:

r1(config-router)#area 51 range 200.16.10.0 255.255.255.128

汇总四个网络,200.16.10.0,10.32,10.64和10.96。网络10.96在路由器r2上,如果路由

器r1也汇总这条网络,那么,路由器r1怎么到达网络10.96呢?在这种情况下,可以使用最长匹配算法来解决问题。选择子网的最好办法是,选择在子网地址部分带有最少变化位号码的网络。例如,如下网络:

1) 网络0 200.16.10.0 最后八位=0 0 0 h h h h h
2) 网络1 200.16.10.32最后八位=0 0 1 h h h h h 1位

    从10.0变化而来

3) 网络0 200.16.10.64最后八位=0 1 0 h h h h h 2位

    从10.32变化而来

4) 网络0 200.16.10.96最后八位=0 1 1 h h h h h 1位

    从10.64变化而来

5) 网络0 200.16.10.128 最后八位=1 0 0 h h h h h 3位

    从10.96变化而来

6) 网络0 200.16.10.160 最后八位=1 0 1 h h h h h 1位

    从10.128变化而来

7) 网络0 200.16.10.192 最后八位=1 1 0 h h h h h 2位

    从10.160变化而来

8) 网络0 200.16.10.224最后八位=1 1 1 h h h h h 1位

    从10.192变化而来

如果我们需要两个网络,则成对使用1-2,3-4,5-6或7-8。如果我们需要四个网络,则选择1-4组或5-8组。如果需要一个奇数个网络,记住,我们正在以2的若干次幂(2,4,8等)进行汇总。所以,你能算出将有多少网络被浪费。如果我们需要三个网络,可以选择网络1,2和3,网络4在哪里也不能用。

命令range的另一个例子可能更合适。假设我们有B类地址156.26.0.0,而且需要12个子网,每个子网最多允许带3000台主机,这些子网将通过四个路由器进行扩展。确定子网和适当的range命令。假设每个路由器上的子网在同一个区域里,但是,在不同的路由器里,区域也不同。

对于3000台主机,我们需要12位用于主机的地址部分,4位用于子网部分。子网掩码将是255.255.240.0,可用的子网列表如下:

Group 1

    156.26.0.0   0 0 0 0 h h h h . h h h h h h h h   Lowest network address

    156.26.16.0 0 0 0 1 h h h h . h h h h h h h h

    156.26.32.0 0 0 1 0 h h h h . h h h h h h h h

    156.26.48.0 0 0 1 1 h h h h . h h h h h h h h

Group 2

    156.26.64.0 0 1 0 0 h h h h . h h h h h h h h   Lowest network address

    156.26.80.0 0 1 0 1 h h h h . h h h h h h h h

    156.26.96.0 0 1 1 0 h h h h . h h h h h h h h

    156.26.112.0 0 1 1 1 h h h h . h h h h h h h h

Group 3

    156.26.128.0 1 0 0 0 h h h h . h h h h h h h h   Lowest network address

    156.26.144.0 1 0 0 1 h h h h . h h h h h h h h

156.26.160.0 1 0 1 0 h h h h . h h h h h h h

156.26.176.0 1 0 1 1 h h h h . h h h h h h h

Group 4

156.26.192.0 1 1 0 0 h h h h . h h h h h h h h   Lowest network address

156.26.208 0 1 1 0 1 h h h h . h h h h h h h

156.26.224.0 1 1 1 0 h h h h . h h h h h h h

156.26.240.0 1 1 1 1 h h h h . h h h h h h h

对于4个路由器和12个子网的情况，每台路由器需要3个子网。我们可以使用上述4组，每组里使用3个网络。对于第一组，子网掩码至少有2个重要位在变化，所以，它们需要在range命令里通过子网掩码来表示。这2位将被传送到网络地址的主机部分，所以，子网掩码将变为255.255.192.0，范围命令是area 1 range 156.26.0.0 255.255.192.0。

对于第二组，有与第一组相同的2位在变化，所以子网掩码也将相同。但是，网络将是26.64.0，是组里最低的一个。与之关联的范围命令为area 2 range 156.26.64.0 255.255.192.0。

对于第三组和第四组，因为只有较低的2位子网掩码在变化，所以，仍与第一组和第二组有相同的子网掩码，它们的区域范围命令是area 3 range 156.26.128.0和area 4 range 255.255.192.0。

我们可以通过用第一组配置路由器r1和用第二组配置路由器r2，来检查这个例子的一部分情况。

Router r1 configuration

interface Loopback0

  ip address 156.26.0.1 255.255.240.0

interface Loopback1

  ip address 156.26.16.1 255.255.240.0

interface Loopback2

  ip address 156.26.32.1 255.255.240.0

interface FastEthernet8/1

  ip address 172.16.3.1 255.255.255.0

  ip ospf message-digest-key 1 md5 cisco

  ip ospf message-digest-key 2 md5 secret

router ospf 100

  network 172.16.3.0 0.0.0.255 area 0

  network 156 26.0.00.0.15.255 area 1

  network 156.26 16.0 0.0.15 255 area 1

  network 156.26.32.0 0.0.15.255 area 1

  area 0 authentication message-digest

Router r2 configuration

interface Loopback0

  ip address 156.26.64.1 255.255.240.0

interface Loopback1

```
   ip address 156.26.80.1 255.255.240.0

interface Loopback2
   ip address 156.26.96.1 255.255.240.0

interface FastEthernet0/0
   ip address 172.16.3.2 255.255.255.0
   ip ospf message-digest-key 1 md5 cisco
   ip ospf message-digest-key 2 md5 secret

router ospf 100
   network 172.16.3.0 0.0.0.255 area 0
   network 156.26.64.0 0.0.15.255 area 2
   network 156.26.80.0 0.0.15.255 area 2
   network 156.26.96.0 0.0.15.255 area 2
   area 0 authentication message-digest
```

在使用range命令之前，可以ping所有回送接口，检查一下路由是否在路由表里。

```
r1#show ip route
   156.26.0.0/16 is variably subnetted,6 subnets,2 masks
C   156.26.0.0/20 is directly connected, Loopback0
C   156.26.16.0/20 is directly connected, Loopback1
C   156.26.32.0/20 is directly connected, Loopback2
O   IA 156.26.64.1/32[110/2]via 172.16.3.2, 00:04:16, FastEthernet8/1
O   IA 156.26.80.1/32[110/2]via 172.16.3.2, 00:04:06, FastEthernet8/1
O   IA 156.26.96.1/32[110/2]via 172.16.3.2, 00:04:06, FastEthernet8/1
   172.16.0.0/24 is subnetted, 1 subnets
C   172.16.3.0 is directly connected, FastEthernet8/1


r2#show ip route
   156.26.0.0/16 is variably subnetted, 6 subnets, 2 masks
O   IA 156.26.0.1/32[110/2]via 172.16.3.1, 00:02:26, FastEthernet0/0
O   IA 156.26.16.1/32[110/2]via 172.16.3.1, 00:02:26, FastEthernet0/0
O   IA 156.26.32.1/32[110/2]via 172.16.3.1, 00:02:26, FastEthernet0/0
C   156.26.64.0/20 is directly connected, Loopback0
C   156.26.80.0/20 is directly connected, Loopback1
C   156.26.96.0/20 is directly connected, Loopback2
   172.16.0.0/24 is subnetted, 1 subnets
C   172.16.3.0 is directly connected, FastEthernet0/0
```

现在，在路由器r1和r2上增加区域范围命令，然后，检查路由表，看一下是否汇总成功（有问题吗？）。

```
r1(config)#router ospf 100
r1(config-router)#area 1 range 156.26.0.0 255.255.192.0

r2(config)#router ospf 100
r2(config-router)#area 2 range 156.26.64.0 255.255.192.0
```

```
rl#show ip route
   156.26.0.0/16 is variably subnetted, 4 subnets, 2 masks
C   156.26.0.0/20 is directly connected, Loopback0
C   156.26.16.0/20 is directly connected, Loopback1
C   156.26.32.0/20 is directly connected, Loopback2
O   IA 156.26.64.0/18[110/2]via 172.16.3.2, 00:02:01, FastEthernet8/1
   172.16.0.0/24 is subnetted, 1 subnets
C   172.16.3.0 is directly connected, FastEthernet8/1
```

```
r2#show ip route
   156.26.0.0/16 is variably subnetted, 4 subnets, 2 masks
O   IA 156.26.0.0/18[110/2] via 172.16.3.1, 00:00:07, FastEthernet0/0
C   156.26.64.0/20 is directly connected, Loopback0
C   156.26.80.0/20 is directly connected, Loopback1
C   156.26.96.0/20 is directly connected, Loopback2
   172.16.0.0/24 is subnetted, 1 subnets
C   172.16.3.0 is directly connected, FastEthernet0/0
```

命令:area

子命令:stub

作用:指定一个存根区域。

这条命令用来定义一个区域为存根区域。一个存根区域上的所有路由器必须使用此命令进行配置。

```
r1(config-router)#area 1 stub?
   no-summary Do not send summary LSA into stub area
   <cr>
```

第一种格式是area 1 stub，把区域配置成一个存根区域。第二种格式是area 1 stub no-summary，通过阻止ABR把类型3 LSA（汇总LSA）传送到区域里，来减少送进区域里的通信量。

命令:area

子命令:virtual-link

作用:定义一个虚拟链路和它的参数。

所有非主干（非0）区域必须与主干相连。如果主干变成独立的，或一个区域不能与主干区域进行物理连接时，就需要一个虚拟链路（图11-4）。命令格式是:

Area<transit area id>virtual-link<remote router ID>.

transit area(传送区域)是指正在与主干区域或非主干区域相连接的区域，或正与两个断开的主干区域连接的区域。在图11-4中，传送区域是51区域。路由器ID是分配给路由器的最高IP地址，或者使用了回送（应该使用）时，路由器的ID就是最高回送地址。创建虚拟链路的命令是:

路由器r1: area 51 virtual-link 172.16.60.1

路由器r2: area 51 virtual-link 172.16.30.1

virtual-link命令有附加的子命令，将在OSPF接口命令部分讨论它们。

```
r1(config-router)#area 1 virtual-link 1.2.3.4?
   authentication-key    Set authentication key
   dead-interval         Dead router detection time
   hello-interval        Hello packet interval
   message-digest-key    Set message digest key
   retransmit-interval   LSA retransmit interval
   transmit-delay        LSA transmission delay
   <cr>
```

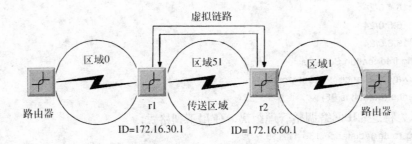

图11-4 需要虚拟链路的OSPF网络

命令：default-information

作用：控制默认信息的分布。

这条命令在第13章中讲到。

命令:default-metric

作用：一个路由器可以运行多个IP路由协议（RIP，IGRP，EIGRP或OSPF）。每个路由协议有不同的度量方法；如RIP有跳跃计数，OSPF有无维成本，IGRP和EIGRP的成本以5种度量方法为基础。当从一个路由协议向另一个协议插入路由时，需要从一个路由协议向另一个路由协议转换度量方法。命令default-metric用于完成这个转换。这一点将在第13章中详细介绍。

命令：distance

作用：用于调整路由的管理距离。

```
r2(config)#router ospf 100
r2(config-router)#distance?
   <1-255>   Administrative distance
   ospf      OSPF distance
```

第一种格式是在1-255的范围内输入一个管理距离。OSPF的默认管理距离是110。当在一个路由器上激活多个路由协议时，需使用管理距离。例如，如果我们正运行IGRP和OSPF协议，并且每个协议有一条到达同一网络的路由，则IGRP的路由将是首选路由，因为和OSPF（110）的管理距离相比，IGRP的管理距离（100）较短。我们可以通过设定比IGRP 小的管理距离，来强制这条IGRP路由不被选择。

```
r2(config-router)#distance 95?
   A. B.C.D  IP Source address
   <cr>
```

选择<cr>将把输入的数字设定为从OSPF得到的所有路由的管理距离。在这里是95。可以通过检查IP路由表看到这一点。

```
r2#show ip protocols
Routing Protocol is "ospf 100"
  Sending updates every 0 seconds
  Invalid after 0 seconds, hold down 0, flushed after 0
  Outgoing update filter list for all interfaces is not set
  Incoming update filter list for all interfaces is not set
  Redistributing:ospf 100
  Routing for Networks:
    172.16.4.0/24
    172.16.5.0/24
    172.16.3.0/24
  Routing Information Sources:
    Gateway   Distance    Last Update
    Distance:(default is 95)
```

如果想为特定的IP网络调整管理距离，使用下列格式：

```
r2(config-router)#distance 130 172.16.0.0?
  A.B.C.D IP          address mask
r2(config-router)#distance 95 172.16.0.0 0.0.255.255?
  <1-99>              IP Standard access list number
```

注意，IP地址掩码是用于子网掩码的IP地址掩码的"反码"。这与第7章讨论的IP访问表的格式相同。我们可以选择那些能通过使用IP访问表来修改管理距离的路由。假设想把到72.16.1.0的路由的管理距离变为95，但是，又不影响到达172.16.2.0的路由。首先我们应使用OSPF命令：

```
r2(config-router)#distance 95 172.16.0.0 0.0.255.255?
  <1-99>   IP Standard access list number
r2(config-router)#distance 95 172.16.0.0 0.0.255.255 1?
  <cr>
r2(config-router)#distance 95 172.16.0.0 0.0.255.255 1
r2(config-router)#^Z
```

最后一步是创建一个IP访问表，用来通知OSPF调整172.16.1.0的管理距离，而把172.16.2.0的管理距离设为110。可以看到，不使用访问表，但使用上述distance 命令，所有为172.16.0.0获取的路由都将把管理距离设为95。这是默认行为。

只有在需要调整唯一一条到达172.16.1.0的路由时，才需要访问表。

```
r2(config)#access-list 1?
  deny       Specify packets to reject
  permit     Specify packets to forward
r2(config)#access-list 1 permit?
  Hostname or A.B.C.D Address to match
  any        Any source host
  host       A single host address
r2(config)#access-list 1 permit 172.16.1.0 0.0.0.225?
  <cr>
r2(config)#access-list 1 permit 172.16.1.0 0.0.0.225
r2(config)#^Z
```

注意，我们不必在访问表的末尾使用permit any语句。正常的IP访问表总是有一个隐含deny any（否定）语句作为最后一条语句。在这种情况下的确如此，但是，管理距离只对那些具有一个匹配的许可语句的路由有影响，所以，在这种情况下，访问表里的隐含否定语句无效。新的IP协议列表包含：

```
r2#show ip protocols
Routing Protocol is "ospf 100"
  Sending updates every 0 seconds
  Invalid after 0 seconds, hold down 0, flushed after 0
  Outgoing update filter list for all interfaces is not set
  Incoming update filter list for all interfaces is not set
  Redistributing:ospf 100
  Routing for Networks:
    172.16.1.0/24
    172.16.2.0/24
    172.16.3.0/24
  Routing Information Sources:
    Gateway       Distance      Last Update
  Distance:(default is 110)
    Address        Wild mask    Distance   List
    172.16.1.0     0.0.0.255      95         1
```

利用命令distance的另一种格式，可以调整区域外部，区域之间或区域内部路由中的任何一条路由的距离。

```
r1(config-router)#distance ospf?
  external      External type 5 and type 7 routes
  inter-area    Inter-area routes
  intra-area    Intra-area routes

r1(config-router)#distance ospf external?
  <1-255>      Distance for external type 5 and type 7 routes

r1(config-router)#distance ospf inter-area?
  <1-255>      Distance for inter-area routes

r1(config-router)#distance ospf intra-area ?
  <1-255>      Distance for intra-area routes
```

命令:distribute-list

作用:用来过滤传入或传出的路由更新。

如我们在RIP、IDRP和EIGRP看到的一样，分布表用来从传入或传出的路由更新中删除路由。命令distribute-list在OSPF协议中无效，所以不应使用。你能想出为什么吗？OSPF路由器交换链路状态，而不是路由。路由从链路状态信息里得到，并且，区域里的每个路由器都有一个相同的链路数据库。所以，没有任何路由要阻塞。如果需要，它们可以从链路状态数据库里重新生成。

命令:exit

作用:退出路由器配置模式，并且进入全局配置模式。

r2(config)#router ospf 100

r2(config-router)#exit

r2(config)#

命令:help

作用:获得帮助

r2(config)#router ospf 100

r2(config-router)#help

Help may be requested at any point in a command by entering a question mark '?'. If nothing matches, the help list will be empty and you must backup until entering a '?' shows the available options.

Two styles of help are provided:

1. Full help is available when you are ready to enter a command argument (e.g.'show?')and describes each possible argument.

2. Partial help is provided when an abbreviated argument is entered and you want to know what arguments match the input(e.g.'show pr?'.)

命令:maximum-paths

作用:通过多条路径运送邮件。

OSPF能在多达六个不同的路径中分布通信量。

r2(config)#router ospf 100

r2(config-router)#maximum-paths?

   <1-6>   Number of paths

r2(config-router)#maximum-paths 3?

   <cr>

命令:neighbor

作用:在非广播网络中指定一个邻居。

对NBMA网络，例如X.25和帧中继，添加配置信息需要传播OSPF LSA，可以用命令neighbor，以便OSPF LSA能穿过一个帧中继层或X.25层。这条命令可以被OSPF接口命令所取代，这个接口命令我们在第12章介绍。

命令:network

作用:通知OSPF宣告哪些网络，从哪一个接口宣告。任何激活的接口都有一个包含在网络命令里的IP地址，这个IP地址将用来发送或接收OSPF链路状态信息。

命令:no

作用:取消配置命令。

命令no用于取消以前的配置命令。

r1(config)#router ospf 100

r1(config-router)#no network 172.16.1.0 0.0.0.255 area 1

命令:ospf

作用:OSPF专用命令。

OSPF专用命令的格式通过以下例子给出。

r1(config-router)#ospf?

   auto-cost   Calculate OSPF interface cost according to bandwidth

   ignore   Do not complain about specific event

   log-adjacency-changes   Log changes in adjacency state

```
r1(config-router)#ospf auto-cost?
  reference-bandwidth          Use reference bandwidth method to assign OSPF cost
  <cr>


r1(config-router)#ospf auto-cost reference-bandwidth?
  <1-4294967>                  The reference bandwidth in terms of Mbits per second


r1(config-router)#ospf auto-cost reference-bandwidth 10?


r1(config-router)#ospf ignore?
  lsa Do not complain upon receiving LSA of the specified type


r1(config-router)#ospf ignore lsa?
  mospf MOSPF Type 6 LSA


r1(config-router)#ospf ignore lsa mospf?
  <cr>


r1(config-router)#ospf log-adjacency-changes?
  <cr>
```

命令auto-cost确定OSPF 如何为路由器接口计算默认的度量方法。我们知道，默认值是100,000,000，可以用这条命令进行改变。例如，如果把参考带宽改为1,000,000，那么，快速Ethernet接口的成本将从1增加到10，如下所示。

```
r1(config-router)#ospf auto-cost reference-bandwidth?
  <1-4294967>                  The reference bandwidth in terms of Mbits per second


r1(config-router)#ospf auto-cost reference-bandwidth 1000
%OSPF: Reference bandwidth is changed.
  Please ensure reference bandwidth is consistent across all routers.


r1#show ip ospf interface fastEthernet 8/1
FastEthernet8/1 is up, line protocol is up
  Internet Address 172.16.3.1/24, Area 0
  Process ID 100, Router ID 172.16.2.1,Network Type BROADCAST, Cost:10
  Transmit Delay is 1 sec, State BDR, Priority 2
  Designated Router(ID)172.16.5.1, Interface address 172.16.3.2
  Backup Designated router(ID) 172.16.2.1, Interface address 172.16.3.1
  Timer intervals configured, Hello 10, Dead 40, Wait 40, Retransmit 5
    Hello due in 00:00:07
  Neighbor Count is 1, Adjacent neighbor count is 1
    Adjacent with neighbor 172.16.5.1 (Designated Router)
  Suppress hello for 0 neighbor(s)
```

接口命令ip ospf cost将取代auto-cost router ospf命令。

```
r1(config)#interface fastEthernet 8/1
```

```
r1(config-if)#ip ospf cost 1
r1#show ip ospf interface fastEthernet8/1
FastEthernet8/1 is up, line protocol is up
   Internet Address 172.16.3.1/24, Area 0
   Process ID 100, Router ID 172.16.2.1, Network Type BROADCAST, Cost:1
   Transmit Delay is 1 sec, State BDR, Priority 2
   Designated Router(ID) 172.16.5.1, Interface address 172.16.3.2
   Backup Designated router (ID) 172.16.2.1, Interface address 172.16.3.1
   Timer intervals configured, Hello 10, Dead 40, Wait 40, Retransmit 5
      Hello due in 00:00:06
   Neighbor Count is 1, Adjacent neighbor count is 1
      Adjacent with neighbor 172.16.5.1(Designated Router)
   Suppress hello for 0 neighbor(s)
```

当邻居网络状态发生变化时，子命令ospf log-adj-changes将向控制台屏幕发送信息。为测试这一特性，在路由器r2上关掉Ethernet接口，看看发生了什么？

```
r1(config-router)#ospf log-adjacency-changes

r2(config)#interface fastEthernet 0/0
r2(config-if)#shut
r2(config-if)#
%LINEPROTO-5-UPDOWN: Line protocol on Interface FastEthernet0/0, changed state to down
%LINK-5-CHANGED: Interface FastEtherner0/0, changed state to administratively down
```

Router r1 console output

```
%OSPF-5-ADJCHG: Process 100, Nbr 172.16.5.1 on FastEthernet8/1 from FULL to
DOWN, Neighbor Down
```

现在，在路由器r2上重新使Ethernet接口可用，并且，观察路由器r1和r2如何形成邻接的关系：

```
r2(config-if)#no shut
r2(config-if)#
%LINEPROTO-5-UPDOWN:Line protocol on Interface FastEthernet0/0, changed state
   to up
%LINK-3-UPDOWN: Interface FastEtherner0/0, changed state to up
```

Router r1 console output

```
%OSPF-5-ADJCHG: Process 100, Nbr 172.16.5.1 on FastEthernet8/1 from DOWN to
   INIT,
Received Hello
%OSPF-5-ADJCHG: Process 100, Nbr 172.16.5.1 on FastEthernet8/1 from INIT to 2WAY,
   2-Way Received
%OSPF-5-ADJCHG: Process 100, Nbr 172.16.5.1 on FastEthernet8/1 from 2WAY to EX-
   START, AdjOK?
%OSPF-5-ADJCHG: Process 100, Nbr 172.16.5.1 on FastEthernet8/1 from EXSTART to
   EXCHANGE, Negotiation Done
%OSPF-5-ADJCHG: Process 100, Nbr 172.16.5.1 on FastEthernet8/1 from EXCHANGE to
```

LOADLNG, Exchange Done

%OSPF-5-ADJCHG: Process 100, Nbr 172.16.5.1 on FastEthernet8/1 from LOADING to

FULL,Loading Done

最后一条OSPF子命令用来忽略MOSPF的类型6 LSA。

r1(config-router)#ospf ignore?

　Isa　　　　　Do not complain upon receiving LSA of the specified type

r1(config-router)#ospf ignore Isa?

　mospf MOSPF Type 6 LSA

r1(config-router)#ospf ignore Isa mospf?

<cr>

命令:passive-interface

作用:在一个接口上禁止路由更新。

命令passive-interface在一个接口上停止路由更新信息的发送或接收（处理）。可以用命令
show ip protocols看到配置的无源接口。

r1#show ip protocols

Routing Protocol is "ospf 100"

Sending updates every 0 seconds

Invalid after 0 seconds, hold down 0, flushed after 0

Outgoing update filter list for all interfaces is not set

Incoming update filter list for all interfaces is not set

Redistributing: ospf 100

Routing for Networks:

　172.16.1.0/24

　172.16.2.0/24

　172.16.3.0/24

Passive Interface(s):

　Loopback 0

Routing Information Sources:

　Gateway　　　Distance　Last Update

　172.16.5.1　　110　　　　00:09:18

Distance:(default is 110)

如在RIP和IGRP中看到的一样，因为OSPF不是作为广播来发送路由更新，命令passive-
interface与命令neighbor一起使用，将不允许OSPF接收路由更新。使接口成为无源接口，将阻
塞OSPF呼叫协议，禁止在接口上建立起来的邻居关系。这将阻塞传入的路由更新，因为这些
传入路由更新只发送到邻居网络。使用OSPF时，不需要使用无源接口，因为我们不输入接口
的网络命令，就可以使这个接口的OSPF不起作用。RIP、IGRP和EIGRP不能做到这一点，因
为我们用网络命令只能输入主网号。

命令:redistribute

作用:从另外一个路由协议里重新分配信息。

这条命令将在第13章中介绍。

命令:summary-address

作用:配置IP地址汇总。

命令:summary-address用于外部路由汇总，这些外部路由指的是通过重新分布而插入到OSPF中的外部路由。这个问题将在第13章介绍。

命令:timers

作用:调整路由计时器。

OSPF计时器的值可以通过使用全局命令show ip ospf 100看到。

r1#show ip ospf 100

   Routing Process"ospf 100"with ID 172.16.2.1

   Supports only single TOS(TOS0) routes

   SPF schedule delay 5 secs, Hold time between two SPFs 10 secs

   Number of DCbitless external LSA 0

   Number of DoNotAge external LSA 0

   Number of areas in this router is 1. 1 normal 0 stub 0 nssa

   Area BACKBONE(0)

      Number of interfaces in this area is 3

      Area has no authentication

      SPF algorithm executed 4 times

      Area ranges are

      Link State Update Interval is 00:30:00 and due in 00:11:09

      Link State Age Interval is 00:20:00 and due in 00:01:08

      Number of DCbitless LSA 0

      Number of indication LSA 0

      Number of DoNotAge LSA 0

使用timers命令，可以修改两个OSPF计时器的值。

r1(config)#router ospf 100

r1(config-router)#timers?

  spf OSPF SPF timers

r1(config-router)#timers spf?

  <0-4294967295>   Delay between receiving a change to SPF calculation

r1(config-router)#timers spf 7?

  <0-4294967295>   Hold time between consecutive SPF calculations

r1(config-router)#timers spf 7 13?

  <cr>

r1(config-router)#timers spf 7 13

rl#show is ospf 100

   Routing Process"ospf 100"with ID 172.16.2.1

   Supports only single TOS(TOS0)routes

   PF schedule delay 7 secs, Hold time between two SPFs 13 secs

   Number of DCbitless external LSA 0

   Number of DoNotAge external LSA 0

   Number of areas in this router is 1.1 normal 0 stub 0 nssa

```
Area BACKBONE(0)
    Number of interfaces in this area is 3
    Area has no authentication
    SPF algorithm executed 4 times
    Area ranges are
    Link State Update Interval is 00:30:00 and due in 00:06:46
    Link State Age Interval is 00:20:00 and due in 00:16:45
    Number of DCbitless LSA 0
    Number of indication LSA 0
    Number of DoNotAge LSA 0
```

11.2　OSPF接口命令

接口可用的OSPF命令如下所示:

```
rl(config)#interface fastEthernet 8/1
rl(config-if)#ip ospf?
    authentication-key      Authentication password(key)
    cost                    Interface cost
    dead-interval           Interval after which a neighbor is declared dead
    demand-circuit          OSPF demand circuit
    hello-interval          Time between HELLO packets
    message-digest-key      Message digest authentication password(key)
    network                 Network type
    priority                Router priority
    retransmit-interval     Time between retransmitting lost link state advertisements
    transmit-delay          Link state transmit delay
```

命令:authentication password（key）

作用:适用于接口的纯文本身份验证。

在讨论区域身份验证路由器配置命令时，我们介绍了这条命令。

命令:cost

作用:改变接口OSPF的成本。

接口的默认成本是100,000,000 除以接口的带宽。对于快速Ethernet接口，成本是1，使用全局命令可以看到。

```
rl#show ip ospf interface fastEthernet 8/1
FastEthernet8/1 is up, line protocol is up
    Internet Address 172.16.3.1/24, Area 0
    Process ID 100, Router ID 172.16.2.1, Network Type BROADCAST, Cost: 1
    Transmit Delay is 1 sec, State BDR, Priority 1
    Designated Router(ID)172.16.5.1, Interface address 172.16.3.2
    Backup Designated router(ID)172.16.2.1, Interface address 172.16.3.1
    Timer intervals configured, Hello 10, Dead 40, Wait 40, Retransmit 5
    Hello due in 00:00:00
Neighbor Count is 1, Adjacent neighbor count is 1
    Adjacent with neighbor 172.16.5.1(Designated Router)
```

Suppress hello for 0 neighbor(s)

可以使用接口命令ip ospf cost修改接口成本。例如，如果想把快速Ethernet接口成本改为2，可以使用：

r1(config)#interface fastEthernet 8/1

r1(config-if)#ip ospf cost?

  <1-65535>　　　Cost

r1(config-if)#ip ospf cost 2?

  <cr>

使用OSPF接口列表，可以查看新的成本。

rl#show ip ospf interface fastEthernet 8/1

FastEthernet8/1 is up, line protocol is up

  Internet Address 172.16.3.1/24, Area 0

  Process ID 100, Router ID 172.16.2.1, Network Type BROADCAST, **Cost: 2**

  Transmit Delay is 1 sec, State BDR, Priority 1

  Designated Router(ID)172.16.5.1, Interface address 172.16.3.2

  Backup Designated router(ID)172.16.2.1, Interface address 172.16.3.1

  Timer intervals configured, Hello 10, Dead 40, Wait 40, Retransmit 5

   Hello due in 00:00:06

  Neighbor Count is 1, Adjacent neighbor count is 1

    Adjacent with neighbor 172.16.5.1(Designated Router)

  Suppress hello for 0 neighbor(s)

命令:dead-interval

作用:邻居声明停用之后的时间间隔。

命令:hello-interval

作用:呼叫包之间的时间间隔。

命令:retransmit interval

作用:重发丢失的链路状态宣告的时间间隔。

命令:transmit-delay

作用:链路状态发送延迟。

这四条命令用于调整OSPF计时器。这些值和它们的默认值可通过执行全局命令看到。

rl#show ip ospf interface fastEthernet 8/1

FastEthernet8/1 is up, line protocol is up

  Internet Address 172.16.3.1/24, Area 0

  Process ID 100, Router ID 172.16.2.1, Network Type BROADCAST, Cost:1

  Transmit Delay is 1 sec, State BDR, Priority 1

  Designated Router(ID)172.16.5.1, Interface address 172.16.3.2

  Backup Designated router(ID)172.16.2.1, Interface address 172.16.3.1

  Timer intervals configured, Hello 10, Dead 40, Wait 40, Retransmit 5

   Hello due in 00:00:00

  Neighbor Count is 1, Adjacent neighbor count is 1

    Adjacent with neighbor 172.16.5.1(Designated Router)

   Suppress hello for 0 neighbor(s)

在下列的接口配置模式下，可以修改OSPF计时器的值。

```
r1(config)#interface fastEthernet 8/1
r1(config-if)#ip ospf dead-interval?
  <1-65535> Seconds
r1(config-if)#ip ospf dead-interval 20
r1(config-if)#ip ospf hello-interval?
  <1-65535  Seconds
r1(config-if)#ip ospf hello-interval 5
r1(config-if)#ip ospf retransmit-interval?
  <1-65535> Seconds
r1(config-if)#ip ospf retransmit-interval 7
r1(config-if)#ip ospf transmit-delay ?
<1-65535>   Seconds
r1(config-if)#ip ospf transmit-delay 23?
  <cr>
r1(config-if)#ip ospf transmit-delay 23


r1#show ip ospf interface fastEthernet 8/1
FastEthernet8/1 is up, line protocol is up
  Internet Address 172.16.3.1/24, Area 0
  Process ID 100, Router ID 172.16.2.1, Network Type BROADCAST, Cost: 2
  Transmit Delay is 23 sec, State DR, Priority 1
  Designated Router(ID)172.16.2.1, Interface address 172.16.3.1
  No backup designated router on this network
  Timer intervals configured, Hello 5, Dead 20, Wait 20, Retransmit 7
    Hello due in 00:00:03
  Neighbor Count is 0, Adjacent neighbor count is 0
  Suppress hello for 0 neighbor(s)
```

命令:demand-circuit

作用:OSPF命令电路。

这条命令将在第12章中介绍。

命令:message-digest-key

作用:消息摘要身份验证口令（密钥）。

这条命令在讨论OSPF身份验证时已介绍。

命令:network

作用:网络类型。

这条命令将在第12章中介绍。

命令:priority

作用:路由器优先权。

在一个接口上，OSPF 默认的优先权是1。对于一条网络，如果不想把路由器选为DR或BDR，那么，设置接口OSPF的优先权为0。通常，把带有最高路由器ID的路由器选为一条网络的DR。通过提高接口优先权的方法可以影响DR的选定。带有最高接口优先权的路由器将被选为DR。接口的OSPF优先权包含在接口OSPF的属性表里。

```
r1#show ip ospf interface fastEthernet 8/1
```

```
FastEthernet8/1 is up, line protocol is up
    Internet Address 172.16.3.1/24, Area 0
    Process ID 100, Router ID 172.16.2.1,Network Type BROADCAST, Cost:2
    Transmit Delay is 1 sec, State DR, Priority 1
    Designated Router(ID)172.16.2.1, Interface address 172.16.3.1
    No backup designated router on this network
    Timer intervals configured, Hello 5, Dead 20, Wait 20, Retransmit 7
       Hello due in 00:00:01
    Neighbor Count is 0, Adjacent neighbor count is 0
    Suppress hello for 0 neighbor(s)
```

要改变接口OSPF优先权,需使用接口命令。

```
r1(config)#interface fastEthernet 8/1
r1(config-if)#ip ospf priority?
  <0-255>      Priority
r1(config-if)#ip ospf priority 2?
  <cr>
r1(config-if)#ip ospf priority 2
```

要查看命令的效果,可列出接口OSPF参数表。

```
rl#show ip ospf interface fastEthernet 8/1
FastEthernet8/1 is up,line protocol is up
Internet Address 172.16.3.1/24, Area 0
Process ID 100, Router ID 172.16.2.1, Network Type BROADCAST, Cost:2
Transmit Delay is 1 sec, State DR, Priority 2
Designated Router (ID) 172.16.2.1, Interface address 172.16.3.1
No backup designated router on this network
Timer intervals configured, Hello 5, Dead 20,Wait 20, Retransmit 7
    Hello due in 00:00:01
Neighbor Count is 0, Adjacent neighbor count is 0
Suppress hello for 0 neighbor(s)
```

改变优先权不会马上影响到作为DR的路由器。当前的DR将较稳定地保持下去,直到产生了引起选举进程运行的变化为止。在这种情况下,带有最高接口优先权的路由器将被选为DR。

11.3 OSPF监测

有许多的show命令可用来监视OSPF网络,我们将讨论那些用于基本OSPF网络的show命令,如图11-1所示,具有一种变化的网络就属于基本OSPF网络。把接口回送0放入51区域,而不是0区域。这将使路由器r1成为一个区域边界路由器。

命令:show ip ospf <process id>

作用:通过使用show ip ospf或对特定的进程使用 show ip ospf <process id>,可显示所有关于OSPF路由进程的信息。

```
r1#show ip ospf 100
Routing Process "ospf 100" with ID 172.16.2.1
Supports only single TOS(TOS0) routes
```

It is an area border router

Summary Link update interval is 00:30:00 and the update due in 00:28:13

SPF schedule delay 7 secs, Hold time between two SPFs 13 secs

Number of DCbitless external LSA 0

Number of DoNotAge external LSA 0

Number of areas in this router is 2.2 normal 0 stub 0 nssa

  Area BACKBONE(0) (Inactive)

    Number of interfaces in this area is 2

    Area has no authentication

    SPF algorithm executed 10 times

    Area ranges are

    Link State Update Interval is 00:30:00 and due in 00:11:43

    Link State Age Interval is 00:20:00 and due in 00:01:43

    Number of DCbitless LSA 0

    Number of indication LSA 0

    Number of DoNotAge LSA 0

Area 51

  Number of interfaces in this area is 1

  Area has no authentication

  SPF algorithm executed 2 times

  Area ranges are

  Link State Update Interval is 00:30:00 and due in 00:28:06

  Link State Age Interval is 00:20:00 and due in 00:18:06

  Number of DCbitless LSA 0

  Number of indication LSA 0

  Number of DoNotAge LSA 0

第一行显示OSPF路由进程号和路由器的ID号。注意,路由器的ID号不是分配给路由器的最高IP地址,而是最高回送接口的IP地址。第三行指出路由器r1是一个区域边界路由器。路由器r1是一个ABR,因为接口回送0是一个非主干区域,所以,路由器r1在一个以上的区域里有接口,使它变成一个ABR。第四行显示LSA的更新时间是30分钟,使OSPF成为一个非常"稳定"的协议。

命令:show ip ospf neighbor

作用:显示一个OSPF路由器邻居网络连接。

对图11-1中的基本网络,每个路由器只有一个邻居网络。如下所示。

```
r1#show ip ospf neighbor
  Neighbor ID    Pri    State     Dead Time    Address      Interface
  172.16.5.1     1      FULL/DR   00:0031      172.16.3.2   FastEthernet8/1


r2#show ip ospf neighbor
  Neighbor ID    Pri    State     Dead Time    Address      Interface
  172.16.2.1     1      FULL/BDR  00:00:36     172.16.3.1   FastEthernet0/0
```

因为我们只有两个路由器,一个将被选定为DR,另一个作为BDR。路由器r1正在显示路由器r2是DR,而路由器r2正在显示路由器r1是BDR。这正是我们要得到的,因为路由器r2和路由器r1(172.16.2.1)相比,有一个较高的路由器ID号(172.16.5.1)。邻居网络连接的状态如果是FULL，在得到邻接关系之前，将仔细检查邻居网络的状态，这方面的内容可参看第7章。我们可以使用路由器接口命令shut和 no shut，通过在路由器r1上关闭快速Ethernet，然后再开启它，来观察这个过程。接着，通过执行命令show ip ospf neighbor，来观察邻接格式，直到实现了完全的邻接关系。

Neighbor ID	Pri	State	Dead Time	Address	Interface
172.16.5.1	1	2WAY/DROTHER	00:00:35	172.16.3.2	FastEthernet8/1
Neighbor ID	Pri	State	Dead Time	Address	Interface
172.16.5.1	1	EXSTART/DR	00:00:39	172.16.3.2	FastEthernet8/1
Neighbor ID	Pri	State	Dead Time	Address	Interface
172.16.5.1	1	FULL/DR	00:00:39	172.16.3.2	FastEthernet8/1

我们已经讨论过，如果想影响DR的选定，可以通过改变接口OSPF优先权的方法来实现。现在，路由器r2是DR，因为它具有较高的路由器ID号。如果在路由器r1上把快速Ethernet接口的优先权设为2，会怎么样呢？路由器r1将被选为DR。在路由器r1上，把OSPF 的优先权改为2，关闭接口，然后重新开启这个接口。在路由器到达FULL状态后，再确定哪一个是DR。

```
r1(config)#interface fastEthernet 8/1
r1(config-if)#shut
%LINEPROTO-5-UPDOWN:Line protocol on Interface FastEthernet8/1, changed state
 to down
%LINK-5-CHANGED:Interface FastEthernet8/1, changed state to administratively
 down
r1(config-if)#ip ospf priority 2
r1(config-if)#no shut
%LINEPROTO-5-UPDOWN:Line protocol on Interface FastEthernet8/1, changed state
to up
%LINK-3-UPDOWN:Interface FastEthernet8/1,changed state to up [Resuming connec-
tion 1 to r2…]
r2#show ip ospf neighbor
Neighbor ID     Pri     State     Dead Time    Address        Interface
172.16.2.1      2       FULL/BDR  00:00:35     172.16.3.1     FastEthernet0/0
```

似乎有些问题。路由器r1显示较高的优先权，但是，它仍然是BDR。路由器r2是DR。因为路由器r2上的链路没有被破坏，它仍然保持为DR，而不管路由器r1的优先权是多少。

为强制路由器r1成为DR，我们需要关闭路由器r2的接口，然后再重新开启它。

```
r2(config)#interface fastEthernet 0/0
r2(config-if)#shut
%LINEPROTO-5-UPDOWN:Line protocol on Interface FastEthernet0/0, changed state
 to down
%LINK-5-CHANGED:Interface FastEthernet0/0,changed state to administratively
 down
r2(config-if)#no shut
%LINEPROTO-5-UPDOWN:Line protocol on Interface FastEthernet0/0, changed state
 to up
%LINK-3-UPDOWN:Interface FastEthernet0/0, changed state to up

r2#show ip ospf neighbor
```

172.16.2.1　2　FULL/DR　00:00:31　172.16.3.1　FastEthernet0/0

现在，路由器r1是DR，这是它具有较高优先权的结果。

ip ospf show命令有很多种格式，我们已见过最常用的使用格式。其余的格式如下所示。你可以试着用它们提供的信息做一些练习。

```
r1#show ip ospf?
  <1-4294967295>        Process ID number
  border-routers        Border and Boundary Router Information
  database              Database summary
  interface             Interface information
  neighbor              Neighbor list
  request-list          Link state request list
  retransmission-list   Link state retransmission list
  retransmission-list   Link state retransmission list
  virtual-links         Virtual link information
  <cr>
```

11.4　OSPF调试命令

有大量的OSPF调试命令可用于监视OSPF进程，如下所示。

```
r1#debug ip ospf?
  adj            SPF adjacency events
  events         OSPF events
  flood          OSPF flooding
  lsa-generation OSPF lsa generation
  packet         OSPF packets
  retransmission OSPF retransmission events
  spf            OSPF spf
  tree           OSPF database tree
```

debug ip ospf adj命令将在控制台事件中显示与形成的邻接路由器或与正试图建立的邻接路由器有关的情况。在路由器r2上，启用邻接调试，并且关闭快速Ethernet，观察这个命令的操作。从我们在路由器r2上禁用Ethernet接口，到看见一个邻接路由器变化，将花费多长时间呢？邻居路由器不能宣布为无效，直到无效期限到期时才可以，默认时间为40秒。

```
r1#debug ip ospf adj
OSPF adjacency events debugging is on

r2(config)#interface fastEthernet 0/0
r2(config-if)#shut
r2(config-if)#

%LINEPROTO-5-UPDOWN:Line protocol on Interface FastEtherner0/0,changed state
to down
%LINK-5-CHANGED:Interface FastEthernet0/0, changed state to administratively
down

OSPF:172.16.5.1 address 172.16.3.2 on FastEthernet8/1 is dead
```

OSPF:172.16.5.1 address 172.16.3.2 on FastEthernet8/1 is dead, state DOWN

OSPF: Neighbor change Event on interface FastEthernet8/1

OSPF:DR/BDR election on FastEthernet 8/1

OSPF:Elect BDR 0.0.0.0

OSPF:Elect DR 172.16.2.1

　DR:172.16.2.1(Id) BDR:none

OSPF:Build router LSA for area 0. router ID 172.16.2.1

OSPF:Build router LSA for area 0. router ID 172.16.2.1

OSPF:Build network LSA for FastEthernet8/1 router ID 172.16.2.1

OSPF: No full nbrs to build Net Lsa

OSPF:Flush network LSA on FastEthernet8/1 for area 172.16.2.1

OSPF:Schedule SPF to remove network route

OSPF:Build router LSA for area 0, router ID 172.16.2.1

现在，在路由器r2上重新启用Ethernet接口。

r2(config-if)#no shut

r2(config-if)#

%LINEPROTO-5-UPDOWN:Line protocol on Interface FastEthernet0/0, changed state to up

%LINK-3-UPDOWN:Interface FastEthernet0/0, changed state to up

Router r1 console output

OSPF: 2 Way Communication to 172.16.5.1 on FastEthernet8/1, state 2WAY

OSPF: Neighbor change Event on interface FastEthernet8/1

OSPF:DR/BDR election on FastEthernet8/1

OSPF: Elect BDR 172.16.5.1

OSPF:Elect DR 172.16.2.1

　DR:172.16.2.1(Id) BDR:172.16.5.1(Id)

OSPF:Send DBD to 172.16.5.1 on FastEthernet8/1 seq 0x1A82 opt 0x2 flag 0x7 len 32

OSPF:Build router LSA for area 0,router ID 172.16.2.1

OSPF:Retransmitting DBD to 172.16.5.1 on FastEthernet8/1

OSPF:Send DBD to 172.16.5.1 on FastEthernet8/1 seq 0x1A82 opt 0x2 flag 0x7 len 32

OSPF:Retransmitting DBD to 172.16.5.1 on FastEthernet8/1

OSPF:Send DBD to 172.16.5.1 on FastEthernet8/1 seq 0x1A82 opt 0x2 flag 0x7 len 32

OSPF:Retransmitting DBD to 172.16.5.1 on FastEthernet8/1

OSPF:Send DBD to 172.16.5.1 on FastEthernet8/1 seq 0x1A82 opt 0x2 flag 0x7 len 32

OSPF:Retransmitting DBD to 172.16.5.1 on FastEthernet8/1

OSPF:Send DBD to 172.16.5.1 on FastEthernet8/1 seq 0x1A82 opt 0x2 flag 0x7 len 32

OSPF:Retransmitting DBD to 172.16.5.1 on FastEthernet8/1

OSPF:Send DBD to 172.16.5.1 on FastEthernet8/1 seq 0x1A82 opt 0x2 flag 0x7 len 32

OSPF:Neighbor change Event on interface FastEthernet8/1

DSPF: DR/BDR election on FastEthernet8/1

OSPF:Elect BDR 172.16.5.1

OSPF:Elect DR 172.16.2.1

OSPF:Elect DR 172.16.2.1

  DR:172.16.2.1(Id) BDR:172.16.5.1(Id)

OSPF:Build router LSA for area 0, router ID 172.16.2.1

OSPF:Retransmitting DBD to 172.16.5.1 on FastEthernet8/1

OSPF:Send DBD to 172.16.5.1 on FastEthernet8/1 seq 0x1A82 opt 0x2 flag 0x7 len 32

OSPF:Rcv DBD from 172.16.5.1 on FastEthernet8/1 seq 0x1DE5 opt 0x2 flag 0x7 len 32

state EXSTART

OSPF:NBR Negotiation Done.We are the SLAVE

OSPF:Send DBD to 172.16.5.1 on FastEthernet8/1 seq 0x1DE5 opt 0x2 flag 0x2 len 112

OSPF: Rcv DBD from 172.16.5.1 on FastEthernet8/1 seq 0x1DE6 opt 0x2 flag 0x3 len 132

state EXCHANGE

OSPF:Send DBD to 172.16.5.1 on FastEthernet8/1 seq 0x1DE6 opt 0x2 flag 0x0 len 32

OSPF:Database request to 172.16.5.1

OSPF:sent LS REQ packet to 172.16.3.2,length 24

OSPF:Rcv DBD from 172.16.5.1 on FastEthernet8/1 seq 0x1DE7 opt 0x2 flag 0x1 len 32

state EXCHANGE

OSPF:Exchange Done with 172.16.5.1 on FastEthernet 8/1

OSPF:Send DBD to 172.16.5.1 on FastEthernet8/1 seq 0x1DE7 opt 0x2 flag 0x0 len 32

OSPF:Build network LSA for FastEthernet8/1, router ID 172.16.2.1

OSPF:No full nbrs to build Net Lsa

OSPF:Flush network LSA on FastEthernet8/1 for area 172.16.2.1

OSPF:Synchronized with 172.16.5.1 on FastEthernet8/1, state FULL

OSPF:Build router LSA for area 0, router ID 172.16.2.1

OSPF:Build network LSA for FastEthernet8/1,router ID 172.16.2.1

当两个路由器在一条网络上形成邻接关系时, 这个调试输出可以清楚地描述所发生的事件。命令debug ip ospf events显示的输出比debug ip ospf adjacencies命令的输出更简要些。在路由器r2上, 启用事件调试, 并且再次关闭Ethernet接口。我们还要再等40秒, 才能看到输出结果。

r1#debug ip ospf events

OSPF events debugging is on

OSPF:172.16.5.1 address 172.16.3.2 on FastEthernet8/1 is dead

OSPF:Neighbor change Event on interface FastEthernet8/1

OSPF:DR/BDR election on FastEthernet8/1

OSPF:Elect BDR 0.0.0.0

OSPF:Elect DR 172.16.2.1

  DR:172.16.2.1(Id)BDR:none

OSPF:Tried to build Router LSA within MinLSInterval

OSPF:Schedule SPF to remove network route

OSPF:service_maxage:Trying to delete MAXAGE LSA

在路由器r2上, 重新启用Ethernet接口, 再回来观察结果。

OSPF:2 Way Communication to 72.16.5.1 on FastEthernet8/1,state 2WAY

OSPF:Neighbor change Event on interface FastEthernet8/1

OSPF:DR/BDR election on FastEthernet8/1

OSPF:Elect BDR 172.16.5.1

OSPF:Elect DR 172.16.2.1

OSPF:Send DBD to 172.16.5.1 on FastEthernet8/1 seq 0x236D opt 0x2 flag 0x7 len 32

OSPF:Rcv DBD from 172.16.5.1 on FastEthernet8/1 seq 0x2324 opt 0x2 flag 0x7 len 32
state EXSTART

OSPF:NBR Negotiation Done. We are the SLAVE

OSPF:Send DBD to 172.16.5.1 on FastEthernet8/1 seq 0x2324 opt 0x2 flag 0x2 len 112

OSPF:Rcv DBD from 172.16.5.1 on FastEthernet8/1 seq 0x2325 opt 0x2 flag 0x3 len 132
state EXCHANGE

OSPF:Send DBD to 172.16.5.1 on FastEthernet8/1 seq 0x2325 opt 0x2 flag 0x0 len 32

OSPF:Database request to 172.16.5.1

OSPF:sent LS REQ packet to 172.16.3.2, length 24

OSPF:Rcv DBD from 172.16.5.1 on FastEthernet8/1 seq 0x2326 opt 0x2 flag 0x1 len 32
state EXCHANGE

OSPF:Exchange Done with 172.16.5.1 on FastEthernet8/1

OSPF:Send DBD to 172.16.5.1 on FastEthernet8/1 seq 0x2326 opt 0x2 flag 0x0 len 32

OSPF:Synchronized with 172.16.5.1 on FastEthernet8/1, state FULL

实验其他调试命令，就会对它们提供的信息更熟悉。

11.5 小结

如你所见，OSPF这个IP路由协议要比RIP、IGRP或EIGRP复杂得多。这种复杂性是OSPF
稳定性和快速集聚性所需要的。这一章的大部分内容，介绍了我在CCIE预备实验室得到的经
验，还有参加OSPF许多实验的人们容易误解和不明白的地方。除了路由重新分布外，我介绍
了协议的各个方面。下面列出了最难于理解和容易让人混乱的OSPF题目清单。如果能掌握这
些题目，你就可以准备学高级OSPF题目和路由重新分布了。

OSPF命令和概念：

1) router ospf<process id>。

2) network。

3) redistribute(参见第13章)。

4) distribute-list(参见第13章)。

5) default-metric(参见第13章)。

6) 汇总路由——ABR和area range命令。

7) 汇总路由——ASBR和summary address命令。

8) 配置虚拟链路。

9) 其他命令。

第12章 高级OSPF配置

在前一章，几乎所有的开放最短路径优先（Open Shortest Path First,OSPF）配置命令都充分介绍了细节信息。这些命令在相对简单的网络配置上使用。网络配置简单，就可以明确自己应当实现的任务，即学会OSPF操作。在这一章，我们将为更复杂的网络检验OSPF配置，这些复杂网络包括帧中继和ISDN。在第11章中跳过的命令将在本章出现，并且，这里将介绍那些通过帧中继和请求回路（如ISDN）使OSPF的执行更有效率的命令。

12.1 帧中继综述

帧中继是一种广域网（Wide area network,WAN）协议，它运作于OSI模型的第2层。第2层协议的意思是，帧中继不是可路由的，而是像Ethernet一样，它是一个交换式协议。图12-1给出了一个基本帧中继网络。帧中继网络的组件包括一个或多个帧交换机，用于通过WAN来传送帧中继包。帧连接包含一个数据终端设备（DTE）接口，它通常是客户端的部分设备。数据回路终端设备（data.circuit-terminating equipment,DCE）接口为同步串行连接提供时钟，而且它通常是由WAN服务提供者提供的。上一层的用户数据被封装在一个帧中继包里，然后，通过WAN从表层交换到出口点，在数据链路连接标识（data-link connection identifier，DLCI）的基础上，帧通过网络进行交换。DLCL是具有2到4个字节长度的帧中继地址，如图12-2所示。WAN服务提供者通常指定DLCI。

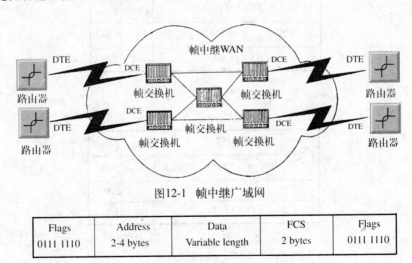

图12-1 帧中继广域网

Flags 0111 1110	Address 2-4 bytes	Data Variable length	FCS 2 bytes	Flags 0111 1110

图12-2 帧中继帧格式

在帧的开始和结束部分，分别有1字节的标志域，用来指示帧的开始和结束。一个DLCI的长度可以是10、17或24位。如图12-3所示，DLCI的长度是通过在地址域中检查地址扩展（address extension，EA）位来确定的。默认帧中继地址域是2个字节，通过使用EA位，可以增加到3或4个字节长度。如果EA等于1，那么，表明这是DLCI的最后字节。三位用于拥塞控制。向前显式拥塞通知（forward-explicit congestion notification，FECN）位设置为1，用来通知DTE设备从源点到终点的帧传送路径中有拥塞现象。向后显式拥塞通知（Backward-explicit congestion notification，BECN）位设置为1，表明反向拥塞，即是从终点到源点。当拥塞出现时，路由器使用确定报废（discard eligibility，DE）位。当DE位是1时，指示帧交换，如果出现拥塞，这个帧应首先被报废。C/R位一般不使用。与其他协议相比，帧中继的格式非常简单。它只有一个格式，无控制域，所以，不能实现错误和流控制。帧中继依赖于现代数字通信链路的可靠性，并假设上层协议将对检测和重新发送丢失帧的任务进行处理。这个简单的帧格式，使帧中继成为一个非常快而且非常有效率的协议。

在DTE和DCE之间使用DLCI，以便多路1来自不同源点的帧，DLCI只具有本地含义。这意味着，从全局来看，DLCI不是唯一的。在图12-1中，所有的四个路由器都可以使用相同的DLCI，而不会混淆，因为它们只在本地DTE和DCE设备之间有意义。

DTE和DCE设备之间的链路状态与帧中继WAN的连接状态是靠本地管理接口（LMI）协议提供的。LMI接口也执行反ABR函数，这个反ABR函数用来动态通知已经指定到接口的DLCI的DTE。

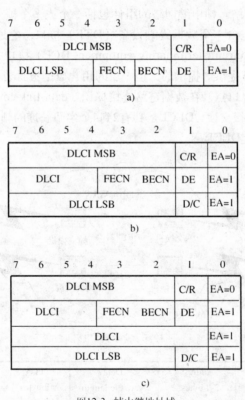

图12-3　帧中继地址域

a)2字节域b) 3字节域c) 3字节域

12.2　帧中继拓扑结构

可以使用三个不同的拓扑结构来配置帧中继连接，第一种拓扑结构是使用完全网状的(fully meshed)点对点帧中继结构，如图12-4所示。

在图12-4中，有三个路由器是完全网状的，意思是指每个路由器都有一个到每个其他路由器的连接。每个连接是被WAN服务器建立的永久性虚拟连接(permanent virtul connection,PVC)，PVC与交换虚拟回路(switched virtual circuits,SVC)不同，SVC需要请求设置建立进程，用来建立链路，还有一个呼叫终止进程，用来删除链路。PVC总是建立起来，以消除处理呼叫设置和呼叫终止的需要。图12-4中的每个路由器有两个帧中继PVC，一个PVC到达每一个其他路由器，而每个路由器只使用一个串口。使用物理串口上的子接口，可以配置多路帧中继PVC。子接口（subinterface）是逻辑上独立的接口，它与其他的逻辑子接口共享相同物理接口。我们可以看见每个路由器接口，不管它是Ethernet的、令牌环的，还是串口，都必须在独立的逻辑IP子网上配置。所以，图12-4中的网络为了配置一个完全网状的拓扑结构，需要三个独立的IP子网。因为每一个链路行为像一个标准的同步串行链路，所以，拓扑结构被称为点对点（point-to-point）结构。完全网状的帧中继拓扑结构容易配置，但是花费很高。为了在图12-4中的网络中实现完全网状，我们必须从服务提供者那里购买三个PVC。

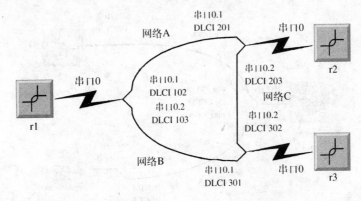

图12-4 完全网状的点对点帧中继拓扑结构

减少PVC请求的数量，但仍然维持所有网络之间的连通性的一种方法是，使用局部网状点对点帧中继拓扑结构（图12-5）。这种结构也称为集线器和轮辐拓扑（hub-and-spoke topology），其中，一个路由器作为集线器，而其他路由器作为轮辐。在图12-5中，为了实现网络之间的完全互连，我们只需要两个PVC和两个逻辑IP子网。

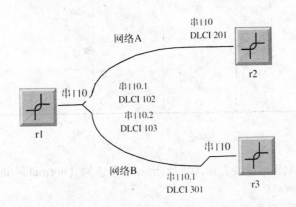

图12-5 局部网状点对点帧中继拓扑结构

轮辐路由器只有一个帧中继PVC连到集线器路由器。对于这种拓扑结构，一个轮辐路由器既可以使用一个标准串口（路由器r2），又可以使用子接口（路由器r3）。

集线器路由器必须在串口上使用子接口，因为它是连在两个独立的逻辑IP子网上。这种配置子网的数量已经从3减少到了2。所需的帧中继PVC的数量也从3减少到了2。这不仅在PVC上节约了资金，而且减少了必须使用的有用IP子网的数量。

第三种和最后一种帧中继拓扑结构叫作多点配置（multipoint configuration），如图12-6所示。

图12-6中的网络似乎与图12-5中的网络相同。实际上，它们是相同的，但是，注意，多点配置只需要一个逻辑IP子网。因为我们正在使用的只是一个IP子网，没有串口需要使用子接口，我们将会发现，为了配置这个拓扑结构，我们需要在每个路由器上使用一个子接口。表12-1列出了2到10个路由器的各种拓扑结构所需的PVC和逻辑IP子网数量。重新浏览三个拓扑结构图，要保证自己确实明白了它们之间的不同之处。理解三种帧中继拓扑结构，是通过帧中继WAN使用OSPF正确配置Cisco路由器的转折点。

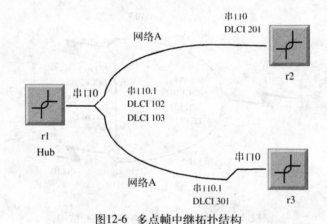

图12-6　多点帧中继拓扑结构

表12-1　每个帧中继拓扑结构需要的PVC和IP子网

路由器数量	完全网状的点对点		局部网状的点对点		多点	
	PVC	IP子网	PVC	IP子网	PVC	IP子网
2	1	1	1	1	1	1
3	3	3	2	2	2	1
4	6	6	3	3	3	1
5	10	10	4	4	4	1
6	15	15	5	5	5	1
7	21	21	6	6	6	1
8	28	28	7	7	7	1
9	36	36	8	8	8	1
10	45	45	9	9	9	1

12.3　配置帧中继

在Cisco路由器上配置帧中继之前,我们列出一个普通的（normal）串口的参数。

```
r1#show interfaces serial 0
Serial0 is up, line protocol is up
  Hardware is HD64570
```

    Internet address is 172.16.5.2/24

    MTU 1500 bytes, BW 38 Kbit, DLY 20000 usec, rely 255/255,load 1/255

    Encapsulation HDLC, loopback not set, keepalive set (10 sec)

r4#show ip interface serial 0

Serial0 is up, line protocol is down

    Internet address is 172.16.5.2/24

    Broadcast address is 255.255.255.255

    Address determined by non-volatile memory

    MTU is 1500 bytes

    Helper address is not set

    Directed broadcast forwarding is enabled

    Outgoing access list is not set

    Inbound access list is not set

    Proxy ARP is enabled

    Security level is default

    Split horizon is enabled

注意，而且应记住使用的封装是HDLC，而且启用分离范围。

为了给帧中继配置一个串口，我们需要改变封装，把它设置为LMI类型。

r1(config)#interface serial 0

r1(config-if)#encapsulation?

atm-dxi	ATM-DXI encapsulation
bstun	Block Serial tunneling (BSTUN)
frame-relay	**Frame Relay networks**
hdlc	Serial HDLC synchronous
lapb	LAPB(X.25 Level 2)
ppp	Point-to-Point protocol
sdlc	SDLC
sdlc-primary	SDLC(primary)
sdlc-secondary	SDLC(secondary)
smds	Switched Megabit Data Service (SMDS)
stun	Serial tunneling(STUN)
x25	X.25

r4(config-if)#encapsulation frame-relay

r4(config-if)#frame-relay lmi-type?

  cisco

  ansi

  q933a

r4(config-if)#frame-relay lmi-type ansi

参数lmi-type指定lmi协议的类型。为确保与非Cisco设备可操作，可使用lmi-ansi。此时，重新列出串口的参数。

r4#show interfaces serial 0

Serial0 is up, line protocol is down

```
Hardware is HD64570
Internet address is 172.16.5.2/24
MTU 1500 bytes, BW 38 Kbit, DLY 20000 usec, rely 255/255, load 1/255
Encapsulation FRAME-RELAY, loopback not set, keepalive set(10 sec)

r4#show ip interface serial 0
Serial0 is up, line protocol is up
  Internet address is 172.16.5.2/24
  Broadcast address is 255.255.255.255
  Address determined by non-volatile memory
  MTU is 1500 bytes
  Helper address is not set
  Directed broadcast forwarding is enabled
  Outgoing access list is not set
  Inbound access list is not set
  Proxy ARP is enabled
  Security level is default
  Split horizon is disabled
```

我们对封装中到帧中继的改变不应该感到奇怪，但是，禁用分离范围确实很重要，如果忘了这点，它可能会给你带来麻烦。在第13章，我们将看到，当重新分布协议时，禁用分离范围的结果。现在，先要记住，在一个串口上改变封装时，要禁用分离范围。现在，我们将为串口0的一个子接口进行配置。

```
r1(config)#interface serial 0
r1(config-if)#no ip address
r1(config-if)#exit
r1(config)#interface serial 0.1?
  multipoint            Treat as a multipoint link
  point-to-point        Treat as a point-to-point link

r4(config)#interface serial 0.1 point-to-point
r4(config-subif)#ip address 172.16.5.2 255.255.255.0
r4(config-subif)#frame-relay interface-dlci 103?
interface Serial0
  no ip address
  encapsulation frame-relay
  frame-relay lmi-type ansi
interface Serial0.1 point-to-point
  ip address 172.16.5.2 255.255.255.0
  frame-relay interface-dlci 103
```

当使用子接口时，IP地址交给子接口，而不是主串口；这就是命令no ip address 用于串口0的原因。在主接口级设定封装，而且用于所有被创建的子接口。在子接口0.1,我们需要指定是点对点，还是多点接口。当检查使用帧中继的OSPF配置问题时，将可以测试出它们的不同之处。创建子接口时，DLCI被分配到指定的子接口。LMI可以与帧交换机对话，而且确定被指定的DLCI是什么，但是，由于我们正使用接口，路由器无法知道哪个DLCI属于哪个接口，所以需要指定。在这里，重新列出接口参数。

```
Serial0 is up, line protocol is down
    Internet protocol processing disabled
r4#show ip interface serial 0.1
Serial0.1 is up, line protocol is up
    Internet address is 172.16.5.2/24
    Broadcast address is 255.255.255.255
    Address determined by setup command
    MTU is 1500 bytes
    Helper address is not set
    Directed broadcast forwarding is enabled
    Outgoing access list is not set
    Inbound access list is not set
    Proxy ARP is enabled
    Security level is default
    Split horizon is enabled
```

IP过程在主接口串口0上被禁止，并且被传送到子接口。最重要的事项是，在子接口上，我们现在能看到，再次启用了分离范围。再强调一下，分离范围非常重要，所以要记住下列几条：

1) 分离范围在HDLC封装的串口上启用。

2) 在帧中继封装的接口上，如果没有使用子接口,则禁用分离范围。

3) 在帧中继封装的接口上，如果配置了子接口,则启用分离范围。

我们已经知道了，如何在一个串口配置帧中继的一部分，还有，在各种配置中，分离范围的状态如何。在深入研究帧中继配置之前，我们将看一下，把一个Cisco路由器作为帧交换配置的情况，以便我们能试着配置自己的帧表层。

12.4 帧中继交换机的配置：点对点完全网状拓扑结构

我们要研究的第一种配置是图12-4中的网络，一个完全网状的点对点帧中继网络。做为帧交换使用的路由器需要三个串口。我们将使用如图12-7所示的帧交换。

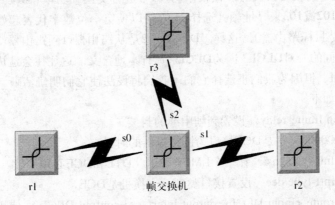

图12-7 使用一个Cisco路由器作为帧中继交换机

配置帧中继交换需要实现图7-4中的网络，如下所示。

```
hostname frame-switch
frame-relay switching
interface Serial0
  no ip address
  encapsulation frame-relay
  no fair-queue
  clockrate 2000000
  frame-relay lmi-type ansi
  frame-relay intf-type dce
  frame-relay route 102 interface Serial1 201
  frame-relay route 103 interface Serial2 301
interface Serial1
  no ip address
  encapsulation frame-relay
  clockrate 2000000
  frame-relay lmi-type ansi
  frame-relay intf-type dce
  frame-relay route 201 interface Serial2 102
  frame-relay route 203 interface Serial0 302
interface Serial2
  no ip address
  encapsulation frame-relay
  clockrate 2000000
  frame-relay lmi-type ansi
  frame-relay intf-type dce
  frame-relay route 301 interface Serial1 103
  frame-relay route 302 interface Serial0 203
```

第一个命令是启用路由器上的帧交换。每个串口将要与两个路由器上中的一个交换输入的帧。图12-4中，串口0是路由器r1的DCE，串口1是路由器r2的DCE，串口2是路由器r3的DCE。当一个帧被送到帧交换机时，帧根据DLCI号进行交换。当串口0收到来自路由器r1的帧时，要用DLCI 102或103来寻址帧（选择DLCI，以便第一位数字代表起始路由器，第二位数是0，第三位数是目标路由器）。这样，DLCI 102是从路由器r1到路由器r2。我们在每个路由器上可能用过相同的一对DLCI，因为DLCI只具有本地含义，这往往会造成混乱。通常，服务提供者设置DLCI，但因为我们正选择它们，我们将设法使它们明确清晰。每个接口有共同的配置命令，列表如下。

1) encapsulation frame-relay: 设置到帧中继的封装。

2) clockrate 2000000: 这是DCE接口为链路提供的时钟。

3) frame-relay lmi-type ansi: 在一个LMI类型上，DTE和DCE必须一致。

4) frame-relay intf-type dce: 设置接口类型。交换机是DCE。

5) frame-relay route <input DLCI><output interface><output DLCI>: 使用routing这个词不太恰当，因为帧中继在OSI意义上不能确定路由。switch（交换机）是一个比较好的选择。

命令frame-relay route指示帧交换机，使用在输入DLCI域里指出的DLCI接收的任何帧，都应当被路由（或被交换）到适当的接口里，同时，DLCI被输出DLCI所取代。例如，当路由器r1向路由器r2发送一个帧时，DLCI使用的是102。当串口0收到这个帧时，检查输入DLCI号。如果输入DLCI号等于102，则DLCI号被201取代，并转到串口1上，发送到路由器r2。

DTE路由器配置

为路由器r1配置完全网状的点对点帧中继拓扑结构，如下所示。

```
hostname r1
interface Serial0
  no ip address
  encapsulation frame-relay
  no fair-queue
  frame-relay lmi-type ansi
interface Serial0.2 point-to-point
  ip address 172.16.1.1 255.255.255.0
  frame-relay interface-dlci 102
interface Serial0.3 point-to point
  ip address 172.16.2.1 255.255.255.0
  frame-relay interface-dlci 103
```

因为每个路由器有两个帧中继PVC，对于这个拓扑结构，每个PVC都是在一个独立的逻辑子网上，所以必须使用子网接口。对于主串口0，必须通过使用命令no ip address禁止IP路由。设置封装为frame relay，并且LMI类型设置为ansi，用以匹配帧交换中的LMI类型。子接口的类型是点对点，用以匹配我们正试图配置的帧中继拓扑结构。必须使用命令frame-relay interface-dlci，因为我们正在使用子接口，而且需要执行DLCI与子接口一致的路由器。路由器r1正在使用IP子网172.16.1.0和172.16.2.0。为了方便起见，必须选择子接口号。子接口号0.2连接到路由器r2，子接口号0.3连接到路由器r3。路由器r2和路由器r3的配置如下所示。

```
hostname r2
interface Serial0
  no ip address
  encapsulation frame-relay
  no fair-queue
  frame-relay lmi-type ansi
interface Serial0.1 point-to-point
  ip address 172.16.1.2 255.255.255.0
  frame-relay interface-dlci 201
interface Serial0.3 point-to-point
  ip address 172.16.3.2 255.255.255.0
  frame-relay interface-dlci 203

hostname r3
interface Serial0
  no ip address
  encapsulation frame-relay
  no fair-queue
```

```
    frame-relay lmi-type ansi
interface Serial0.1 point-to-point
    ip address 172.16.2.3 255.255.255.0
    frame-relay interface-dlci 301
interface Serial0.3 point-to-point
    ip address 172.16.3.3 255.255.255.0
    frame-relay interface-dlci 302
```

现在，我们准备通过帧中继网络配置OSPF。因为我们正在使用一个完全网状的点对点帧中继网络，在第11章，我们学习的有关OSPF的一切仍然适用。路由器之间的链路看起来像normal串口，所以，不必使用新的OSPF命令和配置。没有DR或BDR后援指定路由器将为网络选举出来，因为这只在广播网中出现。下面两个拓扑结构不会这么容易。

12.5 帧中继交换机的配置：点对点局部网状拓扑结构

为图7-5中局部网状点对点拓扑结构配置帧交换机，如下所示。

```
hostname frame-switch
frame-relay switching
interface Serial0
    no ip address
    encapsulation frame-relay
    no fair-queue
    clockrate 2000000
    frame-relay lmi-type ansi
    frame-relay intf-type dce
    frame-relay route 102 interface Serial1 201
    frame-relay route 103 interface Serial2 301
interface Serial1
    no ip address
    encapsulation frame-relay
    clockrate 2000000
    frame-relay lmi-type ansi
    frame-relay intf-type dce
    frame-relay route 201 interface Serial0 102
interface Serial2
    no ip address
    encapsulation frame-relay
    clockrate 2000000
    frame-relay lmi-type ansi
    frame-relay intf-type dce
    frame -relay route 301 interface Serial0 103
```

你能看出这种配置与完全网状配置的不同吗？串口0的配置不能改变，因为现在路由器r1是集线器路由器，仍然有两个PVC。现在，路由器r2和r3只有一个PVC，所以，对于串口1和2，我们只需要一个命令frame-relay route。如果路由器r2想向路由器r3发送一个包，它怎么到达那里呢？听起来好象我们需要一个路由协议。我们将会明白如何快速处理这个问题。首先，我们需要重新配置路由器r1、r2和 r3。路由器r1不必从以前的例子里重新配置。因为路由器r2

和r3只有一个PVC，我们既可以使用子接口，也可以使用非子接口，所以，我们将要各做一个，来看看这是如何完成的。配置路由器r2如下所示。

```
hostname r2
interface Serial0
    ip address 172.16.1.2 255.255.255.0
    encapsulation frame-relay
    no fair-queue
    frame-relay lmi-type ansi
```

路由器r2没有使用子接口，所以，LMI可以通过与帧交换通信来确定DLCI号。这就是我们不需要指定DLCI的原因。配置路由器r3将有一点点不同。

```
hostname r3
interface Serial0
    no ip address
    encapsulation frame-relay
    no fair-queue
    frame-relay lmi-type ansi
interface Serial0.1 point-to-point
    ip address 172.16.2.3 255.255.255.0
    frame-relay interface-dlci 301
```

因为路由器r3上正使用一个子接口，为了把DLCI和适当的接口关联起来，需要使用命令 frame-relay interface。

12.6 OSPF：帧中继局部网状点对点拓扑结构

局部网状点对点拓扑结构将会引起OSPF产生一些问题。它不是像Ethernet一样的广播拓扑结构，或者像我们通过normal串口看到的真正的点对点拓扑结构。从路由器r2和r3来看，网络像一个normal串行链路，但是，从路由器r1的观点看，网络又不像normal串行链路。我们需要在路由器r1使用在第11章跳过的OSPF接口命令来欺骗OSPF，使它认为这个网络为广播网。

```
hostname r1
interface Serial0
    no ip address
    encapsulation frame-relay
    no fair-queue
    frame-relay lmi-type ansi
interface Serial0.2 point-to-point
    ip address 172.16.1.1 255.255.255.0
    ip ospf network broadcast
    frame-relay interface-dlci 102
interface Serial0.3 point-to-point
    ip address 172.16.2.1 255.255.255.0
    frame-relay interface-dlci 103
    ip ospf network broadcast
```

接口命令ip ospf network broadcast将用来欺骗OSPF，使它相信这是一个广播网，而不是NBMA网。路由器r1、r2和r3将形成关系，好象它们在Ethernet上一样，而且将选举DR和BDR。

在路由器r2和r3上配置也需要命令ip ospf network broadcast。

```
hostname r2
interface Serial0
  ip address 172.16.1.2 255.255.255.0
  ip ospf network broadcast
  encapsulation frame-relay
  no fair-queue
  frame-relay lmi-type ansi


hostname r3
interface Serial0
  no ip address
  encapsulation frame-relay
  no fair-queue
  frame-relay lmi-type ansi
interface Serial0.1 point-to-point
  ip address 172.16.2.3 255.255.255.0
  ip ospf network broadcast
frame-relay interface-dlci 301
```

要通过局部网状点对点网络使OSPF的正确操作可用，我们需要使用命令ip ospf network broadcast。现在，你可以把OSPF配置成第11章学过的那样，一切将工作正常，只有一件事情除外。哪个路由器应该是DR？在一个真正的广播网中，如Ethernet，每个路由器都能直接与其余所有的路由器相连通。而这种拓扑结构不一样。只有一个路由器r1具有与其他路由器相连通的通信链路，所以，路由器r1需要被选为DR。运用第11章学到的知识，你能想出影响DR挑选的三种方法吗？第一种方法是通过回送地址的正确配置。如果使用了回送，那么它们被用做路由器的OSPF ID，具有最高ID的路由器被选为DR。所以，在路由器r1、r2和r3上，我们可以配置回送，并且确信路由器r1的回送地址比路由器r2和r3的回送地址高。我们可以把路由器r1的串行子接口的OSPF优先级配置成大于1，这将强制路由器r1被选为DR。最后，我们可以在路由器r1和r2上，把串口的OSPF优先级设置为0，使它们没有资格被选为DR。

12.7　OSPF：帧中继局部网状点对多点拓扑结构

图12-6中的多点局部网状配置与图12-5中的局部网状点对点配置的区别仅仅在子网的分布上。PVC指定相同的子网，使这个结构成为点对多点配置。帧交换机的配置和以前的情形相比不会发生改变。以下给出路由器r1、r2和r3的配置。

```
hostname r1
interface Serial0
  no ip address
  encapsulation frame-relay
  bandwidth 38
  no fair-queue
  frame-relay lmi-type ansi
interface Serial0.1 multipoint
  ip address 172.16.1.1 255.255.255.0
```

```
  ip ospf network point-to-multipoint
    frame-relay interface-dlci 102
    frame-relay interface-dlci 103
```

现在，路由器r1只需要一个子接口，因为两个PVC都在相同的子网上。子接口被宣布为多点子接口，而且两个DLCI都应用于子接口。OSPF网络类型已经从广播网转到了点对多点结构

```
hostname r2
interface Serial0
  ip address 172.16.1.2 255.255.255.0
  encapsulation frame-relay
  ip ospf network point-to-multipoint
    bandwidth 38
    no fair-queue
  frame-relay lmi-type ansi


hostname r3
interface Serial0
  no ip address
  encapsulation frame-relay
  no fair-queue
  frame-relay lmi-type ansi
interface Serial0.1 multipoint
  ip address 172.16.1.3 255.255.255.0
  ip ospf network point-to-multipoint
    frame-relay interface-dlci 201
```

对于路由器r1和r3，在串口上，启用分离范围功能，而对于路由器r2，禁用分离范围功能，因为没有使用子接口。还要注意，在路由器r2上，没有指定DLCI，因为它将通过LMI得到。

12.8 OSPF和请求回路

请求回路是一个链路,只有当需要发送被标识为感兴趣的通信量跨越这个链路时,请求回路才被触发。请求回路通常由服务提供者提供，而且，用户只负责回路使用的时间。通过请求回路运行路由协议可能是非常昂贵的，因为IP 路由协议定期发送一些类型的通信量。RIP每30秒钟发送一次路由表，OSPF每10秒钟发送一次呼叫包。通常，OSPF不会通过请求回路运行，因为定期的通信量往往会使链路保持下去。一个解决办法是在链路上不运行任何路由协议，并且，在请求回路的两端使用静态路由。对于请求回路，OSPF附加了一个新的接口命令。

```
interface bri0
  ip ospf demand-circuit
```

这个命令将禁用OSPF的呼叫包，并且，在最初交换OSPF链路状态信息后，定期用链路状态信息刷新LSA。对于点对点连接的请求回路的一端，以及多点连接的集线器上，才需要使用此命令。以下是使用命令demand-circuit的ISDN配置示例。

```
hostname r2
username R3 password 0 cisco
```

```
isdn switch-type basic-ni1
interface Loopback0
  ip address 172.16.200.1 255.255.255.0
interface BRI0
  ip address 130.10.10.2 255.255.255.0
  encapsulation ppp
  ip ospf demand-circuit
  bandwidth 56
  isdn spid1 31622081880101 2208188
  isdn spid2 31622081890101 2208189
  dialer idle-timeout 60
  dialer map ip 130.10.10.3 name r3 speed 56 broadcast 2208190
  dialer map ip 130.10.10.3 name r3 speed 56 broadcast 2208191
  dialer load-threshold 100 outbound
  dialer-group 1
  ppp authentication chap
```

如果已经通过ISDN回路配置了一个虚拟链路，即使在配置中正在使用ip ospf demand-circuit命令，虚拟链路也将保持ISDN回路。

12.9 小结

如果掌握了本章描述的方法，通过NBMA网络，如帧中继，配置OSPF应没有多大困难。当使用与OSPF不同的协议时，要小心使用NBMA网络，因为各种配置的分离范围的状态不同。

OSPF和NBMA配置概念：

1) 点对点完全网状。

2) 点对点局部网状。

3) 点对多点局部网状。

4) 正常串口的分离范围的状态，帧中继封装接口，帧中继封装串口。

第13章 重新分布路由

在你的网络生涯中，将会遇到使用多个IP路由协议的网络。在应用这种网络中，许多问题是由于不恰当的路由重新分布而使不同协议相互影响所造成的。本章将介绍RIP、IGRP、EIGRP和OSPF协议的相互影响，以及如何成功地从一个协议向另一个协议重新分布路由。另外，你可能需要把网络从一个路由协议（如RIP）转化为较好的另一个路由协议（通常为OSPF）。因为不可能同时转化所有的路由器，在转化完之前，网络上将运行多种协议，完全掌握协议间的相互影响是有效并正确地从一个协议向另一个协议转化的前提。

13.1 RIP和IGRP

图13-1中的网络被分成两个路由域。第一个域，包括路由器r1和r2，正在为网络16.2.0，172.16.3.0和172.16.4.0运行RIP版本1的路由协议。第二个域，包括路由器r3和r4，正在为网络172.16.4.0，172.16.5.0和172.16.6.0运行Cisco IGRP的路由协议。这种网络的目的是使每个路由器都能到达每个网络。

Router r1 configuration
hostname r1
enable password cisco
interface Loopback0
  ip address 172.16.2.1 255.255.255.0
interface FastEthernet0/0
  ip address 172.16.3.1 255.255.255.0
router rip
  network 172.16.0.0

Router r2 configuration
hostname r2
enable password cisco
interface Ethernet0
  ip address 172.16.4.1 255.255.255.0

网络172.16.0.0

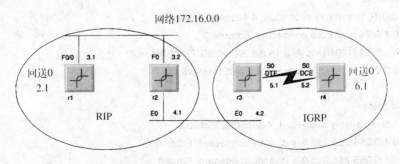

图13-1 带有多路协议域的网络——RIP和IGRP

```
interface FastEthernet0
  ip address 172.16.3.2 255.255.255.0
router rip
  network 172.16.0.0
```

Router r3 configuration
```
hostname r3
enable password cisco
interface Ethernet0
  ip address 172.16.4.2 255.255.255.0
interface Serial0
  ip address 172.16.5.1 255.255.255.0
  bandwidth 38
router igrp 100
  network 172.16.0.0
```

Router r4 configuration
```
hostname r4
enable password cisco
interface Loopback0
  ip address 172.16.6.1 255.255.255.0
interface Serial0
  ip address 172.16.5.1 255.255.255.0
  bandwidth 38
  clock rate 38400
router igrp 100
  network 172.16.0.0
```

对于这四个路由器，在路由表里，你希望看到什么呢？让我们检查路由表，来看看正在发生什么事情。

```
r1#show ip route
   172.16.0.0/16 is variably subnetted, 4 subnets, 2 masks
R    172.16.4.0/24[120/1] via 172.16.3.2,00:00:16, FastEthernet0/0
C    172.16.2.0/24 is directly connected, Loopback0
C    172.16.3.0/24 is directly connected, FastEthernet0/0

r2#show ip route
   172.16.0.0/16 is variably subnetted, 4 subnets, 2 masks
C    172.16.4.0/24 is directly connected, Ethernet0
R    172.16.2.0/24 [120/1] via 172.16.3.1, 00:00:20, FastEthernet0
C    172.16.3.0/24 is directly connected, FastEthernet0

r3#show ip route
   172.16.0.0 is variably subnetted, 4 subnets, 2 masks
C    172.16.4.0 255.255.255.0 is directly connected, Ethernet0
C    172.16.5.0 255.255.255.0 is directly connected, Serial0
```

```
I   172.16.6.0 255.255.255.0 [100/2760] via 172.16.5.2, 00:00:33, Serial0

r4#show ip route
    172.16.0.0/16 is variably subnetted, 4 subnets, 2 masks
I   172.16.4.0/24 [100/3100] via 172.16.5.1, 00:00:53, Serial0
C   172.16.5.0/24 is directly connected, Serial0
C   172.16.6.0/24 is directly connected, Loopback0
```

在路由器r1和r2里，能看到与它们直接相连的网络，以及正在被RIP宣告的网络。在路由器r3和r4里，能看到与它们直接相连的网络，以及正在被IGRP宣告的网络。RIP域的路由器不能看见来自IGRP域的路由，IGRP域的路由器不能看见来自RIP域的路由。两个域之间的链路是网络172.16.4.0，它连接在路由器r2和r3上，并载有RIP和IGRP路由更新。但是，没有一个RIP路由进程运行在路由器r3上，所以得不到RIP路由。同样，因为路由器r2上没有运行IGRP进程，路由器r2收到的IGRP路由更新将被忽略。我们怎么能使两个域都能看见彼此的路由呢？通常有两种解决办法，静态路由（static routes）和重新分布路由（route redistribution）。我们可以通过一个路由协议，使用静态路由来通知一个路由器，这个路由没有被宣告，或没有收到路由协议。静态路由是在全局配置模式下创建的，有下列格式：

```
r1(config)#ip route?
    A. B.C.D  Destination prefix
```

目标前缀是我们想建立静态路由的网络。对于路由器r1，有两个在路由表里没有路由的网络是网络172.16.5.0和172.16.6.0。我们将给网络172.16.5.0建立静态路由。

```
r1(config)#ip route 172.16.5.0?
    A. B.C.D  Destination prefix mask
```

路由器需要知道地址哪部分用于使用静态路由。掩码使用格式与IP地址掩码相同。

```
r1(config)#ip route 172.16.5.0 255.255.255.0?
    A.B.C.D          Forwarding router's address
    FastEthernet     FastEthernet IEEE 802.3
    Loopback         Loopback interface
    Null             Null interface
```

下一个参数既可以是当向目标网络发送包时使用的接口，也可以是将要运送通信量的路由器的IP地址。对于这种静态路由，我们将使用一个输出接口。

```
r1(config)#ip route 172.16.5.0 255.255.255.0 fastEthernet0/0?
    <1-255>    Distance metric for this route
    A.B.C.D    Forwarding router's address
    permanent  permanent route
    tag        Set tag for this route
    <cr>
```

这是我们配置一个静态路由所需的最少信息。路由器r1的其他静态路由是连到网络172.16.6.0上的。

```
r1(config)#ip route 172.16.6.0 255.255.255.0 fastEthernet 0/0?
```

现在，路由器r1的路由表里已包含这些新的静态路由了。

```
r1#show ip route
    172.16.0.0/24 is subnetted, 5 subnets
R   172.16.4.0[120/1] via 172.16.3.2, 00:00:07, FastEthernet0/0
```

```
S    172.16.5.0 is directly connected, FastEthernet0/0
S    172.16.6.0 is directly connected, FastEthernet0/0
C    172.16.2.0 is directly connected,Loopback0
C    172.16.3.0 is directly connected, FastEthernet0/0
```

注意，静态路由作为直接与网络连接的格式出现时，是连接到快速Ethernet接口的。现在，我们ping路由器r3和路由器r4上的所有接口。类似，为了让路由器r2、r3和r4能到达所有的网络，我们需要建立它们的静态路由。

Router r2

```
ip route 172.16.5.0 255.255.255.0 Ethernet0
ip route 172.16.6.0 255.255.255.0 Ethernet0
```

Router r3

```
ip route 172.16.2.0 255.255.255.0 Ethernet0
ip route 172.16.3.0 255.255.255.0 Ethernet0
```

Router r4

```
ip route 172.16.2.0 255.255.255.0 Serial0
ip route 172.16.3.0 255.255.255.0 Serial0
```

当一个路由器正考虑传送决策时，我们可以通过使用最长匹配属性，来减少需要配置的静态路由的数量。如果我们为网络172.16.0.0创建静态路由，网络172.16.0.0包括它的每个子网，那么，我们只需创建一条静态路由。

Router r1

```
ip route 172.16.0.0 255.255.0.0 FastEthernet0/0
```

```
r1#show ip route
    172.16.0.0 /16 is variably subnetted, 6 subnets, 2 masks
R    172.16.4.0/24[120/1] via 172.16.3.2, 00:00:26, FastEthernet0/0
R    172.16.5.0/24[120/1] via 172.16.3.2, 00:00:26, FastEthernet0/0
R    172.16.6.0/24[120/1] via 172.16.3.2, 00:00:26, FastEthernet0/0
S    172.16.0.0 /16 is directly connected, FastEthernet0/0
C    172.16.2.0/24 is directly connected, Loopback0
C    172.16.3.0/24 is directly connected, FastEthernet0/0
```

现在，路由器r1的路由表有两条到达网络172.16.2.0的不同路由。第一条路由使用的是直接连接的回送接口0，第二条路由使用直接连接的接口快速Ethernet 0。路由器将使用哪一条路由向网络172.16.2.0传送通信量呢？使用回送接口的路由有一个24位子网掩码，使用快速Ethernet接口的路由有一个16位子网掩码。在网络地址上，回送路由具有较长的匹配值，所以，我们将使用回送接口。

我们在第12章已经见过，静态路由为收费网络如ISDN提供了一个有用的功能。对于图13-1中的网络，静态路由只影响另一种管理费用。第一种费用是确定需要哪条静态路由，然后，在路由器上配置它们。第二种费用是维护静态路由。如果我们改变路由器r3和路由器r4之间串行链路的网络号，但是，使用相同的主网号，会怎么样呢？我们可能要修改路由器r1和路由器r2上的静态路由（当然，如果使用静态路由172.16.0.0，就没有修改的必要）。如果改变串行链路上的主网号，那么，没有别的选择，只有重新配置静态路由了。这对图13-1中那样简单的网络来说，并不十分困难，但是，如果有几十个或几百个路由器，那么这个任务就会变得困难重重，而且易于出错。一个较好的解决办法是通过使用路由重新分布，用动态处理来代替静态处理。重新分布路由是从一个协议（例如RIP）获取路由的进程，并把路由放入一个不同的协议（例如IGRP）。因为路由协议之间路由成本或度量方法不同（通常情况），我们完全将它们混合在一起使用。我们对路由重新分布的介绍，将揭示路由重新分布的机理，并尽力揭开其中的秘密。

对于路由器上出现的路由重新分布，路由器必须运行将参加重新分布的两种路由协议。对于图13-1中的网络，我们有两种选择，在路由器r2或路由器r3上运行RIP和IGRP，如图13-2和图13-3所示。

对于第一种重新分布示例，我们将在路由器r3上运行RIP和IGRP，如图13-2所示。第一步是通过使用无格式的全局配置命令ip route，从所有的路由器里删除静态路由。下一步是激活路由器r3上的RIP路由进程。

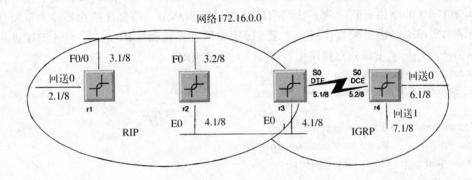

图13-2 在路由器r3上运行RIP和IGRP

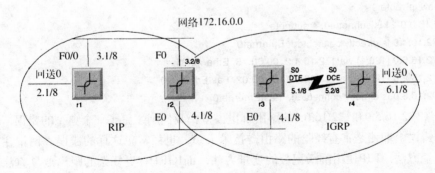

图13-3 在路由器r2上运行RIP和IGRP

Router r3

```
router rip
  network 172.16.0.0
router igrp 100
  network 172.16.0.0
```

现在，路由器r3的路由表里包含了整个网络的路由，但是，其他路由器不是这样。

```
r3#show ip route
   172.16.0.0 is variably subnetted, 6 subnets, 2 masks
C  172.16.4.0 255.255.255.0 is directly connected, Ethernet0
C  172.16.5.0 255.255.255.0 is directly connected, Serial0
I  172.16.6.0 255.255.255.0 [100/2760] via 172.16.5.2, 00:01:05,Serial0
R  172.16.2.0 255.255.255.0 [120/2] via 172.16.4.1,00:00:25 Ethernet0
R  172.16.3.0 255.255.255.0 [120/1] via 172.16.4.1,00:00:25 Ethernet0

2#show ip route
   172.16.0.0/24 is subnetted, 4 subnets
C  172.16.4.0 is directly connected, Ethernet0
R  172.16 5.0[120/1] via 172.16.4.2,00:00:07,Ethernet0
R  172.16 2.0[120/1] via 172.16.3.1,00:00:21,FastEthernet0
C  172.16.3.0 is directly connected, FastEthernet0
```

路由器r3已经获得了所有路由，因为现在路由器r3正在运行RIP和IGRP，而且能够接收和处理RIP和IGRP的路由更新。为了使所有的路由器得到路由，需要在路由器r3上重新分布它们。在路由器r3的路由器配置模式中，我们将使RIP进程得到IGRP路由。一旦RIP进程得到IGRP路由，它们将被重新分布到路由器r2和r1上去使用RIP。

```
r3(config-router)#redistribute igrp?
   <1-65535>        Autonomous system number

r3(config-router)#redistribute igrp 100?
   metric           Metric for redistributed routes
   route-map        Route map reference
   <cr>
```

选择<cr>，并检查路由器r2的路由表，看它是否得到了在路由器r3上重新分布进RIP的IGRP路由。

```
r2#show ip route
   172.16.0.0/24 is subnetted, 4 subnets
C  172.16.4.0 is directly connected, Ethernet0
R  172.16.5.0 [120/1] via 172.16.4.2, 00:00:15, Ethernet0
R  172.16.2.0 [120/1] via 172.16.3.1, 00:00:02, FastEthernet0
C  172.16.3.0 is directly connected, FastEthernet0
```

到网络172.16.5.0和172.16.6.0的路由哪里去了？我们刚才犯了一个典型的错误，这也是我们常犯的错误，即使是富有经验的路由器技术人员，也经常犯这样的错误。请记住，我们混合的是度量方法。RIP使用跳跃记数的度量方法，而IGRP有更复杂的距离度量方法。我们需要做的不仅是重新分布路由，还需要转换度量方法。当一个IGRP路由重新分布进RIP时，需要把RIP度量方法指定到IGRP路由。在路由器r3的配置中，我们忘记了做这个工作，有两种常用的指定度量的方法。第一种是通过使用命令default-metric。

```
r3(config)#router rip
r3(config-router)#default-metric?
   <1-4294967295>   Default metric
```

r3(config-router)#default-metric 3?

    <cr>

命令default-metric用来向每个重新分布的IGRP路由指定RIP跳跃计数的度量方法，这可以在路由器r2的路由表里看见。

r2#show ip route

    172.16.0.0/24 is subnetted,5 subnets

C   172.16.4.0 is directly connected,Ethernet0

R   172.16.5.0[120/1]via 172.16.4.2,00:00:04,Ethernet0

R   172.16.6.0[120/3]via 172.16.4.2,00:00:04,Ethernet0

R   172.16.2.0[120/1]via 172.16.3.1,00:00:11,FastEthernet0

C   172.16.3.0 is directly connected,FastEthernet0

现在，路由器r2有了到网络172.16.5.0和172.16.6.0的路由。为什么到172.16.5.0的跳跃记数等于1，而到172.16.6.0的路由是3？当我们在路由器r3上激活RIP时，指示RIP宣告网络172.16.0.0。路由器r3有网络172.16.5.0作为直接相连的网络，所以，在启用路由重新分布前，这条路由已经被宣告，这样，它就不是一个重新分布的路由。唯一的重新分布路由是172.16.6.0，所以，这是唯一适合于默认度量方法的路由。当指定默认的度量方法时，会出现另外一个带有共性的致命错误。default-metric命令允许输入一个范围在1～4,294,967,295的默认跳跃计数。让我们使用一个大的默认度量方法，来看看发生了什么。

r3(config)#router rip

r3(config-router)#no default-metric 1

r3(config-router)#default-metric 100

如果我们不浪费时间，便可以看见路由器r2的路由表现在包含以下内容：

show ip route

    172.16.0.0/24 is subnetted,5 subnets

C   172.16.4.0 is directly connected,Ethernet0

R   172.16.5.0[120/1]via 172.16.4.2,00:00:23,Ethernet0

R   172.16.6.0/24 is possibly down,routing via 172.16.4.2,Ethernet0

R   172.16.2.0[120/1]via 172.16.3.1,00:00:11,FastEthernet0

C   172.16.3.0 is directly connected,FastEthernet0

连到网络172.16.6.0的路由怎么了？所使用的默认度量方法比RIP的最大度量方法大，它的值是15。具有跳跃计数16的任何路由都被认为是不能到达的。请记住RIP的有效时间是180秒，而清除时间是240秒。路由器r3正向路由器r2宣告一个跳跃记数为100的RIP路由。240秒后，路由将从路由器r2的路由表里消失。

r2#show ip route

    172.16.0.0/24 is subnetted.4 subnets

C   172.16.4.0 is directly connected,Ethernet0

R   172.16.5.0[120/1]via 172.16.4.2,00:00:21,Ethernet0

R   172.16.2.0[120/1]via 172.16.3.1,00:00:18,FastEthernet0

C   172.16.3.0 is directly connected, FastEthernet0

尽量不要忘记使用这些重新分布命令而常犯的错误：忘记使用默认度量方法，或使用一个太大的默认度量方法。

使用 default-metric命令给重新分布路由指定度量方法是一种快速而省力的方法。一个主要的缺点是， default-metric命令向所有重新分布路由指定这种度量方法，而不管这些路由有多远。如果正把多个协议重新分布到RIP中，如IGRP和OSPF，那么，所有重新分布路由将被指定相同的跳跃记数。对于单个或多个重新分布协议，我们可以用 redistribute命令指定一个度量方法，如下所示。

```
r3(config)#router rip
r3(config-router)#redistribute igrp 100?
  metric      Metric for redistributed routes
  route-map  Route map reference
  <cr>
r3(config-router)#redistribute igrp 100 metric?
  <0-4294967295>     Default metric
r3(config-router)#redistribute igrp 100 metric 1?
  metric      Metric for redistributed routes
  route-map  Route map reference
  <cr>
r3(config-router)#redistribute igrp 100 metric 1?
```

通过 redistribute命令指定一个度量方法，度量方法只适用于从IGRP得到的路由。我们可以用不同的度量方法重新分布另一个协议，如下所示:

```
router rip
  redistribute igrp 100 metric 1
  redistribute eigrp 100 metric 3
  network 172.16.0.0
```

当向重新分布路由指定度量方法时，这种方法更灵活。尽管我们正为每个重新分布的协议指定不同的度量方法，对每个协议来说，我们正向每个重新分布路由指定相同的度量方法。例如，我们正向所有的IGRP路由指定一个值为1的默认度量方法，正向所有的EIGRP路由指定一个值为3的度量方法。有时，我们需要向从相同的协议分布到的路由中指定不同的度量方法，如果出现这种情况，那么，我们必须使用路由图。对于图13-4中的网络，路由器r4中添加了另一个地址为172.16.7.1的回送接口。现在，路由器r3上有两条IGRP网络将被重新分布到RIP，两条路由都将被指定相同的度量方法，这可以通过路由器r2的路由表来看。

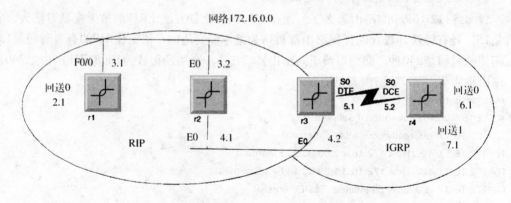

图13-4 使用路由图向重新分布路由指定不同的度量方法

```
r2#show ip route
  172.16.0.0/24 is subnetted, 6 subnets
C   172.16.4.0 is directly connected, Ethernet0
```

```
R   172.16.5.0[120/1] via  172.16.4.2,00:00:09, Ethernet0
R   172.16.6.0[120/1] via 172.16.4.2,00:00:09, Ethernet0
R   172.16.7.0[120/1] via 172.16.4.2,00:00:09, Ethernet0
R   172.16.2.0[120/1] via 172.16.3.1,00:00:02, FastEthernet0
C   172.16.3.0 is directly connected, FastEthernet0
```

路由图可以用来向从相同的路由协议得到的路由中指定不同的度量方法。例如向网络172.16.6.0指定一个值为2的度量方法，向网络172.16.7.0指定一个值为3的度量方法，向任何其他重新分布的IGRP路由指定一个值为1的度量方法。

```
r3(config-router)#redistribute igrp 100?
  metric      Metric for redistributed routes
  route-map   Route map reference
  <cr>
r3(config-router)#redistribute igrp 100 route-map?
  WORD Pointer to route-map entries
r3(config-router)#redistribute igrp 100 route-map adjust_igrp?
  metric      Metric for redistributed routes
  route-map   Route map reference
  <cr>
```

redistribute命令的这种格式将创建一个名为adjust-igrp的路由图。与一个访问表相似，路由图是match和set语句的列表。路由图被创建后，需要在全局配置模式下添加match和set语句。

```
r3(config)#router rip
r3(config-router)#redistribute igrp 100?
  metric      Metric for redistributed routes
  route-map   Route map reference
  <cr>
r3(config-router)#redistribute igrp 100 route-map?
  WORD Pointer to route-map entries

r3(config-router)#redistribute igrp 100 route-map igrp_to_rip?
```

使用路由图的第一步是通知将要用路由图为重新分布路由设置度量方法的RIP。当设定度量方法时，命令redistribute的参数：

route-map igrp-to-rip

通知RIP参考路由图igrp_to_rip。第二步是创建路由图。路由图结构与以前的BASIC 程序相似，它使用行号。已被编号的语句被输入到路由图，并且按数字顺序执行。如果出现一个匹配值，那么，路由表里的语句将被执行，并且终止路由图的处理。对于路由图igrp_to_rip，我们需要两个操作，一个是把网络172.16.6.0的度量方法设置为2，一个是把网络172.16.7.0的度量方法设置为3。在全局模式下构造路由图。

```
r3(config)#route-map?
  WORD Route map tag
```

输入路由器RIP配置下在redistribute命令中使用的路由图的名字。

```
r3(config)#route-map igrp_to_rip?
  <0-65535> Sequence to insert to/delete from existing route-map entry
```

deny	Route map denies set operations
permit	Route map permits set operations
<cr>	

r3(config)#route-map igrp_to_rip permit 10

与以前的BASIC程序一样，输入设置路由图命令的号码。

r3(config-route-map)#?

Route Map configuration commands:

exit	Exit from route-map configuration mode
help	Description of the interactive help system
match	Match values from routing table
no	Negate or set default values of a command
set	Set values in destination routing protocol

忽略exit、help和no命令，只留下match和set。它们通常成对输入，先用match语句命令，而后用set命令。

r3(config-route-map)#match?

as-path	Match BGP AS path list
clns	CLNS information
community	Match BGP community list
interface	Match first hop interface of route
ip	IP specific information
length	Packet length
metric	Match metric of route
route-type	Match route-type of route
tag	Match tag of route

接下来，输入匹配项。因为我们正调整IP路由，所以选择ip。

r3(config-route-map)#match ip?

address	Match address of route or match packet
next-hop	Match next-hop address of route
route-source	Match advertising source address of route

我们想匹配一个IP地址，既可以是172.16.6.0，也可以是172.16.7.0，所以选择address。

r3(config-route-map)#match ip address?

<1-199>	IP access-list number
<cr>	

为IP地址匹配功能而使用访问表。因为将使用两种度量方法，所以需要两个访问表，一个用于172.16.6.0网络，一个用于172.16.7.0网络。

r3(config-route-map)#match ip address 1

如果访问表里的IP地址与重新分布的路由相匹配，则决定采取相应的行动。

r3(config-route-map)#?

Route Map configuration commands:

exit	Exit from route-map configuration mode
help	Description of the interactive help system
match	Match values from routing table
no	Negate or set default values of a command

```
    set             Set values in destination routing protocol
```

而采取的行动就是设置路由的度量方法。

```
r3(config-route-map)#set?
    as-path             Prepend string for a BGP AS-path attribute
    automatic-tag       Automatically compute TAG value
    clns                OSI summary address
    community           BGP community attribute
    default             Set default information
    interface           Output interface
    ip                  IP specific information
    level               Where to import route
    local-preference    BGP local preference path attribute
    metric              Metric value for destination routing protocol
    metric-type         Type of metric for destination routing protocol
    origin              BGP origin code
    tag                 Tag value for destination routing protocol
    weight              BGP weight for routing table
r3(config-route-map)#set metric?
    +/-<metric>         Add or subtract metric
    <0-4294967295>      Metric value or IGRP bandwidth in Kbits per second
    <cr>
```

```
r3(config-route-map)#set metric 2
r3(config-route-map)#exit
```

返回全局模式，输入在网络172.16.7.0上使用的下一对match和set语句。

```
r3(config)#route-map  igrp_to_rip permit 20
r3(config-route-map)#match ip address 2
r3(config-route-map)#set metric 3
```

最后，返回到全局配置模式，并创建访问表。

```
r3(config)#access-list 1 permit 172.16.6.0 0.0.0.255
r3(config)#access-list 2 permit 172.16.7.0 0.0.0.255
```

列出路由器r3的配置，将会显示出现了什么。

```
router rip
  redistribute igrp 100 route-map igrp_to_rip
  network 172.16.0.0

access-list 1 permit 172.16.6.0 0.0.0.255
access-list 2 permit 172.16.7.0 0.0.0.255

route-map igrp_to_rip permit 10
  match ip address 1
  set metric 2
route-map igrp_to_rip permit 20
  match ip address 2
  set metric 3
```

当RIP重新分布一个路由时，将参考路由图igrp_to_rip。当重新分布网络172.16.6.0时，RIP将检查路由图，直到发现一个匹配值，或RIP已到表的末尾为止。如果发现匹配值，就执行set命令。如果没有发现匹配值，则结果与我们忘记输入默认度量方法时是一样的：路由不能被再分布。可以通过检查路由器r2的路由表来看路由图的效果。

```
r2#show ip route
   172.16.0.0/24 is subnetted, 6 subnets
C   172.16.4.0 is directly connected, Ethernet0
R    172.16.5.0[120/1] via 172.16.4.2,00:00:14,Ethernet0
R    172.16.6.0[120/2] via 172.16.4.2,00:00:24,Ethernet0
R    172.16.7.0[120/3] via 172.16.4.2,00:00:24,Ethernet0
R    172.16.2.0[120/1] via 172.16.3.1,00:00:24,FastEthernet0
C   172.16.3.0 is directly connected, FastEthernet0
```

现在，由于路由图的操作，两个重新分布的IGRP现在具有不同的度量方法。记住，当向访问表添加语句时，新的语句总是放在表的末尾。如果想在表的中间插入一个语句，就没有这么幸运了。此时，我们不得不删除表，然后，按需要的顺序重新输入。使用路由图，我们可以在表的任何地方输入匹配设置的一对语句，因为每一对都被编号。当一个匹配值出现时，为了测试上述结果和测试那个路由图的退出，需修改路由器r3上的路由图，以便包含附加的匹配设置的语句对，如下所示。

```
route-map igrp-to-rip permit 5
    match ip address 1
    set metric 6
route-map igrp_to_rip permit 10
    match ip address 1
    set metirc 2
route-map igrp_to_rip permit 20
    match ip address 2
    set matric 3
```

路由图语句5的结果是设定网络172.16.6.0的度量方法为5，但是，语句10 设定这个度量方法为2。第二对匹配设置语句不被执行，因为与第一对匹配后，RIP将退出路由图的处理，这可以通过路由器r2的路由表来进行验证。

```
r2#show ip route
C   172.16.4.0 is directly connected, Ethernet0
R    172.16.5.0[120/1] via 172.16.4.2,00:00:21,Ethernet0
R    172.16.6.0[120/6] via 172.16.4.2,00:00:21,Ethernet0
R    172.16.7.0[120/3] via 172.16.4.2,00:00:21,Ethernet0
R    172.16.2.0[120/1] via 172.16.3.1,00:00:14,FastEthernet0
C   172.16.3.0 is directly connected, FastEthernet0
```

重新分布IGRP到RIP，允许路由器r1和路由器r2查看所有的路由。路由器r3路由表也包含所有的路由，因为路由器r3正运行RIP和IGRP。可是，路由器r4仍然只能看见IGRP路由。在我们使路由器r4也能看见所有的路由之前，把各路由器返回到下列配置：

Router r1 configuration
hostname r1
enable password cisco

```
interface Loopback0
  ip address 172.16.2.1 255.255.255.0
interface FastEthernet0/0
  ip address 172.16.3.1 255.255.255.0
router rip
  network 172.16.0.0
```

Router r2 configuration

```
hostname r2
enable password cisco
interface Ethernet0
  ip address 172.16.4.1 255.255.255.0
interface FastEthernet0
  ip address 172.16.3.2 255.255.255.0
router rip
  network 172.16.0.0
```

Router r3 configuration

```
hostname r3
enable password cisco
interface Ethernet0
  ip address 172.16.4.2 255.255.255.0
interface Serial0
  ip address 172.16.5.1 255.255.255.0
  bandwidth 38400
router rip
  redistribute igrp 100 metric 1
  network 172.16.0.0
router igrp 100
  network 172.16.0.0
```

Router r4 configuration

```
hostname r4
enable password cisco
interface Loopback0
  ip address 172.16.6.1 255.255.255.0
interface Serial0
  ip address 172.16.5.2 255.255.255.0
  bandwidth 38
  clockrate 38400
router igrp 100
  network 172.16.0.0
r3(config-router)#redistribute rip metric?
  <1-4294967295>      IGRP bandwidth metric in kilobits per second
r3(config-router)#redistribute rip metric 38?
  <0-4294967295>      IGRP delay metric, in 10 microsecond units
```

r3(config-router)#redistribute rip metric 38 2000?

  <0-255>   IGRP reliability metric where 255 is 100% reliable

r3(config-router)#redistribute rip metric 38 2000 255?

  <1-255>   IGRP Effective bandwidth metric (Loading)where 255 is 100%

                    loaded

r3(config-router)#redistribute rip metric 38 2000 255 1?

  <1-4294967295>   IGRP MTU of the path

r3(config-router)#redistribute rip metric 38 2000 255 1 1500?

  metric   Metric for redistributed routes

  route-map   Route map reference

  <cr>

    如果路由器r4要看见所有的路由，就必须在路由器r3上重新分布RIP到IGRP。其命令格式与曾经用来重新分布IGRP到RIP的格式一样，唯一不同是指定度量方法。当我们把RIP路由转换到IGRP路由时，必须向RIP路由中指定具有5个参数的度量方法。这些参数是带宽、延迟、可靠性、负载和MTU。怎么确定使用哪一个值呢？可以使用命令show interface 列出这些参数的值。

    r3#show interfaces serial 0

  Serial0 is up, line protocol is up

    Hardware is HD64570

    Internet address is 172.16.5.1 255.255.255.0

    MTU 1500 bytes, BW 38 Kbit, DLY 20000 usec, rely 255/255, load 1/255

    Encapsulation HDLC, loopback not set, keepalive set(10 sec)

    Last input 0:00:07, output 0:00:03, output hang never

    Last clearing of"show interface"counters never

    Output queue 0/40, 0 drops; input queue 0/75, 0 drops

    5 minute input rate 0 bits/sec, 0 packets/sec

    5 minute output rate 0 bits/sec, 0 packets/sec

      10420 packets input, 627195 bytes, 0 no buffer

      Received 10036 broadcasts, 0 runts, 0 giants

      0 input errors, 0 CRC, 0 frame, 0 overrun, 0 ignored, 0 abort

      11404 packets output, 739139 bytes, 0 underruns

      0 output errors, 0 collisions, 3 interface resets, 0 restarts

      0 output buffer failures, 0 output buffers swapped out

      2 carrier transitions

      DCD=up DSR=up DTR=up RTS=up CTS=up

    r3#show interfaces ethernet 0

  Ethernet0 is up, line protocol is up

    Hardware is Lance, address is 0000.0c5c.2a90(bia 0000.0c5c.2a90)

    Internet address is 172.16.4.2 255.255.255.0

    MTU 1500 bytes, BW 10000 Kbit, DLY 1000 usec, rely 255/255, load 1/255

    Encapsulation ARPA, loopback not set, keepalive set(10 sec)

    ARP type: ARPA, ARP Timeout 4:00:00

    Last input 0:00:00, output 0:00:00, output hang never

    Last clearing of"show interface"counters never

```
Output queue 0/40, 0 drops; input queue 0/75, 0 drops
5 minute input rate 1000 bits/sec, 1 packets/sec
5 minute output rate 1000 bits/sec, 1 packets/sec
  8283 packets input, 856890 bytes, 0 no buffer
  Received 4319 broadcasts, 0 runts, 0 giants
  0 input errors, 0 CRC, 0 frame, 0 overrun, 0 ignoued, 0 abort
  0 input packets with dribble condition detected
   14122 packets output, 1352048 bytes, 0 underruns
   0 output errors, 0 collisions, 2 interface resets, 0 restarts
   0 output buffer failures, 0 output buffers swapped out
```

对每个接口，我们都可以看到5个IGRP参数，但是，应该使用哪一个参数的设置，是串口的设置，还是Ethernet接口的设置？因为我们要重新分布RIP路由，它是到达Ethernet接口的，所以，应该使用Ethernet接口的参数设置。串口的成本将要增加到路由的成本里。如果使用与Ethernet有关的度量方法，那么，所有的RIP路由将被指定相同的成本（假设我们没有使用路由图为每个重新分布的独立RIP路由指定不同的成本）。这种情况是可以接受的，因为到路由器r2的所有RIP路由的成本是相同的。一旦通信量到达路由器r2，路由器r2将在最低RIP跳跃计数的基础上进行路由决策。在路由器r3上重新分布的RIP路由如下所示。

```
r3(config)#router igrp 100
r3(config-router)#redistribute?
  bgp         Border Gateway Protocol(BGP)
  connected   Connected
  egp         Exterior Gateway Protocol(EGP)
  eigrp       Enhanced Interior Gateway Routing Protocol(EIGRP)
  igrp        Interior Gateway Routing Protocol(IGRP)
  isis        ISO IS-IS
  iso-igrp    IGRP for OSI networks
  mobile      Mobile routes
  ospf        Open Shortest Path First(OSPF)
  rip         Routing Information Protocol(RIP)
  static      Static routes


r3(config-router)#redistribute rip?
  metric      Metric for redistributed routes
  route-map   Route map reference
  <cr>
r3(config-router)#redistribute rip metric?
  <1-4294967295>IGRP bandwidth metric in kilobits per second
r3(config-router)#redistribute rip metric 10000?
  <0-4294967295>IGRP delay metric, in 10 microsecond units
r3(config-router)#redistribute rip metric 10000 100?
  <0-255>IGRP reliability metric where 255 is 100% reliable
r3(config-router)#redistribute rip metric 10000 100 255?
  <1-255>IGRP Effective bandwidth metric(Loading)where 255 is 100% Loaded
r3(config-router)#redistribute rip metric 10000 100 255 1?
```

```
    <1-4294967295>IGRP MTU of the path
r3(config-router)#redistribute rip metric 10000 100 255 1 1500?
    metric       Metric for redistributed routes
    route-map    Route map reference
    <cr>
r3(config-router)#redistribute rip metric 10000 100 255 1 1500
```

注意，和在Ethernet接口看到的一样，输入的延迟值是100，而不是1000。在接口延迟值被当作IGRP度量方法输入前，必须被10除。

此时，路由器r4应该已经获悉所有被重新分布进IGRP的RIP路由。

```
r4#show ip route
     172.16.0.0/24 is subnetted, 5 subnets
I    172.16.4.0[100/265257]via 172.16.5.1, 00:00:02, Serial0
C    172.16.5.0 is directly connected, Serial0
C    172.16.6.0 is directly connected, Loopback0
I    172.16.2.0[100/265257]via 172.16.5.1, 00:00:02, Serial0
I    172.16.3.0[100/265257]via 172.16.5.1, 00:00:02, Serial0
```

列出IP路由及其度量方法另一个命令是使用show ip route <ip address of the destination network>。使用show ip route命令的这种格式，我们可以列出路由器r4相关的到达网络172.16.2.0的路由信息。

```
r4#show ip route 172.16.2.0
Routing entry for 172.16.2.0/24
    Known via"igrp 100", distance 100, metric 265257
    Redistributing via igrp 100
    Advertised by igrp 100(self originated)
    Last update from 172.16.5.1 on Serial0, 00:01:07 ago
    Routing Descriptor Blocks:
    *172.16.5.1, from 172.16.5.1, 00:01:07 ago, via Serial0
     Route metric is 265257, traffic share count is 1
     Total delay is 21000 microseconds, minimum bandwidth is 38 Kbit
     Reliability 255/255, minimum MTU 1500 bytes
     Loading 1/255, Hops 0
```

路由通过IGRP而获悉，并具有管理距离100（是IGRP的默认值）。IGRP的度量方法是265257，它包含四个度量方法：带宽、延迟、负载和可靠性。总的延迟是21000，它是串行链路的延迟（20000）和Ethernet链路的延迟（1000）的总和。对于Ethernet和串口使用四个度量方法，通过使用IGRP的度量方法公式，可以计算总的成本。

$$度量方法1 = \frac{K1*10,000,000}{带宽} + \frac{K2*(10,000,000/带宽)}{256-负载} + K3*\frac{延迟}{10}$$

$$最后的度量方法 = 度量方法1 + \frac{K5}{可靠性+K4}$$

K1、K2、K3、K4和K5的默认值是：

$$K1=K3=1$$
$$K2=K4=K5=0$$

在度量方法公式中，使用的带宽是单位为1k位的路径里的最小带宽。在公式中，与到带宽的串行链路关联的最小带宽是38000/1000=38。所以：

$$最后的度量方法=\frac{10,000,000}{38}+\frac{总的延迟}{10}(\frac{10,000,000}{38})+(\frac{21,000}{10})=265,257$$

现在,我们将检查可以重新分布到任何一个IP路由协议里的其他类型的路由。

```
r3(config-router)#redistribute?
  bgp              Border Gateway Protocol(BGP)
  connected        Connected
  egp              Exterior Gateway Protocol(EGP)
  eigrp            Enhanced Interior Gateway Routing Protocol(EIGRP)
  igrp             Interior Gateway Routing Protocol(IGRP)
  isis             ISO IS-IS
  iso-igrp         IGRP for OSI networks
  mobile           Mobile routes
  ospf             Open Shortest Path First(OSPF)
  rip              Routing Information Protocol(RIP)
  static           Static routes
```

我们特别感兴趣的是突出显示的选择，不管是连接的，还是静态的。为RIP和IGRP重新分布已连接的路由，可以作为路由器配置模式下使用网络命令的另一种方法。这里使用的操作词组是"可以"。为了不使用网络命令而重新分布已连接的路由，在路由器r3上重新配置IGRP路由进程。

```
router igrp 100
  redistribute connected
  redistribute rip metric 10000 100 255 1 1500
```

路由器r3连接的网络是172.16.4.0和172.16.5.0。现在检查路由器r4的路由表。

```
r4#show ip route
  172.16.0.0/24 is subnetted, 2 subnets
C  172.16.5.0 is directly connected, Serial0
C  172.16.6.0 is directly connected, Loopback0
```

路由器r4已经为直接连接的网络失去了所有路由出口。当我们在路由器r3上重新配置IGRP时，我们不使用任何网络语句。网络语句用来通知IGRP有哪些要宣告的网络，以及哪一个接口要发送和接收IGRP路由更新。如果没有网络命令，路由器r3上的IGRP进程将什么也不能做，所以，路由器r4不能得到任何路由。重新分布已连接的路由，一个较好的实例是，在路由器r3上，在与主网络172.16.0.0不同的网络里创建一个回送接口。对于这个实例，将使用网络156.26.1.0。

```
Router r3 configuration
interface Loopback0
  ip address 156.26.1.1 255.255.255.0
router igrp 100
```

```
redistribute connected
redistribute rip metric 10000 100 255 1 1500
network 172.16.0.0
```

对于这种配置，路由器r3将通过网络172.16.0.0中的接口运行IGRP。因为网络156.26.0.0
在一个直接连接的接口上，命令redistribute connected将强制IGRP也宣告这个网络，可以通过
路由器r4的路由表看到这一点。

```
r4#show ip route
I   156.26.0.0/16[100/265657] via 172.16.5.1,00:00:40,Serial0
    172.16.0.0/24 is subnetted, 5 subnets
I   172.16.4.0[100/265257] via 172.16.5.1,00:00:40,Serial0
C   172.16.5.0 is directly connected, Serial0
C   172.16.6.0 is directly connected, Loopback0
I   172.16.2.0[100/265257] via 172.16.5.1,00:00:40, Serial0
I   172.16.3.0[100/265257] via 172.16.5.1,00:00:40, Serial0
```

对于RIP、IGRP和EIGRP来说，只要使用过一个网络命令，实际上，就可以用redistribute
connected代替这个网络命令。IGRP宣告156.26.1.0接口之外的路由了吗？我们可以调试IGRP
事务，来确定路由是否将被送到网络156.26.0.0。

```
r3#debug ip igrp transactions
IGRP protocol debugging is on
r3#
IGRP: sending update to 255.255.255.255 via Ethernet0(172.16.4.2)
   subnet 172.16.5.0,metric=265157
   subnet 172.16.6.0,metric=265657
   network 156.26.0.0,metric=501
IGRP: sending update to 255.255.255.255 via Serial0(172.16.5.1)
   subnet 172.16.4.0,metric=1100
   subnet 172.16.2.0,metric=1100
   subnet 172.16.3.0,metric=1100
   network 156.26.0.0,metric=501
```

正如我们已看到的，路由更新没有被送到网络156.26.0.0。IGRP只把路由更新广播到网络
语句包含的接口处。与redistribute connected命令等效的命令是：

```
router igrp 100
passive-interface Loopback0
network 156.26.0.0
network 172.16.0.0
```

```
r3#debug ip igrp transactions
IGRP protocol debugging is on
r3#
IGRP:sending update to 255.255.255.255 via Ethernet0(172.16.4.2)
   subnet 172.16.5.0,metric=265157
   subnet 172.16.6.0,metric=265657
   network 156.26.0.0,metric=501
IGRP:sending update to 255.255.255.255 via Serial0(172.16.5.1)
```

```
    subnet 172.16.4.0,metric=1100
    subnet 172.16.2.0,metric=1100
    subnet 172.16.3.0,metric=1100
    network 156.26.0.0,metric=501
```

从两种情况的调试输出中，我们可以看见，相同的信息被广播到相同的接口。你可能会问，既然使用网络和无源接口命令可以达到相同的效果，那么，使用redistribute connected命令的好处是什么呢？当我们用OSPF检查路由重新分布时，这个问题就会得到解答。

我们将讨论的下一个redistribute命令是redistribute static。我们已知道，当想禁止路由信息通过ISDN连接时，静态路由是有用的。命令redistribute static仅仅宣告在路由器上配置的所有静态路由。例如，在路由器r3上创建一个到达网络200.16.10.0的静态路由。

```
r3(config)#ip route 200.16.10.0 255.255.255.0 Ethernet0
Router r3 now has a static route to network 200.16.10.0

r3 # show ip route
156.26.0.0 255.255.255.0 is subnetted, 1 subnets
C   156.26.1.0 is directly connected, Loopback0
    172.16.0.0. 255.255.255.0 is subnetted, 5 subnets
C   172.16.4.0 is directly connected,Ethernet0
C   172.16.5.0 is directly connected,Serial0
I   172.16.6.0[100/265657] via 172.16.5.2,00:00:13,Serial0
R   172.16.2.0[120/2] via 172.16.4.1,00:00:25,Ethernet0
R   172.16.3.0[120/1] via 172.16.4.1,00:00:25,Ethernet0
S   200.16.10.0 is directly connected, Ethernet0
```

尽管静态路由作为直接连接路由出现，如果我们使用redistribute connected命令，路由器r3将不宣告这条路由。可以通过路由器r4的路由表看到这一点。

```
r4#sh ip route
I   156.26.0.0/16[100/265657] via 172.16.5.1,00:00:02, Serial0
    172.16.0.0/24 is subnetted, 5 subnets
I   172.16.4.0[100/265257] via 172.16.5.1,00:00:02,Serial0
C   172.16.5.0 is directly connected, Seria10
C   172.16.6.0 is directly connected, Loopback0
I   172.16.2.0[100/265257] via 172.16.5.1,00:00:02,Serial0
I   172.16.3.0[100/265257] via 172.16.5.1,00:00:02,Serial0
```

为了向网络200.16.10.0宣告这条静态路由，必须在路由器IGRP配置模式下使用命令redistribute static。

```
router igrp 100
    redistribute connected
    redistribute static
    redistribute rip metric 10000 100 255 1 1500
    network 172.16.0.0
```

这将强制路由器r3上的IGRP进程宣告这条静态路由，可以通过路由器r4的路由表看到这一点。

```
r4#show ip route
I   156.26.0.0/16[100/265657]via 172.16.5.1, 00:00:03, Serial0
```

```
     172.16.0.0/24 is subnetted, 5 subnets
I    172.16.4.0[100/265257]via 172.16.5.1, 00:00:03, Serial0
C    172.16.5.0 is directly connected, Serial0
C    172.16.6.0 is directly connected, Loopback0
I    172.16.2.0[100/265257]via 172.16.5.1, 00:00:03, Serial0
I    172.16.3.0[100/265257]via 172.16.5.1, 00:00:03, Serial0
**I    200.16.10.0/24[100/265257]via 172.16.5.1, 00:00:03, Serial0**
```

有一个被称为default route（默认路由）的特殊静态路由。默认路由是到达网络0.0.0.0的路由。当一个路由器收到为网络指定的而路由器的路由表里没有的包时，便会使用默认路由。默认路由是作为到网络0.0.0.0的一条静态路由被创建的。在路由器r2上一个创建默认路由器如下:

```
r2(config)#ip route 0.0.0.0 255.255.255.255 fastEthernet 0
r2#show ip route
r2#show ip route
     172.16.0.0/24 is subnetted, 5 subnets
C    172.16.4.0 is directly connected, Ethernet0
R    172.16.5.0[120/1]via 172.16.4.2, 00:00:07, Ethernet0
R    172.16.6.0[120/1]via 172.16.4.2, 00:00:07, Ethernet0
R    172.16.2.0[120/1]via 172.16.3.1, 00:00:27, FastEthernet0
C    172.16.3.0 is directly connected, FastEthernet0
**S    0.0.0.0/32 is directly connected, FastEthernet0**
```

在路由器r2上，用命令redistribute static配置RIP路由进程。尽管路由器r2有一条到达默认网络的路由，而且被宣布为一条静态路由，redistribute static命令不会使RIP宣告这条路由。可以通过路由器r1的路由表看到这一点。

```
r1#show ip route
     172.16.0.0/24 is subnetted, 5 subnets
R    172.16.4.0[120/1]via 172.16.3.2, 00:00:03, FastEthernet0/0
R    172.16.5.0[120/2]via 172.16.3.2, 00:00:03, FastEthernet0/0
R    172.16.6.0[120/2]via 172.16.3.2, 00:00:03, FastEthernet0/0
C    172.16.2.0 is directly connected, Loopback0
C    172.16.3.0 is directly connected, FastEthernet0/0
```

为了重新分布默认路由，以便不必在每个路由器上创建一条静态路由，而使所有的路由器都能看见这条默认路由，我们可以在路由器r2上，在路由器RIP配置模式下，使用命令default-information originate。

```
r2(config-router)#default-information?
    originate Distribute a default route
r2(config-router)#default-information originate?
    route-map Route-map reference
    <cr>

r2(config-router)#default-information originate
```

现在，路由器r1的路由表包含默认路由。

```
r1#show is route
Codes:C-connected, S-static, I-IGRP, R-RIP, M-mobile, B-BGP
```

D-EIGRP, EX-EIGRP external, O-OSPF ,IA-OSPF inter area
N1-OSPF NSSA external type 1, N2-OSPF NSSA external type2
E1-OSPF external type1, E2-OSPF external type2, E-EGP
i-IS-IS, L1-IS-IS level-1, L2-IS-IS level-2, ***-candidate default**
U-per-user static route, o-ODR

Gateway of last resort is 172.16.3.2 to network 0.0.0.0

```
    172.16.0.0/24 is subnetted, 5 subnets
R   172.16.4.0[120/1]via 172.16.3.2, 00:00:24, FastEthernet0/0
R   172.16.5.0[120/2]via 172.16.3.2, 00:00:24, FastEthernet0/0
R   172.16.6.0[120/2]via 172.16.3.2, 00:00:24, FastEthernet0/0
C   172.16.2.0 is directly connected, Loopback0
C   172.16.3.0 is directly connected, FastEthernet0/0
```
R* 0.0.0.0/0[120/1]via 172.16.3.2, 00:00:24, FastEthernet0/0

如果路由器r1收到到达一个网络的包，而这个网络不在路由器r1的路由表里，那么，这个包将送到快速Ethernet 0的接口。

在第11章，我们跳过的一条命令是metric weights。这条命令用来修改IGRP度量方法公式中的常数K1、K2、K3、K4和K5。下边是这条命令的语法：

```
r3(config)#router igrp 100
r3(config-router)#metric weights?
  <0-8>                Type Of Service(Only TOS 0 supported)
  r3(config-router)#metric weights 0?
  <0-4294967295>    K1
r3(config-router)#metric weights 0 1?
  <0-4294967295>    K2
r3(config-router)#metric weights 0 1 0?
  <0-4294967295>    K3
r3(config-router)#metric weights 0 1 0 1?
  <0-4294967295>    K4
r3(config-router)#metric weights 0 1 0 1 0?
  <0-4294967295>    K5
r3(config-router)#metric weights 0 1 0 1 0 0
```

尽管可以修改常数K1到K5，但建议你不要这样做。这些值是管理IGRP路由协议的最佳选择。修改这些值不会带来任何好处，只能带来麻烦。可是，如果有人请求你修改它们，现在，你知道该怎么做了。

尽管我们没有看到任何使用带有重新分布连接和静态路由的路由图的示例，这种路由图的使用与我们为从其他路由协议重新分布路由而使用的路由图方式是相同的。

我们需要研究的最后配置示例是有关相互重新分布的问题。配置网络，使路由器r3重新分布RIP路由到IGRP路由，而IGRP路由到RIP路由。相互重新分布有时能导致路由循环出现。当使用另一个协议重新宣告重新分布的路由时，这个问题就会出现。例如，路由器r3正在向路由器r4宣告，它能到达网络172.16.2.0。网络172.16.2.0是从RIP和重新分布到IGRP的RIP得到的。路由器r4收到来自路由器r3的这个路由宣告，但是，因为有分离视界,不能向路由器r3

重新宣告这条路由。IP分离视界在IP接口上，默认情况下是可用的，所以，路由器r4不会宣告路由器r3，它有一条到达网络172.16.2.0的路由，因为路由器r4是从路由器r3得到这条路由的。如果我们在路由器r4的串口上禁止IP分离视界，会怎么样呢？让我们做一下，并且看看发生了什么。在路由器r4的串口上禁止在路由器r3和路由器r4之间串口上的IP分离视界。在禁止IP分离视界之前，浏览以下路由器r3的路由表，确定到达网络172.16.2.0的路由。

```
r3#show ip route
Gateway of last resort is 172.16.4.1 to network 0.0.0.0
    156.26.0.0 255.255.255.0 is subnetted, 1 subnets
C   156.26.1.0 is directly connected, Loopback0
    172.16.0.0 255.255.255.0 is subnetted, 5 subnets
C   172.16.4.0 is directly connected, Ethernet0
C   172.16.5.0 is directly connected, Serial0
I   172.16.6.0[100/265657]via 172.16.5.2, 00:00:06, Sevial0
R   172.16.2.0[120/2]via 172.16.4.1, 00:00:11, Ethernet0
R   172.16.3.0[120/1]via 172.16.4.1, 00:00:11, Ethernet0
S   200.16.10.0 is directly connected, Ethernet0
R*  0.0.0.0 0.0.0.0[120/1]via 172.16.4.1, 00:00:11, Ethernet0
```

正如我们希望的，路由器r3有一条到达网络172.16.2.0的路由穿过路由器r2。现在，禁止路由器r4串口上的分离视界。

```
r4(config)#interface serial 0
r4(config-if)#no ip split-horizon
```

现在，检查路由器r3的路由表。

```
r3#show ip route
    156.26.0.0 is variably subnetted, 2 subnets, 2 masks
I   156.26.0.0 255.255.0.0[100/267657]via 172.16.5.2, 00:01:03, Serial0
C   156.26.1.0 255.255.255.0 is directly connected, Loopback0
    172.16.0.0 255.255.255.0 is subnetted, 5 subnets
C   172.16.4.0 is directly connected, Ethernet0
C   172.16.5.0 is directly connected, Serial0
I   172.16.6.0[100/265657]via 172.16.5.2, 00:01:04, Serial0
I   172.16.2.0[100/267257]via 172.16.5.2, 00:01:04, Serial0
I   172.16.3.0[100/267257]via 172.16.5.2, 00:01:04, Serial0
S   200.16.10.0 is directly connected, Ethernet0
R*  0.0.0.0 0.0.0.0[120/1]via 172.16.4.1, 00:00;26, Ethernet0
```

现在，路由器r3认为它有一条通过r4路由器到达网络172.16.2.0和172.16.3.0的路由！这是为什么呢？答案是因为度量方法的不同。图13-5显示出了使这些路由被安装进路由器r3的路由表的那些进程。在图13-5中，路由器r2向路由器r3宣告到达网络172.16.2.0和172.16.3.0的路由。路由器r3正在运行RIP，所以，这两条路由将被加进路由表。路由器r3重新分布这两条路由到IGRP，并且把它们作为IGRP路由向路由器r4宣告。因为在路由器r4上，IP分离范围被禁止，所以，路由器r4将宣告路由器r3它有一条到达网络172.16.2.0和172.16.3.0的路由。现在，路由器r3正接收来自路由器r2和路由器r4的到达网络172.16.2.0和172.16.3.0的宣告。路由器r3不能使用路由度量方法来决定哪条路由将被装进路由表，因为RIP的度量方法不能与IGRP的度量方法相比较（就像苹果和橘子是两回事一样）。这时，管理距离开始起作用。RIP的管理距离是120，而IGRP的管理距离是100，所以IGRP路由被推荐。RIP路由将被忽略，而IGRP路由将被装进路由表。甚至更糟糕的是，路由器r4具有指向路由器r3到达网络172.16.2.0和172.16.3.0的路由。

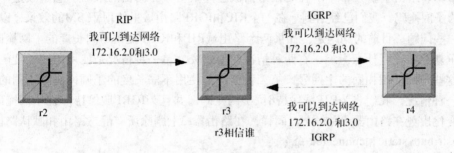

图13-5 路由循环的形式

```
r4#show ip route
I    156.26.0.0/16[100/265657]via 172.16.5.1, 00:00:07, Serial0
     172.16.0.0/24 is subnetted, 5 subnets
I    172.16.4.0[100/265257]via 172.16.5.1, 00:00:07, Serial0
C    172.16.5.0 is directly connected, Serial0
C    172.16.6.0 is directly connected, Loopback0
I    172.16.2.0[100/265257]via 172.16.5.1, 00:00:25, Serial0
I    172.16.3.0[100/265257]via 172.16.5.1, 00:00:25, Serial0
I    200.16.10.0/24[100/265257]via 172.16.5.1, 00:00:08, Serial0
```

现在，我们有一个典型的路由循环。如果我们追踪从路由器r4到达网络172.16.2.0的路由，可以发现这个循环在运转。

```
r4#traceroute
Protocol[ip]:
Target IP address:172.16.2.1
Source address:
Numeric display[n]:
Timeout in seconds[3]:
Probe count[3]:
Minimum Time to Live[1]:
Maximum Time to Live[30]:
Port Number[33434]:
Loose, Strict, Record, Timestamp, Verbose[none]:v
Loose, Strict, Record, Timestamp, Verbose[v]:
Type escape sequence to abort.
Tracing the route to 172.16.2.1

  1   172.16.5.1 24 msec 24 msec 24 msec
  2   172.16.5.2 60 msec 44 msec 44 msec
```

包在路由器r3和r4之间来回跳动。这个例子可能多少有点不真实，因为对于这种配置，我们可能从来都不禁止分离范围。可是，如果我们正使用子接口，通过一个点对多点的NBMA

网络运行IGRP和RIP，那么，这个问题可能会出现。我们需要在集线器路由器（图13-6）上禁止IP分离范围，以便把路由更新传播到所有路由器。如果出现一个另外的路由重新分布，那么将可能出现一个路由循环。

在RIP和IGRP路由重新分布中，有关在路由域之间重新分布路由的最后注意事项是，使用不同长度的子网掩码。我们已经看到，在一个RIP和IGRP路由域里使用VLSM的效果，以及随之而来的一些问题。目前的问题是，如果两个路由域RIP和IGRP使用不同长度的子网掩码，那么，路由重新分布受到什么影响。有两种情况需要研究，第一种情况是使用不同长度的子网掩码，而这些子网使用相同的主网号。第二种情况是使用不同长度的子网掩码和不同的主网号。对第一种情况，我们将为RIP域保持8位子网掩码，并且为IGRP域保持12位子网掩码。配置的唯一变化出现在路由器r3和r4上。同样，在路由器r3上删除所有静态路由和默认路由，并且删除redistribute static和connected 命令。

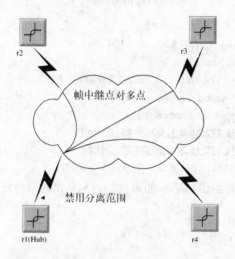

图13-6　需要禁止分离范围的NBMA多点配置

Router r3 configuration changes
interface Serial0
　ip address 176.16.5.1 255.255.255.240
　bandwidth 38

Router r4 configuration changes
interface Loopback0
　ip address 172.16.6.1 255.255.255.240
interface Serial0
　ip address 176.16.5.2 255.255.255.240
　bandwidth 38
　clockrate 38400

现在，随着上述变化路由器r4的路由表里已经包括如下内容：

r4 #show ip route
　172.16.0.0/28 is subnetted, 2 subnets
C　172.16.5.0 is directly connected, Serial0

C　172.16.6.0 is directly connected, Loopback0

以前从RIP得到的所有路由现在全部消失了。正像我们希望的一样，因为两个路由域之间的子网掩码是不同的，所以路由不会重新分布。通过在路由器r4上创建带有8位子网掩码的到达网络172.16.2.0、172.16.3.0和172.16.4.0的静态路由，或者在路由器r3上创建静态路由，并且把它们重新分布到IGRP，问题就可以得到解决。因为路由器r3已经通过RIP得到了到达那些网络的路由，配置静态路由的最佳地点是在路由器r4上。

Router r4 configuration

ip route 172.16.2.0 255.255.255.0 Serial0

ip route 172.16.3.0 255.255.255.0 Serial0

ip route 172.16.4.0 255.255.255.0 Serial0

注意，用于静态路由的是一个8位子网掩码，而不是12位子网掩码。因为这些是静态路由，而不是从IGRP得到的路由，8位子网掩码将正常工作。如果静态路由是在路由器r3上创建的，而且重新分布到IGRP，那么，需要一个12位子网掩码。为了看看静态路由是否解决了我们的问题，可试着从路由器r4的网络172.16.2.0、172.16.3.0和172.16.4.0上ping接口。路由器r4可以ping 172.16.4.2接口，因为这个接口直接与路由器r3连接，而且，路由器r3正在运行IGRP，所以，它具有一条回到路由器r4的路由。路由器r4不可以ping 172.16.4.1接口，因为路由器r2没有回到路由器r2的路由，这是由于子网掩码与RIP和IGRP的区域之间不匹配造成的。需要在路由器r2上输入静态路由，并且重新分布到RIP，以便路由器r1知道它们的存在。

Router r2 configuration

router rip

　redistribute static metric 1

　　network 172.16.0.0

ip route 172.16.5.0 255.255.255.0 Ethernet0

ip route 172.16.6.0 255.255.255.0 Ethernet0

r1#show ip route

　172.16.0.0/24 is subnetted, 5 subnets

R　172.16.4.0[120/1]via 172.16.3.2, 00:00:07, FastEthernet0/0

R　172.16.5.0[120/1]via 172.16.3.2, 00:00:07, FastEthernet0/0

R　172.16.6.0[120/1]via 172.16.3.2, 00:00:07, FastEthernet0/0

C　172.16.2.0 is directly connected Loopback0

C　172.16.3.0 is directly connected FastEthernet 0/0

现在，路由器r1有了到达IGRP的路由，路由器r4可以ping RIP网络，路由器r1可以ping IGRP网络。

正如我们看到的一样，为了检查第2种情况，与RIP相比，IGRP域使用不同的主网号和不同长度的子网掩码配置路由器r3和路由器r4，从路由器里删除所有静态路由和所有redistribute static命令。

Router r3 configuration

interface Serial0

　ip address 173.16.5.1 255.255.255.240

　bandwidth 38

router rip

　redistribute igrp 100 metric 1

```
   network 172.16.0.0
router igrp 100
   redistribute rip metric 10000 100 255 1 1500interface Loopback0
   ip address 173.16.6.1 255.255.255.240
```

<u>Router r4 configuration</u>
```
interface Serial0
   ip address 173.16.5.2 255.255.255.240
   bandwidth 38
   clockrate 38400
   router igrp 100
      network 173.16.0.0
```

现在，路由器r1和路由器r4的路由表里包括了到达其他路由域的路由。

```
r1#show ip route
   172.16.0.0/24 is subnetted, 3 subnets
R    172.16.4.0[120/1]via 172.16.3.2, 00:00:11, FastEthernet0/0
C    172.16.2.0 is directly connected, Loopback0
C    172.16.3.0 is directly connected, FastEthernet0/0
R    173.16.0.0/16[120/2]via 172.16.3.2, 00:00:11, FastEthernet0/0
```

```
r4#show ip route
I    172.16.0.0/16[100/265257]via 173.16.5.1, 00:00:26, Serial0
   173.16.0.0/28 is subnetted, 2 subnets
C    173.16.5.0 is directly connected, Serial0
C    173.16.6.0 is directly connected, Loopback0
```

我们已经介绍了在RIP和IGRP之间重新分布路由时可能出现的情况。当在RIP和IGRP以外的协议之间重新分布路由时，我们讨论过的许多情况和所使用的命令仍然适用。对于维护路由协议的组合，我们只探讨只有在讨论路由协议对时才有的问题。

13.2　RIP和EIGRP

当重新分布路由时，图13-7中的网络将被用来研究RIP和EIGRP之间的接口。配置路由器r1、r2和r3如图13-7所示。

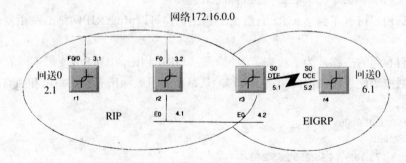

图13-7　RIP和EIGRP路由重新分布网络示例

<u>Router r1 configuration</u>

```
hostname r1
enable password cisco
interface Loopback0
    ip address 172.16.2.1 255.255.255.0
interface FastEthernet0/0
    ip address 172.16.3.1 255.255.255.0
router rip
    network 172.16.0.0
```

Router r2 configuration

```
hostname r2
enable password cisco
interface Ethernet0
    ip address 172.16.4.1 255.255.255.0
interface FastEthernet0
    ip address 172.16.3.2 255.255.255.0
router rip
    network 172.16.0.0
```

Router r3 configuration

```
hostname r3
enable password cisco
interface Ethernet0
    ip address 172.16.4.2 255.255.255.0
interface Serial0
    ip address 172.16.5.1 255.255.255.0
    bandwidth 38
router rip
    redistribute eigrp 100 metric 1
    network 172.16.0.0
router eigrp 100
    redistribute rip metric 10000 100 255 1 1500
    network 172.16.0.0
```

Router r4 configuration

```
hostname r4
enable password cisco
interface Loopback0
    ip address 172.16.6.1 255.255.255.0
interface Serial0
    ip address 172.16.5.2 255.255.255.0
    bandwidth 38
    clockrate 38400
router eigrp 100
    network 172.16.0.0
```

这个RIP/EIGRP配置与第一种RIP/EIGRP配置的唯一不同是, 我们正运行EIGRP, 而不是

IGRP。以前的经验告诉我们，这种配置目前应该没有路由问题，通过路由表可以看出这一点。

```
r1#show ip route
    172.16.0.0/24 is subnetted, 5 subnets
R    172.16.4.0 [120/1]via 172.16.3.2, 00:00:11, FastEthernet0/0
R    172.16.5.0 [120/2]via 172.16.3.2, 00:00:11, FastEthernet0/0
R    172.16.6.0 [120/2]via 172.16.3.2, 00:00:11, FastEthernet0/0
C    172.16.2.0 is directly connected, Loopback0
C    172.16.3.0 is directly connected, FastEthernet0/0


r2#show ip route
    172.16.0.0/24 is subnetted, 5 subnets
C    172.16.4.0 is directly connected, Ethernet0
R    172.16.5.0[120/1] via 172.16.4.2, 00:00:01, Ethernet0
R    172.16.6.0[120/1] via 172.16.4.2, 00:00:01, Ethernet0
R    172.16.2.0[120/1] via 172.16.3.1, 00:00:11, FastEthernet0
C    172.16.3.0 is directly connected, FastEthernet0


r3#show ip route
    172.16.0.0 255.255.255.0 is subnetted, 5 subnets
C    172.16.4.0 is directly connected, Ethernet0
C    172.16.5.0 is directly connected, Serial0
D    172.16.6.0[90/68008192]via 172.16.5.2, 00:07:36, Serial0
R    172.16.2.0[120/2]via 172.16.4.1, 00:00:14, Ethernet0
R    172.16.3.0[120/1]via 172.16.4.1, 00:00:14, Ethernet0


r4#show ip route
Codes:C-connected, S-static, I-IGRP, R-RIP, M-mobile, B-BGP
    **D-EIGRP, EX-EIGRP external**, O-OSPE, IA-OSPF inter area
    E1-OSPF external type 1, E2-OSPF external type 2, E-EGP
    i-IS-IS, L1-IS-IS level-1, L2-IS-IS level-2, *-candidate default
    U-per-user static route


Gateway of last resort is not set

    172.16.0.0/24 is subnetted, 5 subnets
D    172.16.4.0[90/67905792]via 172.16.5.1, 00:08:18, Serial0
C    172.16.5.0 is directly connected, Serial0
C    172.16.6.0 is directly connected, Loopback0
**D EX**  172.16.2.0[170/68136192]via 172.16.5.1, 00:02:49, Serial0
**D EX**  172.16.3.0[170/68136192]via 172.16.5.1, 00:02:49, Serial0
```

注意，从RIP获悉的路由以及重新分布到EIGRP的路由都被标出来做为外部路由。

首先要研究的是，在同一个主网号上使用不同长度的子网掩码，以及在不同主子网号上使用不同长度的子网掩码。对于第一种情况，配置路由器r3和r4如下所示：

Router r3 configuration

```
interface Serial0
   ip address 172.16.5.1 255.255.255.240
   bandwidth 38
Router r4 configuration
interface Loopback0
   ip address 172.16.6.1 255.255.255.240
interface Serial0
   ip address 172.16.5.2 255.255.255.240
   bandwidth 38
   no fair-queue
   clockrate 38400
```

因为EIGRP在路由更新里携带子网信息，我们希望看到在路由器r4的路由表里重新分布RIP路由。

```
r4#show ip route
   172.16.0.0/16 is variably subnetted, 5 subnets, 2 masks
D    172.16.4.0/24[90/67905792]via 172.16.5.1, 00:00:49, Serial0
C    172.16.5.0/28 is directly connected, Serial0
C    172.16.6.0/28 is directly connected, Loopback0
D EX 172.16.2.0/24[170/68136192]via 172.16.5.1, 00:00:49, Serial0
D EX 172.16.3.0/24[170/68136192]via 172.16.5.1, 00:00:49, Serial0
```

但是，我们在路由器r1的路由表里不应看到EIGRP路由，因为RIP没有在路由更新里携带子网信息。

```
r1#show ip route
   172.16.0.0/24 is subnetted, 3 subnets
R    172.16.4.0[120/1]via 172.16.3.2, 00:00:02, FastEthernet0/0
C    172.16.2.0 is directly connected, Loopback0
C    172.16.3.0 is directly connected, FastEthernet0/0
```

使用EIGRP代替IGRP已经解决了我们路由问题的一半，那就是EIGRP域能看到RIP路由。我们做些什么才能使RIP域看到EIGRP路由呢？可以在路由器r2上创建静态路由，然后重新分布到RIP，与用RIP/IGRP所做的一样。或者我们可以在路由器r1、r2和r3上使用RIP版本2。在路由器r1、r2和r3上作为版本2重新配置RIP进程，然后重新检查路由器r1的路由表。

```
r1#show ip route
   172.16.0.0/16 is variably subnetted, 5 subnets, 2 masks
R    172.16.4.0/24[120/1]via 172.16.3.2, 00:00:01, FastEthernet0/0
R    172.16.5.0/28[120/2]via 172.16.3.2, 00:00:01, FastEthernet0/0
R    172.16.6.0/28[120/2]via 172.16.3.2, 00:00:01, FastEthernet0/0
C    172.16.2.0/24 is directly connected, Loopback0
C    172.16.3.0/24 is directly connected, FastEthernet0/0
```

最后一种情况是，域正使用不同长度的子网掩码和不同的主网号，工作情况将与为RIP/IGRP路由重新分布而探讨的情况相同，与正运行的RIP版本无关。

从列出的路由器r3的路由表里，我们可以确定EIGRP的度量方法。

```
D    172.16.6.0[90/68008192]via 172.16.5.2,00:07:36,Serial0
```

我们已经明白怎么计算IGRP的度量方法，所以，我们怎么计算EIGRP的度量方法呢？对于同一路由的IGRP的度量方法显示如下：

 I 172.16.6.0[100/265657]via 172.16.5.2, 00:00:13,Serial0

如果我们用EIGRP的度量方法除以IGRP的度量方法，可以确定两者之间的关系。

$$\frac{68,008,192}{265,657} = 256$$

EIGRP的度量方法总是IGRP的度量方法的256倍。

13.3　IGRP和EIGRP

为了确定IGRP和EIGRP之间重新分布路由间的关系，用下列配置来配置图13-8中的网络。

Router r1 configuration

hostname r1

enable password cisco

interface Loopback0

 ip address 172.16.2.1 255.255.255.0

interface FastEthernet0/0

 ip address 172.16.3.1 255.255.255.0

router igrp 100

 network 172.16.0.0

Router r2 configuration

hostname r2

enable password cisco

interface Ethernet0

 ip address 172.16.4.1 255.255.255.0

interface Fast Ethernet0

 ip address 172.16.3.2 255.255.255.0

router igrp 100

 network 172.16.0.0

Router r3 configuration

hostname r3

enable password cisco

interface Ethernet0

 ip address 172.16.4.2 255.255.255.0

interface Serial0

 ip address 172.16.5.1 255.255.255.0

 bandwidth 38

router eigrp 100

 network 172.16.0.0

router igrp 100

 network 172.16.0.0

Router r4 configuration

hostname r4

```
enable password cisco
interface Loopback0
   ip address 172.16.6.1 255.255.255.0
interface Serial0
   ip address 172.16.5.2 255.255.255.0
   bandwidth 38
   clockrate 38400
router eigrp 100
   network 172.16.0.0
```

检查路由器r1和r4的路由表，确定发生了什么情况。

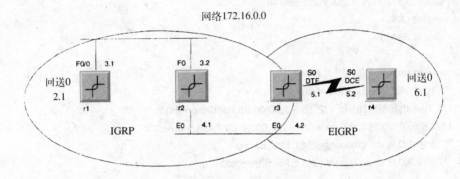

图13-8 IGRP和EIGRP路由重新分布网络示例

```
r1#show ip route
172.16.0.0/24 is subnetted, 5 subnets
I   172.16.4.0[100/1110]via 172.16.3.2, 00:00:20 FastEthernet0/0
I   172.16.5.0[100/265267]via 172.16.3.2, 00:00:20 FastEthernet0/0
I   172.16.6.0[100/265767]via 172.16.3.2, 00:00:20 FastEthernet0/0
C   172.16.2.0 is directly connected, Loopback0
C   172.16.3.0 is directly connected, FastEthernet0/0

r4#show ip route
   172.16.0.0/16 is variably subnetted, 6 subnets,2 masks
D   172.16.4.0/24[90/67905792] via172.16.5.1,00:12:12,Serial0
D   172.16.5.0/28[90/68392192] via172.16.5.1,00:12:12,Serial0
C   172.16.5.0/24 is directly connected, Serial0
C   172.16.6.0/24 is directly connected, Loopback0
D EX 172.16.2.0/24[170/68036352]via 172.16.5.1,00:12:12,Serial0
D EX 172.16.3.0/24[170/67908352]via 172.16.5.1,00:12:12,Serial0
```

路由器r3的配置不从IGRP重新分布路由到EIGRP，也不从EIGRP重新分布路由到IGRP，而路由器r1和r4能看到所有路由。因为IGRP和EIGRP与路由协议相似，路由重新分布是自动的。

在两个路由域中，使用不同长度子网掩码和不同主网号的方案，在IGRP和EIGRP之间重新分布路由将没有问题。我们需要研究的是，当我们用IGRP和EIGRP在两个路由域中使用不同子网掩码长度时，将会发生什么。用12位子网掩码重新配置路由器r3和r4，而让路由器r1和

r2保留8位子网掩码。

Router r3 configuration
interface Serial0
 ip address 172.16.5.1 255.255.255.240
 bandwidth 38

Router r4 configuration
interface Loopback0
 ip address 172.16.6.1 255.255.255.240
interface Serial0
 ip address 172.16.5.2 255.255.255.240
 bandwidth 38
 clockrate 38400

r1#show ip route
 172.16.0.0/24 is subnetted, 4 subnets
I 172.16.4.0[100/1110]via 172.16.3.2,00:00:03,FastEthernet0/0
I 172.16.5.0[100/265267]via 172.16.3.2,00:00:03,FastEthernet0/0
C 172.16.2.0 is directly connected, Loopback0
C 172.16.3.0 is directly connected, FastEthernet0/0

r4#show ip route
 172.16.0.0/16 is variably subnetted, 5 subnets, 2 masks
D 172.16.4.0/24[90/67905792] via 172.16.5.1,00:00:44, Serial0
C 172.16.5.0/28 is directly connected, Serial0
C 172.16.6.0/28 is directly connected, Loopback0
D EX 172.16.2.0/24[170/68036352] via 172.16.5.1,00:00:44,Serial0
D EX 172.16.3.0/24[170/67908352] via 172.16.5.1,00:00:44,Serial0

如我们所料，EIGRP域能看见重新分布的IGRP路由，但是，IGRP域不能看见EIGRP路由。这个问题与我们重新分布RIP和EIGRP时出现的问题一样：IGRP不能处理VLSM，所以，EIGRP路由不能重新分布。这个问题可以用同样方式解决，即通过使用静态路由，然后把它们重新分布到适当的协议里。

我们已讨论过在RIP版本1、RIP版本2、IGRP和EIGRP之间重新分布路由的问题。当涉及到VLSM时，应用所有的协议对总有相似的问题。克服RIP版本1和IGRP的VLSM缺点的方法是，适当使用静态路由。到现在为止，对于我们探讨过的所有协议，路由图的方法都是适用的。

在进一步讨论有关OSPF的路由重新分布之前，我们将探讨选择性路由重新分布技术。在前面，我们已重新分布了或者至少是试图重新分布从一个路由协议到另一个路由协议的所有路由。有时可能出现这种情况，那就是，只需重新分布从一个路由域到另一个路由域的路由的一个子网。例如，把当前带有EIGRP子网掩码的IGRP/EIGRP配置改变为8位子网掩码，以便它能匹配IGRP域的子网掩码，路由器r3正重新分布两条从IGRP域到EIGRP域的路由，172.16.2.0和172.16.3.0。如果我们只想把到达网络172.16.2.0路由重新分布到EIGRP域，而不让到达网络172.16.3.0路由传入EIGRP域，该怎么办呢？答案是通过利用分布表。分布表可用来过滤在协议之间重新分布的路由。例如，我们想配置路由器r3，以便让它只对从来自IGRP的路由172.16.2.0有意义，并且把这条路由插入到EIGRP域。有多种方式过滤来自路由更新的路由，所以，让我们从头开始。在路由器r3上输入EIGRP路由器配置模式，并且列出分布表参数。

```
r3(config)#router eigrp 100
r3(config-router)#distribute-list?
  <1-199>      A standard IP access list number
```

第一个参数让我们选择是使用标准的IP访问表(1 ~ 99)，还是使用扩展的IP访问表。我们将首先使用标准的IP访问表过滤路由，然后用扩展的IP访问表看一看另外的选择。选择IP访问表1，并列出下一个参数。

```
r3(config-router)#distribute-list 1?
  in        Filter incoming routing updates
  out       Filter outgoing routing updates
```

路由过滤既可以应用到输入的路由更新，也可以应用到输出的路由更新。我们想过滤出路由172.16.3.0，在路由器r3上，是从Ethernet接口开始，而到串口结束。传入路由是一条IGRP路由，所以，我们不能在输入上执行EIGRP路由过滤。选择out列出下个参数。

```
r3#(config-router)#distribute-list 1 out?
  Ethernet         IEEE 802.3
  Loopback         Loopback interface
  Null             Null interface
  Serial           Serial
  bgp              Border Gateway Protocol(BGP)
  connected        Connected
  egp              Exterior Gateway Protocol(EGP)
  eigrp            Enhanced Interior Gateway Routing Protocol(EIGRP)
  igrp             Interior Gateway Routing Protocol(IGRP)
  isis             ISO IS-IS
  iso-igrp         IGRP for OSI networks
  ospf             Open Shortest Path First(OSPF)
  rip              Routing Information Protocol(RIP)
  static           Static routes
  <cr>
```

有很多选项要选择。第一个选项是要把EIGRP路由过滤出所有接口。

```
r3(config-router)#distribute-list 1 out
```

选择这个选项，在路由器r3中，所有接口上输出的路由更新都将按照访问表1进行过滤。将使用访问表1阻塞路由172.16.3.0，而允许使用所有其他路由。这种情况使用的表显示如下。

```
Router r3 access-list
access-list 1 deny 172.16.3.0 0.0.0.255
access-list 1 permit any
```

不要忘记访问表里的permit any语句。记住，在每个访问表的末尾，总是有一个隐含否定语句。检查路由器r4的路由表，看一下路由过滤的效果。

```
r4#show ip route
  172.16.0.0/16 is variably subnetted, 4 subnets, 2 masks
```

```
D   172.16.4.0/24[90/67905792] via 172.16.5.1,00:00:00,Serial0
C   172.16.5.0/28 is directly connected, Serial0
C   172.16.6.0/28 is directly connected, Loopback0
D EX   172.16.2.0/24[170/68036352]via 172.16.5.1,00:00:00,Serial0
```

第二种选择是使用扩展IP访问表过滤，也可以用来阻塞到达网络172.16.3.0的路由。

Router r3 access-list

```
access-list 100 deny ip any 172.16.3.0 0.0.0.255
access-list 100 permit ip any any
```

在扩展IP访问表里要阻塞的路由作为目标地址被输入。可以在路由器r4的路由表看见效果。

```
r4#show ip route
   172.16.0.0/16 is variably subnetted, 4 subnets, 2 masks
D   172.16.4.0/24[90/67905792] via 172.16.5.1,00:00:01,Serial0
C   172.16.5.0/28 is directly connected, Serial0
C   172.16.6.0/28 is directly connected, Loopback0
D EX   172.16.2.0/24[170/68036352] via 172.16.5.1,00:00:01,Serial0
```

要从路由更新输出中过滤达到网络172.16.3.0的路由，另一个选择是，只在串口使用标准IP访问表。

```
r3(config-router)#distribute-list 1 out serial 0

access-list 1 deny 172.16.3.0 0.0.0.255
access-list 1 permit any
```

这个分布表将从EIGRP的路由更新中阻塞172.16.3.0路由。使用分布表，我们可以防止选择的路由被重新分布到另一个协议里。例如，阻塞172.16.6.0 EIGRP路由，不让它被重新分布到IGRP里。

Router r3 configuration

```
router eigrp 100
   network 172.16.0.0
   distribute-list 2 out igrp 100
   access-list 2 deny 172.16.6.0 0.0.0.255
   access-list 2 permit any
```

这种格式将阻止172.16.6.0 路由被重新分布到IGRP进程100，所以，路由器r1和r2将永远不会从IGRP中接收这条路由。

```
r1#show ip route
   172.16.0.0./24 is subnetted, 4 subnets
I   172.16.4.0[100/1110] via 172.16.3.2,00:00:33,FastEthernet0/0
I   172.16.5.0[100/265267] via 172.16.3.2,00:00:33,FastEthernet0/0
C   172.16.2.0 is directly connected, Loopback0
C   172.16.3.0 is directly connected,FastEthernet0/0
```

如果你没有看到到达网络172.16.6.0的路由,确认一下是否把EIGRP域里的子网掩码改为8位子网掩码(255.255.255.0)。

这里所使用过滤的示例既可以用于阻塞输出到一个特殊接口的路由，也可以阻塞输出到一个特殊路由协议的路由。也可以使用输入路由过滤来阻塞路由更新。例如，为从路由器r4

上阻塞172.16.3.0路由，我们可以在路由器r4上使用一个输入路由过滤，来代替路由器r3上输出路由器过滤。在行动之前，从路由器r3上删除所有的分布表。

```
r4(config)#router eigrp 100
r4(config-router)#distribute-list?
  <1-199>            IP access list number
r4(config-router)#distribute-list 1?
  in                 Filter incoming routing updates
  out                Filter outgoing routing updates
r4(config-router)#distribute-list 1 in?
  Ethernet           IEEE 802.3
  Loopback           Loopback interface
  Null               Null interface
  Serial             Serial
  <cr>
r4(config-router)#distribute-list 1 in serial 0?
  <cr>


access-list 1 deny 172.16.3.0 0.0.0.255
access-list 1 permit any


r4#show ip route
  172.16.0.0/16 is variably subnetted, 5 subnets, 2 masks
D   172.16.4.0/24[90/67905792] via 172.16.5.1,00:00:02,Serial0
D   172.16.5.0/28[90/68392192] via 172.16.5.1,00:00:02,Serial0
C   172.16.5.0/24 is directly connected, Serial0
C   172.16.6.0/24 is directly connected, Loopback0
D   EX172.16.2.0/24[170/68036352] via 172.16.5.1,00:00:02, Serial0
```

总之，分布表可以用来在所有路由器接口或在一个特殊接口上过滤传入的或传出的路由更新。也可以使用分布表来过滤重新分布到另一个路由协议的路由。我们看到的所有过滤示例都适用于EIGRP路由进程，也可以适用于RIP和IGRP，但不适用于OSPF。为什么对OSPF不适用呢？原因是RIP、IGRP和EIGRP都发送和接收包含路由的路由更新。这听起来好象是废话，但事实的确如此。OSPF路由更新不包含路由；它们包含链路状态宣告。OSPF最短路径优先算法生成OSPF路由。在相同OSPF域的所有路由都有一个相同的链路状态数据库。分布表不能而且也不应该改变这个事实。所以，请记住，永远不要对OSPF使用分布表。

13.4 OSPF和RIP

图13-9中的网络将用来研究OSPF和RIP之间的相互作用。

Router r1 configuration
hostname r1
enable password cisco
interface Loopback0
  ip address 172.16.2.1 255.255.255.0
interface FastEthernet0/0
  ip address 172.16.3.1 255.255.255.0

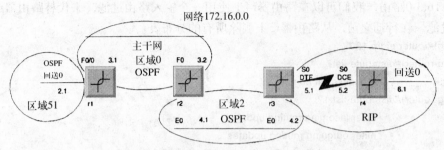

图13-9　OSPF和RIP路由之间相互作用网络示例

```
router ospf 100
  network 172.16.3.0 0.0.0.255 area 0
  network 172.16.2.0 0.0.0.255 area 51
```

Router r2 configuration

```
hostname r2
enable password cisco
interface Ethernet0
  ip address 172.16.4.1 255.255.255.0
interface FastEthernet0
  ip address 172.16.3.2 255.255.255.0
router ospf 100
  network 172.16.4.0 0.0.0.255 area 2
  network 172.16.3.0 0.0.0.255 area 0
```

Router r3 configuration

```
enable password cisco
interface Ethernet0
  ip address 172.16.4.2 255.255.255.0
interface Serial0
  ip address 172.16.5.1 255.255.255.0
  bandwidth 38
router ospf 100
  redistribute rip metric10
  network 172.16.4.0 0.0.0.255 area 2
router rip
  redistribute ospf 100 metric 1
  passive-interface Ethernet0
  network 172.16.0.0
```

Router r4 configuration

```
hostname r4
enable password cisco
interface Loopback0
  ip address 172.16.6.1 255.255.255.0
interface Serial0
```

```
    ip address 172.16.5.2 255.255.255.0
    bandwidth 38
    clock rate 38400
router rip
    network 172.16.0.0
```

在图13-9中，已经在路由器r3上配置了重新分布。Ethernet接口被配置成一个RIP路由协议的无源接口。没有必要在接口Ethernet 0外广播RIP路由更新，因为在路由器r2上，没有RIP路由进程来接收它们。重新分布的OSPF路由被指定度量方法1，而重新分布的RIP路由被指定度量方法10。

```
router ospf 100
    redistribute rip metric 10
    network 172.16.4. 0 0.0.0.255 area 2
router rip
    redistribute ospf 100 metric 1
    passive-interface Ethernet0
    network 172.16.0.0
```

为观察RIP和OSPF之间路由重新分布的结果，列出路由器r1和r4的路由表。

```
r1#show ip route
    172.16.0.0/24 is subnetted, 3 subnets
OIA    172.16.4.0[110/11] via 172.16.3.2,00:10:29, FastEthernet0/0
C      172.16.2.0 is directly connected, Loopback0
C      172.16.3.0 is directly connected, FastEthernet0/0


r4#show ip route
    172.16.0.0/16 is variably subnetted, 5 subnets, 2 masks
R      172.16.4.0/24[120/1] via 172.16.5.1,00:00:26,Serial0
C      172.16.5.0/24 is directly connected, Serial0
C      172.16.6.0/24 is directly connected, Loopback0
R      172.16.3.0/24[120/1] via 172.16.5.1,00:00:26,Serial0
R      172.16.2.1/32[120/1] via 172.16.5.1,00:00:26,Serial0
```

发生的一切都很有意思。OSPF路由成功地被分布进RIP，通过路由器r4的路由表可以看出这一点。RIP路由没有成功地被分布进OSPF，这一点可以通过路由器r1的路由表看出来。为什么会发生这种事呢？因为OSPF作为一个较好的路由协议被宣告了吗？答案很简单。当配置路由器r3把RIP重新分布到OSPF时，只有具备16位子网掩码的路由才会重新分布到OSPF。因为这个网络是个B类网络，而B类网络有一个具有16位长度的子网掩码。我们已经通过使用24位子网掩码，把RIP域变成了子网，所以，RIP路由不会被重新分布到OSPF。我们可以通过在路由器r3用B类地址和16位子网掩码创建一个回送接口，这样，就可以看到上述现象。

```
Router r3 configuration changes
interface Loopback0
    ip address 173.16.1.1 255.255.0.0
router rip
    redistribute ospf 100 metric 1
    passive-interface Ethernet0
    network 172.16.0.0
```

```
network 173.16.0.0
```

在路由器r3上，不必对OSPF路由器配置做任何改变。现在，路由器r1上的路由表应包括一个到达网络173.16.0.0的路由。

```
r1#show ip route
Codes:C-connected, S-static, I-IGRP,R-RIP,M-mobile, B-BGP
    D-EIGRP,EX-EIGRP external,O-OSPE, IA-OSPF inter area
    N1-OSPF NSSA external type 1, N2-OSPF NSSA external type 2
    E1-OSPF external type 1,E2-OSPF external type 2, E-EGP
    i-IS-IS,L1-IS-IS level-1,L2-IS-IS level-2,*-candidate default
    U-per-user static route,o-ODR
Gateway of last resort is not set
    172.16.0.0/24 is subnetted, 3 subnets
OIA   172.16.4.0[110/11] via 172.16.3.2,00:19:27,FastEthernet0/0
C     172.16.2.0 is directly connected, Loopback0
C     172.16.3.0 is directly connected, FastEthernet0/0
O E2  173.16.0.0/16[110/10] via 172.16.3.2,00:01:08,FastEthernet0/0
```

因为OSPF能重新分布不使用自然子网掩码的RIP路由。我们必须通知OSPF为RIP路由重新分布子网信息。

```
Enter configuration commands, one per line. End with CNTL/Z.
r3(config)#router ospf 100
r3(config-router)#redistribute rip metric 1?
    metric          Metric for redistributed routes
    metric-type     OSPF/IS-IS exterior metric type for redistributed routes
    route-map       Route map reference
    subnets         Consider subnets for redistribution into OSPF
    tag             Set tag for routes redistributed into OSPF
    <cr>
```

当重新分布RIP到OSPF时，需要使用一个关键字subnet。新的OSPF配置将允许RIP路由被重新分布到OSPF。

```
router ospf 100
    redistribute rip metric 10 subnets
    network 172.16.4.0 0.0.0.255 area 2
```

现在，路由器r1在RIP路由域里将有到达所有网络的路由。

```
r1#show ip route
    172.16.0.0/24 is subnetted, 5 subnets
O IA   172.16.4.0[110/11]via 172.16.3.2,00:27:08,FastEthernet0/0
O E2   172.16.5.0[110/10]via 172.16.3.2,00:00:54, FastEthernet0/0
O E2   172.16.6.0[110/10]via 172.16.3.2,00:00:54, FastEthernet0/0
C     172.16.2.0 is directly connected, Loopback0
C     172.16.3.0 is directly connected, FastEthernet0/0
O E2   173.16.0.0/16[110/10] via 172.16.3.2,00:00:54,FastEthernet0/0
```

从RIP重新分布到OSPF的路由，已被标识为外部类型2路由。回忆第6章讲过的两种类型外部路由。外部类型1路由有一个度量方法，它是穿越OSPF域的成本，加上OSPF域出口点路由到达这条路由成本的总和。外部类型2的度量方法只考虑从OSPF域出口点到达这条路由的

成本。OSPF外部路由默认的类型是类型2，可以在路由器r1的路由表中看出这一点。在OSPF
重新分布命令中，可以设置外部路由类型。

```
r3(config)#router ospf 100
r3(config-router)#redistribute rip metric 10?
  metric          Metric for redistributed routes
  metric-type     OSPF/IS-IS exterior metric type for redistributed routes
  route-map       Route map reference
  subnets         Consider subnets for redistribution into OSPF
  tag             Set tag for routes redistributed into OSPF
  <cr>

r3(config-router)#redistribute rip metric 10 metric-type?
  1 Set OSPF External Type 1 metrics
  2 Set OSPF External Type 2 metrics
r3(config-router)#redistribute rip metric 10 metric-type 1 subnets?
```

设置重新分布路由度量方法类型的效果显示在路由器r1的路由表中。

```
r1#show ip route
      172.16.0.0/24 is subnetted, 5 subnets
OIA    172.16.4.0[110/11] via 172.16.3.2,00:29:52,FastEthernet0/0
O E1   172.16.5.0[110/21] via 172.16.3.2,00:00:06,FastEthernet0/0
O E1   172.16.6.0[110/21] via 172.16.3.2,00:00:06,FastEthernet0/0
C      172.16.2.0 is directly connected, Loopback0
C      172.16.3.0 is directly connected, FastEthernet0/0
O E1   173 16.0.0/16[110/21] via 172.16.3.2,00:00:06,FastEthernet0/0
```

如果想把网络172.16.5.0的度量方法类型设置为类型1，并把其他所有重新分布的路由设
置为类型2，则需要使用一个路由图。

```
router ospf 100
  redistribute rip metric 10 subnets route-map ospf-type
  network 172.16.4.0 0.0.0.255 area 2
access-list 1 permit 172.16.5.0 0.0.0.255

route-map ospf_type permit 10
  match ip address 1
  set metric-type type-1
route-map ospf_type permit 20
  set metric-type type-2
```

当OSPF 重新分布RIP路由时，将参考一个名叫ospf_type的路由图。如果路由与访问表1
里的网络相匹配，那么，将把度量方法类型设置为1。如果路由与访问表1里的网络不匹配，
那么，将执行路由图中的下一条语句。这里没有匹配的语句，所以，所有其他路由都将把它
们的度量方法类型设置为2。

```
r1#show ip route
      172.16.0.0/24 is subnetted, 5 subnets
OIA    172.16.4.0[110/11] via 172.16.3.2,00:51:15,FastEthernet0/0
O E1   172.16.5.0[110/21] via 172.16.3.2,00:04:16,FastEthernet0/0
```

O E2   172.16.6.0[110/10]via 172.16.3.2,00:03:16,FastEthernet0/0

C   172.16.2.0 is directly connected, Loopback0

C   172.16.3.0 is directly connected,FastEthernet0/0

O E2   173.16.0.0/16[110/10]via 172.16.3.2,00:03:16,FastEthernet0/0

路由器r1和r2是区域边界路由器，因为它们有多个OSPF区域的接口。 路由器r3是自治系统边界路由器（autonomous system border router, ASBR），因为它在OSPF域和RIP域里有一个接口。

r2#show ip ospf border-routers

OSPF Process 100 internal Routing Table

Codes:i-Intra-area route, I-Inter-area route

I   172.16.2.1[1] via 172.16.3.1,FastEthernet0.**ABR**,Area 0, SPF 5

I   172.16.5.1[10] via 172.16.4.2,Ethernet0.ASBR,Area 2, SPF 4

在第10章，area range命令用于从非主干网OSPF区域向0区域汇总路由。外部路由可由ASBR汇总。在路由器r4上配置两个附加的回送接口，并启用RIP宣告这些路由。

Router r4 configuration changes

interface Loopback1

  ip address 200.16.10.1 255.255.255.0

interface Loopback2

  ip address 200.16.11.1 255.255.255.0

router rip

  network 172.16.0.0

  network 200.16.11.0

  network 200.16.10.0

OSPF将在路由器r3上重新分布这些新的RIP路由，并将把它们传播到路由器r1和r2。

r1#show ip route

        172.16.0.0/24 is subnetted, 5 subnets

O IA   172.16.4.0[110/11] via 172.16.3.2, 01:05:33 FastEthernet0/0

O E1   172.16.5.0[110/21] via 172.16.3.2, 00:12:53 FastEthernet0/0

O E2   172.16.6.0[110/10] via 172.16.3.2, 00:12:53 FastEthernet0/0

C   172.16.2.0 is directly connected, Loopback0

C   172.16.3.0 is directly connected, FastEthernet0/0

O E2   173.16.0.0/16[110/10] via 172.16.3.2, 00:12:53 FastEthernet0/0

O E2   200.16.10.0/24[110/10] via 172.16.3.2, 00:02:01 FastEthernet0/0

O E2   200.16.11.0/24[110/10] via 172.16.3.2, 00:02:01, FastEthernet0/0

在路由器r3上，可以使用路由汇总来减少从RIP域插入到OSPF域的路由通信量。

r3(config)#router ospf 100

r3(config-router)#summary-address?

  A.B.C.D IP summary address

r3(config-router)#summary-address 200.16.0.0?

  A.B.C.D Summary mask

r3(config-router)#summary-address 200.16.0.0 255.255.0.0?

  <cr>

通过使用超级网络200.10.0.0，在路由器r4上的两个C类网络已经被汇总。在路由器r1的路由表里可以看出这一点。

r1#show ip route
　　　172.16.0.0/24 is subnetted, 5 subnets
OIA　　172.16.4.0[110/11] via 172.16.3.2,00:00:02,FastEthernet0/0
O E1　172.16.5 0[110/21] via 172.16.3.2,00:00:02,FastEthernet0/0
O E2　172.16.6 0[110/10] via 172.16.3.2,00:00:02,FastEthernet0/0
C　　　172.16.2.0 is directly connected, Loopback0
C　　　172.16.3.0 is directly connected, FastEthernet0/0
O E2　173.16.0.0/16[110/10] via 172.16.3.2,00:00:02,FastEthernet0/0
O E2　200.16.0.0/16[110/10] via 172.16.3.2,00:00:02,FastEthernet0/0

OSPF进程也可以宣告默认路由，并且宣布自己为默认路由的发起者。为实现这点，我们需要配置默认路由，然后，让OSPF宣告它为路由的发起者。

Router r3 OSPF configuration
router ospf 100
summary-address 200.16.0.0 255.255.0.0
redistribute rip metric 10 subnets tag 666 route-map ospf_type
network 172.16.4.0 0.0.0.255 areas 2
default-information originate metric 10

r2#show ip route
Codes:C-connected,S-static,I-IGRP,R-RIP,M-mobile,B-BGP
　D-EIGRP, EX-EIGRP external,O-OSPF, IA-OSPF inter area
　N1-OSPF NSSA external type 1, N2-OSPF NSSA external type 2
　E1-OSPF external type 1, E2-OSPF external type 2,E-EGP
　i-IS-IS,L1-IS-IS level-1, L2-IS-IS level-2,***-candidate default**
　U-per-user static route,o-ODR
Gateway of last resort is 172.16.4.2 to network 0.0.0.0
　　　172.16.0.0/16 is variably subnetted, 5 subnets,2 masks
C　　172.16.4.0/24 is directly connected,Ethernet0
OE1　172.16.5.0/24[110/20]via 172.16.4.2,00:26:54,Ethernet0
OE2　172.16.6.0/24[110/10]via 172.16.4.2,00:26:54,Ethernet0
OIA　172.16.2.1/32[110/2]via 172.16.3.1,01:19:28,FastEthernet0
C　　172.16.3.0/24 is directly connected,FastEthernet0
OE2　173.16.0.0/16[110/10]via 172.16.4.2,00:11:42,Ethernet0
O*E2　0.0.0.0/0[110/10]via 172.16.4.2,00:12:07,Ethernet0
O E2 200.16.0.0/16[110/10]via 172.16.4.2,00:11:31,Ethernet0

13.5　OSPF和IGRIP

我们在OSPF和RIP重新分布的情况下讨论的每个结果都适用于OSPF和IGRP重新分布。为了验证这个判断，在路由器r3和r4上用IGRP替换RIP路由进程，如图13-10所示。

Router r3 configuration
router ospf 100
　　summary-address 200.16.0.0 255.255.0.0
　　redistribute igrp 100 metric 10 subnets
　　network 172.16.4.0 0.0.0.255 area 2
　　default-information originate metric10

```
router igrp 100
   redistribute ospf 100 metric 38 2000 255 1 1500
   network 173.16.0.0
   network 172.16.0.0

Router r4 configuration
router igrp 100
   network 172.16.0.0
   network 200.16.10.0
   network 200.16.11.0
```

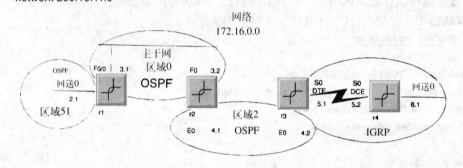

图13-10　OSPF和IGRP路由重新分布网络示例

当把IGRP重新分布到OSPF时，请记住使用关键字subnet。我们需要涉及的命令redistribute最后一个格式是使用参数match。

```
r3(config-router)#redistribute ospf 100?
   match        Redistribution of OSPF routes
   metric       Metric for redistributed routes
   route-map    Route map reference
   <cr>
r3(config-router)#redistribute ospf 100 match?
   external   Redistribute OSPF external routes
   internal   Redistribute OSPF internal routes

r3(config-router)#redistribute ospf 100 match external?
   1            Redistribute external type 1 routes
   2            Redistribute OSPF external type 2 routes
   external     Redistribute OSPF external routes
   internal     Redistribute OSPF internal routes
   match        Redistribution of OSPF routes
   metric       Metric for redistributed routes
   route-map Route map reference
   <cr>
```

OSPF有三种类型的路由，即内部路由、外部类型1和外部类型2。当我们使用命令
```
redistribute ospf 100 metric 38 1000 255 1 1500 subnets
```
重新分布OSPF路由时，所有OSPF路由即内部路由、外部类型1和外部类型2路由都自动

重新分布。我们可以有选择地挑选想重新分布的路由类型。下面列出redistribute命令的各种格式和它们的执行结果。

    redistribute ospf 100 metric 38 1000 255 1 1500 subnets match external internal

和

    redistribute ospf 100 metric 38 1000 255 1 1500 subnets

是等效的。事实上，如果键入第一种格式，并且列出配置情况，将会看到第二种格式。两种格式都将重新分布所有的OSPF路由。

    Redistribute ospf 100 metric 38 1000 255 1 1500 subnets match external

这种格式将只重新分布OSPF外部类型1和类型2的路由，并且将阻塞所有的OSPF内部路由。

    Redistribute ospf 100 metric 38 1000 255 1 1500 subnets match external 1

这种格式将只重新分布OSPF外部类型1的路由，并且将阻塞所有的OSPF内部路由和外部类型2的路由。

    Redistribute ospf 100 metric 38 1000 255 1 1500 subnets match external 2

这种格式将只重新分布OSPF外部类型2的路由，并且将阻塞所有的OSPF内部路由和外部类型1的路由。

    Redistribute ospf 100 metric 38 1000 255 1 1500 subnets match internal

这种格式将只重新分布OSPF内部类型路由，并且将阻塞所有的OSPF外部路由。用RIP和EIGRP可以使用所有的格式。另一个方法是重新分布所有的OSPF路由，然后使用一个路由图有选择地阻塞内部和外部路由。

有关IGRP和OSPF重新分布的最后一种情况是，如果OSPF使用VLSM时而出现的问题。我们知道，IGRP不能处理VLSM，而且OSPF将只重新分布那些与IGRP域有相同子网掩码的OSPF路由。例如，如果我们通过使用与IGRP正在使用的子网掩码不匹配的子网掩码，在路由器r1上创建两个新的回送接口，那么，IGRP不会看见这些路由。

    Router r1 configuration
    interface Loopback1
      ip address 172.16.20.1 255.255.255.240
    interface Loopback2
      ip address 172.16.20.17 255.255.255.240
    router ospf 100
      network 172.16.3.0 0.0.0.255 area 0
      network 172.16.2.0 0.0.0.255 area 51
      network 172.16.20.0 0.0.0.15 area 3
      network 172.16.20.16 0.0.0.15 area 3
      area 3 range 172.16.20.0 255.255.255.0

    r4#show ip route
      172.16.0.0/24 is subnetted, 4 subnets
    I   172.16.4.0[100/265257]via 172.16.5.1,00:00:01, Serial0
    C   172.16.5.0 is directly connected, Serial0
    C   172.16.6.0 is directly connected, Loopback0
    I   172.16.3.0[100/266157]via 172.16.5.1,00:00:01, Serial0
    C   200.16.10.0/24 is directly connected, Loopback1

C   200.16.11.0/24 is directly connected, Loopback2

有两种方法把网络172.16.20.0和172.16.20.16传播到IGRP域。第一种是使用一条静态路由。我们可以在路由器r3上创建静态路由，并把它重新分布到IGRP，或者，我们还可以在路由器r4上创建一条静态路由。静态路由必须与IGRP域有相同的子网掩码长度。

ip route 172.16.20.0 255.255.255.0 Serial0

这条静态路由在路由器r1上不能到达两个回送接口。其他方法是在路由器r1上使用area range命令，并把两个回送地址汇总到一个具有8位子网掩码的路由里。

area 3 range 172.16.20.0 255.255.255.0

这些技术也适用于RIP版本1。

13.6   OSPF和EIGRIP

我们在OSPF和IGRIP重新分布情况下讨论的每个结果都适用于OSPF和EIGRP重新分布。如果需要，在路由器r3和路由器r4用EIGRP替换IGRP路由协议，并验证我们介绍的关于OSPF路由器重新分布的所有情况仍然适用。

13.7   小结

如果你忘记了协议的属性、它们的管理距离以及不同配置的分离范围状态，在不同的IP路由协议之间重新分布路由可能是不可靠的。要确保自己已经明白分类的路由协议（RIP和IGRIP）之间是如何相互影响的，以及与无分类的路由协议（IGRP和OSPF）是如何相互影响的。也要了解了如何用分布表、路由图以及无源接口控制路由分布和路由宣告。

本书这就结束了，希望那些资料和示例已经帮助你懂得了在Cisco路由器上如何操作，以及Cisco路由器可用的IP路由协议之间的相互作用。我想最后解释一下IP地址和子网。这本书中，我提到过的子网包括所有的零子网或被禁止的子网，这句话通常是对的。如果你在全局配置模式下使用下列命令，则可以使用所有的零子网：

ip subnet-zero

Cisco IOS也将允许一个1位子网掩码，如果你确实想从IP地址空间的指定中压缩出更多的地址，只有使用这个1位子网掩码。使用本书中包含的配置和你能想象到的任何配置的使用经验继续进行练习。如果对本书中的内容非常清楚，那么，不管是在实际应用中，还是在CCIE考试中，配置IP网络应该都没有问题。

附录A 练习答案

A.1 练习2-1

对于下列局部Ethernet帧（无序言部分），确定源点和终点地址、帧的类型、所使用帧的上层协议，如果可能的话，再确定帧的长度。

1. **00000C123456**0800B06AA350800ABACAB...

Destination address=00000C123456

00000C123456**08000B06AA35**0800ABACAB...

Source Address=08000B06AA35

00000C12345608000B06AA35**0800**ABACAB...

Frame type=Ethernet II because 0800>05DC

0800=IP

Frame length is unknown.

2. **080001A1B2C3**7E46000000010300AAAA03A1B2C38138...

Destination address=080001A1B2C3

080001A1B2C3**7E4600000001**0300AAAA03A1B2C38138...

Source address=7E4600000001

080001A1B2C37E4600000001**0300**AAAA03A1B2C38138...

Frame length=3*256=768

080001A1B2C37E46000000010300**AAAA**03A1B2C38138...

Frame type=Ethernet SNAP

080001A1B2C37E4600000001AAAA03A1B2C3**8138**...

Upper-layer protocol=8138=Novell

3. **FFFFFFFFFFFF**192834641243FFFF123456...

Destination address=broadcast

FFFFFFFFFFFF**192834641243**FFFF123456...

Source address=192834641243

FFFFFFFFFFFF19283464123**FFFF**123456...

Packet type=Novel IPX

A.2 练习3-1

为A类地址创建一个与表3-4和表3-5相似的表。

A类子网掩码

子网的位数	子网掩码	子网的数目	主机/子网的数目	主机的总数
1	—	—	—	—
2	255.192.0.0	2	4194302	8388604
3	255.224.0.0	6	2097150	12582900
4	255.240.0.0.	14	1048574	14680036
5	255.248.0.0	30	524286	15728580

（续）

子网的位数	子网掩码	子网的数目	主机/子网的数目	主机的总数
6	255.252.0.0	62	262142	16252804
7	255.254.0.0	126	131070	16514820
8	255.255.0.0	254	65534	16645636
9	255.255.128.0	510	32766	16710660
10	255.255.192.0	1022	16382	16742404
11	255.255.224.0	2046	8190	16756740
12	255.255.240.0	4094	4094	16760836
13	255.255.248.0	8190	2046	16756740
14	255.255.252.0	16382	1022	16742404
15	255.255.254.0	32766	510	16710660
16	255.255.255.0	65534	254	16645636
17	255.255.255.128	131070	126	16514820
18	255.255.255.192	262142	62	16252804
19	255.255.255.224	524286	30	15728580
20	255.255.255.240	1048574	14	14680036
21	255.255.255.248	2097150	6	12582900
22	255.255.255.252	4194302	2	8388604
23	—	—	—	—
24	—	—	—	—

A.3 练习3-2

完成表3-6。

IP地址	子网掩码	是有效的对吗？	网络号	主机的范围
144.223.136.231	255.255.255.192	Yes	144.223.136.192	193-254
184.16.34.10	255.255.255.224	Yes	184.16.34.0	1-30
12.14.1.2	255.255.0.0	Yes	12.14.0.0	0.1-255.254
193.15.16.1	255.255.255.252	No		

对于IP地址193.15.16.1/255.255.255.252，子网是0，所以，它不是合法对。如果使用ip subnet-zero命令，那么这个对就是合法的，网络号是192.15.16.0，主机是1和2。

A.4 练习3-3

为地址/掩码对193.128.55.0/255.255.255.240确定所有的子网号。也为第四个子网确定主机地址和广播地址的范围。

网络	主机
193.128.55.0	1-14(if ip subnet-zero is used)
193.128.55.16	17-30
193.128.55.32	33-46
193.128.55.48	49-62(broadcast address=193.128.55.63)
193.128.55.64	65-78
193.128.55.80	81-94
193.128.55.96	97-110
193.128.55.112	113-126
193.128.55.128	129-142
193.128.55.144	145-158
193.128.55.160	161-174

193.128.55.176	177-190
193.128.55.192	193-206
193.128.55.208	209-222
193.128.55.224	225-238
193.128.55.240	241-254

A.5 练习3-4

使用C类地址200.100.50.0设计满足下列需要的网络:

■ 九个串行点对点链路
■ 四个带有最多为30台主机的网络
■ 三个带有最多为5台主机的网络

为每个子网确定地址、主机范围和广播地址。

在表3-5中，一个3位子网掩码将给我们带来5个网络，每个网络具有30台主机。

子网掩码=255.255.255.224

网络	主机	广播地址
200.100.50.0	1-30	200.100.50.31(if we use ip subnet-zero)
200.100.50.32	33-62	200.100.50.63
200.100.50.64	65-94	200.100.50.95
200.100.50.96	97-126	200.100.50.127
200.100.50.128	129-158	200.100.50.159
200.100.50.160	161-190	200.100.50.191
200.100.50.192	193-222	200.100.50.223

一个解决办法是使用前4个网络来满足如下要求: 4个网络，每个网络具有30台主机。对于每个网络带有5台主机的3个网络来说。我们可以使用5位子网掩码200.100.50.160/255.255.255.248来细分二级子网200.100.50.160，得到的网络列表如下。

网络	主机	广播地址
Network	Hosts	Broadcast Address
200.100.50.160	161-166	200.100.50.167
200.100.50.168	169-174	200.100.50.175
200.100.50.176	177-185	200.100.50.183
200.100.50.184	185-190	200.100.50.191

我们可以使用4个网络中的任何3个，来满足每个网络带有5台主机的3个网络的需要。

最后，使用30位的子网掩码，可以细分二级子网200.100.50.192，得到的子网表如下。

网络	主机	广播地址
Network	Hosts	Broadcast Address
200.100.50.192	193-194	200.100.50.195
200.100.50.196	197-198	200.100.50.199
200.100.50.200	201-202	200.100.50.203
200.100.50.204	205-206	200.100.50.207
200.100.50.208	209-210	200.100.50.211
200.100.50.212	213-214	200.100.50.215
200.100.50.216	217-218	200.100.50.219

（续）

网络	主机	广播地址
200.100.50.220	221-222	200.100.50.223
200.100.50.224	225-226	200.100.50.227
200.100.50.228	229-230	200.100.50.231
200.100.50.232	233-234	200.100.50.235
200.100.50.236	237-238	200.100.50.237
200.100.50.240	241-242	200.100.50.243
200.100.50.244	245-246	200.100.50.247
200.100.50.248	249-250	200.100.50.249

为串行链路选择任意9个网络。

A.6　练习4-1

在图4-7中，主机1想发送IP包到主机2。假设主机1有一个空的ARP缓存。确定允许主机1向主机2发送IP包的事件顺序。

主机1（156.26.1.1）正在向主机2（156.26.2.1）发送。因为它们在相同的IP子网上，主机1将向网络发送一个ARP请求。网桥将向主机2转发广播。主机2将用它的Ethernet地址应答。

当主机2收到来自主机1的IP包时，主机2收到帧的源点Ethernet地址是什么？主机2收到的源点IP地址又是什么？

源点Ethernet地址=主机1的Ethernet地址

源点IP地址=主机1的IP地址

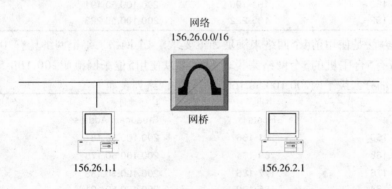

网络
156.26.0.0/16

网桥

156.26.1.1　　　　156.26.2.1

图4-7　练习4.1的网络

A.7　练习4-2

在图4-8中，主机1想发送IP包到主机2。假设主机1有一个空的ARP缓存。确定允许主机1向主机2发送IP包的事件顺序。

因为主机2与主机1在不同的子网上，主机1将直接向在地址156.26.1.2上的网关发送包。主机1将首先发送ARP请求把IP地址156.26.1.2转换为Ethernet地址，然后，向路由器A发送Ethernet帧。路由器A转发帧到路由器B，假设路由器B是路由器A的默认网关。路由器B将在网络156.26.2.0发出ARP请求，主机2将用它的Ethernet地址做应答。现在，路由器B能向主机2发送帧了。

当主机2收到来自主机1的IP包时，主机2所收到帧的源点Ethernet地址是什么？主机2收到的源点IP地址又是什么?

源点Ethernet地址=00 00 1c 00 00 04

源点IP地址=156.26.1.1

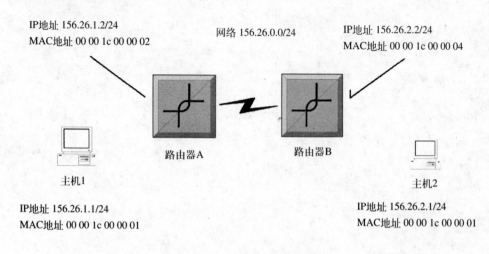

图4-8 练习4.2的网络